U0077303

戴國煇全集

史學與台灣研究卷·九

◎未結集3：中日關係

目次
contents

未結集3：中日關係

輯一　中日關係

輯二　時事政論

輯三　日本・台灣近百年史

【圖表目錄】

戴國煇全集 9

史學與台灣研究卷・九

未結集3：中日關係

翻　　譯：李毓昭・林彩美・林琪禎
　　　　　孫智齡・陳仁端・劉俊南
　　　　　蔡秀美・蔣智揚・謝明如
日文審校：吳文星・林水福・林彩美
校　　訂：王津平

輯一
中日關係

漢族系住民的語言與歷史

◎ 林彩美譯

　　近年來，日本與台灣在經濟、觀光兩方面往來頻繁。雖然如此，日本媒體還是很少提到台灣的問題。

　　戰爭（第二次世界大戰）已結束40年，日本社會中堅階層卻不知道戰爭的事；至於殖民地經驗，更沒被教育過，幾乎無所聽聞，可說比對戰爭更不清楚。因此很少年輕人知道日本戰敗前，也就是1945年8月15日以前曾殖民統治台灣50年的事；一般人也幾乎都不明白統治的經過及內情。

　　我擬從日本人用日語談到「台灣」時，此名詞所具有的複雜內涵為始，來開展本書〔譯註：指《更想知道的台灣》一書〕的論述。

一、「台灣」一詞的複雜面貌

　　任何民族、任何社會，人們多會依習慣的型式，形成其生活方式及看待事物的方法，並且用這種方式生活。日語中有很多具有智慧的話，像是「人只用自己的升斗（量器）去丈量別人」、

「蟹只能挖自己殼大小般的洞穴」，或許可以解釋為，人只用自己狹隘的眼界來看外界的事物。特別是囿於單一民族國家的神話裡的日本讀者，在這層意義上，並不容易正確掌握「台灣」的影像，有必要更加努力。

「台灣」的範圍

　　為了從政治、行政層面掌握「台灣」的意義，本文先把執政者的主張整理如次。

　　中華民國政府（以下簡稱國府）以中國國民黨為執政黨，掌握中國革命主導權，從1920年以來幾經波折，與中國共產黨抗爭、合作甚至內戰。由於在中國大陸無法阻止劣勢，國府中央逐漸撤守，以至在1949年12月7日時遷台。此前約兩個月的10月1日，中國共產黨已在北京宣布成立中華人民共和國（以下簡稱中共）。

　　此後迄今，台灣海峽的兩岸兩個政權仍持續對峙，但基於各自的政治信念，都提倡一個中國，以統一中國為目標，這是目前的實際狀況。「台灣」這通稱所包括的地理領域，當然是指國府政權目前實際、有效統治的範圍，其中第一部分是過去（1895～1945）日本台灣總督府所統治的台灣本島及澎湖群島，第二部分為金門、馬祖地區，即國府福建省所轄的金門縣及連江縣馬祖地區。說明行政範圍後，接下來的課題是這個領域內住了什麼人；使用何種語言；迄今發生了什麼歷史。附帶一提，金門、馬祖是國共對峙最前線的軍事要地，若無特別許可，不得從台灣本島前

去訪問，兩地人口總數合計不到57,000人（1984年末），因此本書暫不處理這兩個地方。

本省人與外省人

到台灣旅行時，在第二次世界大戰後出版的關於台灣的文章或書籍裡，或許會見到本省人與外省人這兩個對立的概念。一般說來，所謂本省人，是指1945年8月15日以前就在台灣設籍定居者；而外省人，則是指1945年8月15日之後從中國大陸移住台灣者。1984年末的現在，包括外國人，台灣的總人口約1,900萬。推算起來，除少數外國人外，本省人約占1,650萬，其餘就是外省人口。

本省人大致又可分為少數民族的「高山族」住民，以及構成多數族群的「漢族」住民兩種。高山族約有30萬人，此名稱是日本戰敗、台灣光復（台灣回歸祖國中國）時前來接收台灣的國府地方政府所使用的稱呼，也是當前國共雙方所共用的名稱。下節也會提及，台灣的少數民族其實不只住在山地，也住在平地，甚至海洋中的小島。因此，高山族的稱呼絕非正確，我認為將來應當改名。

數年前開始，筆者就因少數民族的居住區域可能在海洋，也可能在平地或山地某處，所以稱他們是先住台灣人（Native Taiwanese）[1]。

1　參照戴國煇，〈關於霧社蜂起事件的共同研究〉，收入戴國煇編著，《台灣霧社蜂起事件——研究與資料》（東京：社会思想社，1981年），頁4。〔參見《全集》1〕

　　總之，清朝官民都稱這些先住台灣人為「蕃人」，有所蔑視。此外，並依其漢化程度，以合於自己情況的方式，區別為「生蕃」、「熟蕃」而加以統治。

　　進入日本統治時代後，初期沿襲清朝的稱呼，到1930年代後半，基於安撫及懷柔的必要，改稱「熟蕃」為平埔族，「生蕃」則改稱為高砂族，一直持續到戰敗為止[2]。

　　平埔族如今已幾乎全部漢化，因此難以區別，有時被稱為「平地山胞」（住在平地的山地同胞），但通常不算在高山族裡。關於他們的語言及生活，在次節將會探討，以下擬介紹本省人中的漢族系住民。

二、福佬人與客家人

漢族系台灣人

　　關於本省人裡的漢族系住民稱呼，就像前述我認為高山族系住民應稱為先住台灣人或高山系台灣人一樣，這些人應稱為漢族系台灣人。

　　依照使用的方言，目前漢族系台灣人大致可以分為福佬系＝閩南系以及客家系兩種。伊能嘉矩根據清朝台灣史與日本統治初期實況，作了台灣田野的調查研究，依住民的不同來歷而記載：

2　參照戴國煇編著，《台灣霧社蜂起事件──研究與資料》，頁14〔參見《全集1‧霧社蜂起事件的概要與研究的今日意義》〕。

現在（1909年前後）在台灣的住民大致可以區分為日本民族、
漢族及蕃族三群。（漢族）占台灣住民的最大多數，較早的移
民屬於此類，依其原籍地則可分為：1. 閩人，即福建地方的住
民；2. 粵人，即廣東地方的住民；3. 其他地方的漢人等三種。
其中閩人最多，粵人次之，其他地方的漢人人數極少。閩人當
中，多數是泉州、漳州兩府的人民，汀州、興化兩府次之；粵
人當中，多數為惠州、潮州兩府的人民，嘉應州次之。他們都
是早期開發台灣的創始者，這些漢族不僅對開墾事業的發達盡
心盡力，對於現今所見的街庄（相當於日本的町村，目前台灣
已改稱為鎮鄉）建置，也都是由他們一手創建而成。[3]

　　從上述，我們可以了解，日本當局為了統治台灣之便，把漢
族系的本島人區分為閩人、粵人及其他地方漢人三種，事實上，
在戶口調查簿裡也設有種族欄，並登錄為福建族、廣東族。
　　表1是依1905年10月1日、1915年10月1日及1920年10月1日所
實施的人口調查（從第一次到第三次臨時台灣戶口調查）的總計
而製成。其中的「其他地方之漢人」，或許可推論為「改隸」
（日本殖民化）之際，無法回大陸或是不想回大陸而留下來的清
朝官兵，因為人數極少，或者逐漸同化到閩、粵系住民中，因此
在後來的調查總計裡沒再見到。

---

[3] 伊能嘉矩，〈台湾住民総説〉，收入吉田東伍編著，《大日本地名辞書続編・第三・
　台湾》（東京：富山房，1909年，3版），頁19～20。

表1　台灣全體住民人口數及種族別人口數

	住民總數	本島人總數	福建人（閩人）	廣東人（粵人）	其他地方之漢人	熟蕃	生蕃
1905年	3,039,751	2,973,280	2,492,784	397,195	506	46,432	36,363
	100%	97.8%	78.0%	14.2%	0.0%	1.5%	1.2%
1915年	3,479,922	3,325,755	2,753,212	478,557	158	47,676	46,152
	100%	95.6%	79.1%	13.8%	0.0%	1.4%	1.3%
1920年	3,655,308	3,466,507	2,851,353	519,770	235	48,894	46,255
	100%	94.8%	82.0%	13.1%	0.0%	1.3%	1.3%

資料來源：台灣總督府官房臨時國勢調查部《第一回台灣國勢調查（第三次臨時台灣戶口調查）記述報文附結果表》（同調查部，台北，1924年2月10日發行），頁49。依其中〈種族別人口比較〉做成此表。

　　整個日本統治期間，日本相關人士一直都是把來自福建省的漢族移民後代稱為閩族，後來稱為福建族、福建人；而來自廣東地方的移民，則稱為粵族，後來稱為廣東族、廣東人。此外，也把這些人所使用的母語，概稱為福建話與廣東話。

　　但其實許多住在台灣、被日本人稱為廣東人的，並不是講廣東話的廣東人。他們講的是與廣東話完全不同的客家話，在中國人之間，也都常以「客家」[4]人自稱、他稱。

　　台灣的客家人不只從廣東省來而已，也有從福建省汀州府遷居來的。同樣地，來自廣東省潮州府的住民並不是講客家話，而是講潮州話，他們的語言接近閩南語，在大陸或東南亞華僑及華人社會中稱為福佬話，他們也互稱為福佬人。因此史實中也有日

4　參考戴國煇，〈何謂客家〉，《台灣與台灣人》（東京：研文出版，1985年，5刷），頁308～314。〔參見《全集》1〕

本相關人士提到，所謂廣東人，除了出生於中國大陸廣東省的人，其中也有出生於潮州府、說福佬話的福佬人。

眾所周知，福建省的自然環境是山岳重疊，方言種類錯綜複雜，因此若把同地方出生者的母語一概稱為福建話，是很勉強的。試舉一例說明：民國以來，福建省的省會一直定為福州，但是當地的福州話和福建省唯一傳統良港廈門所通用的廈門話的差異，不是像東京腔和關西腔之間那樣單純而已，事實上是完全無法相通的。由於多數漢族系住民群的「原鄉」（父祖的故鄉）是以廈門為中心、福建南部一帶的泉州府及漳州府，他們的母語群，也因此非被概稱為福建話，而是以閩南語（福建南部的語言）稱之。

當然閩南語有時也被改稱為廈門語。探索廈門的源起，是由許多泉州人及漳州人聚集於此建設而成的港市，因此廈門語可以看成是由兩府的語言混合而成。因為語言是活的東西，閩南語群中，泉州話、漳州話和潮州話相互之間又有微妙的差異，腔調也不同。閩南語又被改稱為福佬話，使用這種語言的人也一概被稱為福佬人。

另外，或許有必要再指出另一項日本相關人士容易犯的錯誤。

對於客家人的稱呼，一般都認為，因為他們移住台灣的時間比閩南系的住民晚，所以被稱為客人或客家人。這顯然是錯誤的，因為台灣以外的地方，也都是這種情形。不論是沒遷徙到台灣仍住在大陸者，或是客家系的東南亞華僑、目前已在居住國取得當地國籍的華人，也都是以客家或客家人自稱或他稱。

漢族移住台灣的四波浪潮

台灣與大陸的交流史，可以上溯到相當早的時代。以下擬不依古文獻上的斷簡殘篇記載和考古學上的文物[5]作介紹，僅介紹近世以來漢族移住台灣的沿革。

明朝16世紀中、末葉，台灣成為漢族系「海賊」或商船等的基地，也就是水及食糧的補給地。以此推想，漢族因而「開拓」台灣，便有農產品的自給以及補給物的生產規模發展。

稍後，荷蘭人首先出現在澎湖島（1603年）。1624年，荷蘭人聽從明朝的勸告，由澎湖轉而撤退台灣本島。1630年，荷蘭東印度公司在台南安平建熱蘭遮城。之後又於1650年，在赤嵌建立普羅文西亞要塞。以台南附近為中心，在明朝的默認下開始通商與重商主義的殖民地經營。

幾乎是在同一時期，滿洲族愛新覺羅一統南下，李自成攻入北京滅了明朝，滿清入關，定都北京。之後，清朝勢力持續往南。在此壓力下，華南發生混亂，不難想像當時有許多人避難至台灣，並乘荷蘭人「開發」台灣之便，藉機定居於此。但是1626年西班牙人為了對抗荷蘭人，在基隆及淡水築城，擬在北台灣擴張勢力圈，不過這種情形並沒有維持太久。漢人也和以北台灣為根據地的西班牙人交易，渡海來到北台灣，其中可能也有一部分人定居下來。

---

5 參照戴國煇，〈台灣簡史〉，《日本人與亞洲》（東京：新人物往来社，1973年），頁151～165。〔參見《全集》1〕

荷蘭人趕走西班牙人（1642年）後，在台灣獨使霸權，前後共計38年，這段時期可視為漢人移住台灣的第一期。

隨著清朝勢力的南進，在日本的淨瑠璃或歌舞伎中也相當著名的國姓爺鄭成功亦被追討。鄭氏是經由金門進入台灣的，率其部眾想收回父親鄭芝龍原來的領土，結果成功驅逐荷蘭人。1660年，他把普羅文西亞城改稱為承天府，開始以台灣作為「抗清復明」與反攻大陸的基地加以經營。鄭氏一族是泉州府南安縣出身的，因此隨他入台的官兵，也以閩南人為主，從依當時的時代背景來考量，這是當然之事。即使軍事、政治的指導者中，多少也有一些其他地方出身的明朝遺臣，但無論如何，鄭氏部眾在台23年間，以泉州及漳州的福佬人為主，以台南為首都，南至現在的高雄、屏東，北至現在的嘉義、彰化、新竹及台北的一部分，擴大從事「開拓」工作。這是漢人移住台灣的第二期。

第三次浪潮則以清朝併合台灣（1683年）為始。鄭成功之孫鄭克塽因內部紛爭等，而難以抵抗清朝的攻勢，於是率領族人及其黨羽降清。鄭氏統治台灣僅23年就宣告落幕。清朝為根絕明朝在台灣的勢力，把鄭氏一族和魯王世子朱桓等宗室及其2,000名官員，還有四萬多名士兵，全都遷移回大陸。因為內部分裂，一部分叛離鄭克塽者逃到南越，成為後來越南南部華僑社會的中堅分子。

日出而作，日落而息，一般漢人移民事實上是「帝力於我何有哉」，因此決定留在台灣，乃自然之趨勢。清朝在台灣改設一

府三縣，也解除了遷界令[6]。以此為契機，因戰亂而苦於生活的閩南人民，大舉流入了這個新的「處女地」台灣。漢人移民在新開拓地的北部及東北受到來自先住台灣人的反抗和威脅，但是他們知道還有廣大的未開拓地存在著。當時到台灣的移民群，除泉州、漳州人外，另有對海洋不是很熟悉的客家人參與其中。

從鴉片戰爭（1840年）到太平天國及之後同治、光緒年間，以至於清末，這段時期是漢人移住台灣的第四波浪潮。特別是參加太平天國的一部分客家人入台，遷向與「蕃界」（先住民的居住區域）鄰接的山麓地帶及宜蘭、台東、花蓮港、埔里邊界避難[7]，並試圖踏進先住台灣人所謂的蕃界，客家故老便於此傳承下來。一部分客家人、福佬人多與平埔族通婚，並將其同化，也大致以這一時期為高峰。

《台灣在籍漢民族鄉貫別調查》被視為是台灣總督府在台灣所實施類似調查的最後一次，以這項調查統計為基礎，所製成的「台灣在籍漢民族鄉貫別分布圖」中，閩南人和客家人的分布以不同的顏色別描繪出來[8]。依該統計，兩者的人口比，福佬人是86％，客家人則是13％強。從分布圖來看，一目瞭然的是，多數福佬人住在沿海一帶的平原地區，客家人則是以與中央山脈接壤的山麓地帶為主要居住地區。

---

6 遷界令是把中國沿海地方居民隔離在內地，使沿岸成為無人地帶的法令。清初的遷界令是以孤立鄭氏為目標，1656年以降，均嚴禁商民船隻出海通商。

7 參照伊能嘉矩，〈台湾に於ける移殖漢民の原籍及拓地の年代〉，《台湾文化志・下卷》（東京：刀江書院，1965年復刻版），頁382～390。

8 參照台灣總督府官房調查課，《台灣在籍漢民族鄉貫別調查》（台北，1928年）之附錄〈台灣在籍漢民族鄉貫別分布圖〉。

語言狀況

由於筆者已在他處發表過日本殖民統治與台灣客家的相關文章[9]，在此不再贅述。以下擬簡要觸及台灣客家語群的情形。

如同閩南語群有泉州、漳州、廈門、潮州等方言，台灣的客家人使用的客家語群也有「四縣」（以舊嘉應州所屬的興寧、五華、平遠、蕉嶺四縣為主）、「海陸」（以舊惠州府所屬的海豐及陸豐為主）以及「饒平」（以舊潮州府的饒平為主），三種類別使用於日常生活中。

從上述可知，日本統治時代的本島人，在光復以後雖自稱或被稱為本省人，但各人根據母語的使用情形在語言生活中其實是非常多元的。首先，先住台灣人中，「馬來‧玻里尼西亞語族的印度尼西亞語系，以及和其同樣古老分化出來的一派，二者之間有顯著的分化以及差異，因此語言不能互通」的語言群[10]；而漢族系台灣人，則有閩南語和客家語等之使用。因此，閩南語系的一部分台灣人，把自己的母語閩南語概稱為「台灣話」，嚴格說來不太正確。使用閩南語的閩南人，也就是福佬人，事實上占台灣人的大多數，不過，台灣絕不只是使用閩南語而已。閩南語的分布地區，除台灣以外，在大陸的華南和海南島、海外華人及華僑的閩南人後裔，其中包括住在新加坡和菲律賓的多數人，幾乎

---

9 詳細內容請參照戴國煇，〈日帝統治下的台灣客家〉，《歷史と地理》第294號（東京：山川出版社，1980年2月）。〔參見《全集》4〕

10 末成道男，〈台湾原住民について〉，《台湾アミ族の社会組織と変化》（東京：東京大学出版会，1983年），頁4。

都是以閩南語為母語。這些地區的閩南語即是廈門話、福佬語，和台灣的閩南語在發音上多少有點微妙的差異，但不管是基本語彙或語法，都可說非常接近。

三、漢族系移民浪潮和先住台灣人

漢族的「新天地」

　　進一步推論，自17世紀初至清末，也就是19世紀末，台灣是漢人移民所謂的「新天地」。

　　這個新天地如古今中外貫例，是冒險家的「天堂」。受限於生產力發展階段的不同，先住民和移民間存在著顯著的「文化水平」落差。對移民，也就是冒險家而言，剛開始時一點都不把先住民的生活、社會秩序及與所有權相關的觀念等放在眼裡，他們的眼中不存在「所有權」。對移民來說，存在的、吸引他們注目的，是未被砍伐的樹海，以及無窮無盡的「荊棘荒蕪」之地。而先住民，則只是時而半裸、時而刺青、出草，也就是獵人頭的一群「未開化」的「蕃人」而已。

　　鄭氏的移民政策，是頒布屯田制，引入福建先進的水利（南宋以來，福建的灌溉技術體系走在中國大陸的尖端），及發展製糖、製茶、稻作等技術。樹海的林木成為燃料、建築材料，採伐後的土地則成為旱田和水田。由於是處女地，因此土地非常肥沃。台灣只是像九州一樣的小島，但台灣南部在大清帝國如破竹之勢的壓力下，卻在20年間一直有能力抵抗，或許是因為有台灣

海峽之險的「幫助」，再加上移民社會主導的開拓經濟，自內部
給予支持。這一點是無庸贅言的。

　　雖然有先住民「出草」的激烈抵抗風險，以及風土病如霍亂
等的威脅，但從開拓中可以獲得的生活糧食及利益很大，因此台
灣持續吸引對岸的開拓者前來。在此情況下，便形成了前述四次
福佬及客家的移民浪潮。

　　移民社會的形成，與開拓前線──也就是新開拓地──的不
斷擴大，因此超越了出草的威脅，先住民也在山區及邊境之地更
為孤立化。漢人移民奪去先住民自行運用文字的空間、從部族割
據進入到民族層次更高度的融合與統合的契機及時間等，剝奪先
住民手裡的一切。這種基本的結構及方式，持續沿襲到日本統治
時期。日本比漢人更強力地集中殖民地的統治權，更為巧妙有效
地引入分化統治，一邊各個擊破，在先住民中挑撥離間，將之區
分為「友蕃」（協助日本的先住民部族）以及「敵蕃」（反抗日
本的先住民部族），令其自相殘殺[11]。因此，或許唯一可以說是
比較好的成果，就是讓日語成為九個部族間的共通語言。日本遊
客踏上台灣土地時，高山族耆老們以日語應對，日本遊客會因其
親切而以為是「親日」的表現，而很天真地感到高興，這似乎不
是壞事。雖然如此，先住民在說日語時，「心」的深處卻是滲著
血的，關於這一點應留意，不要忘記。

　　以占有新天地的土地為中心，圍繞著地盤爭奪的「台灣西
部片」的世界，不只是在先住民和移民間發生而已，移民族之

---

11 參照戴國煇編著，《台灣霧社蜂起事件──研究與資料》。

間也有這些事。起初是泉州人和漳州人之間，後來是福佬人對客家人。或是因利害不同，而有泉州人和客家人聯合對抗漳州人，以及漳州人和客家人聯合對抗泉州人等各種型態的分類械鬥（「類」即是組成不同群體，拿起武器的私人打鬥）的流血事件經常發生[12]。想想美國的「西部片」，就很可以了解以新天地台灣為舞台的地盤爭奪劇。因為只有很少量的「金子」產出，可說是不幸中的大幸，也減少不少慘劇上演。

隨著開拓的演進，以泉州人及漳州人為中心的福佬人，有了融合的發展。但在福佬人及客家人間，則因為語言、氣質、信仰等差異以及地盤的利害關係等，所以並不容易融合及統合。

古往今來，統治者常會有效利用被統治者內部的反目及矛盾，在掌握權力的一方，一面進行對於被統治者的離間，一面則對其中一部分人進行懷柔策略，將圓滑及有效的統治作為目標。清朝統治台灣兩百餘年間（1683～1895）也沒有例外，利用「漢」、「蕃」及「福」、「客」的對立抗爭，持續分化統治的手段。

日本的殖民地統治

日本的殖民地統治，是以比清朝更具「近代性」的強權，展開科學的調查研究，在50年間實施手腕老練的分化統治。

清朝和日本帝國主義相繼沿用的分化統治，是在先住民各部

---

12 伊能嘉矩，〈分類械鬥〉，《台灣文化志》上卷，頁929～953。

族中，使其互相隔絕、孤立。先住民在主觀及客觀條件上，都不能產生整合，連類似「先住台灣人」的共屬意識概念都不能培養。統治王朝和帝國主義者最後都以同化為目標（前者是漢化，後者是皇民化），但由於以「蕃人」之名侮辱先住民，政策上把他們隔絕在邊境、加以操弄，並對其持續進行壓榨的結果，「同化」的成果微乎其微。

　　而漢人移民社會的例子，和先住民社會相較，則相當不同。在主觀的條件中，以融合及統合為目的的前提下，則漢人移民在入台前就已共有幾個優異的共同要素。其一是漢字；其二是儒教文化；其三是出自漢族同一血緣的共屬意識；其四是離開中原文化，在「化外之地」（「王化」或「教化」所不及的土地）求取生活的食糧，並且常受到出草的挑戰，時刻處於戰戰兢兢的不安環境中，而有少許的連帶感；其五是從清朝時期起到（1945年）8月15日中日戰爭結束，漢人移民幾乎都處在不能參與政治的情況，也就是台灣政治主導權常被異民族把持，例如清朝時期是滿族，日本時期則是大和民族。因此台灣的漢人移民對政治有一種因疏離感而產生的「反動意識」以及欲求不滿等的潛在要素。

　　隨著清朝統治的開拓，以及日本帝國殖民地型經濟的展開，包括福佬人和客家人兩方的漢族系台灣人，會促進彼此的融合及統合，應不足為奇。然而從現實看到的具體開展過程，卻並非如此。

　　日本帝國對台灣的殖民地化，是把台灣和海峽對岸的中國大陸切離，這種形式也就是割讓一國的一小部分之邊境島嶼的特異情況。台灣島的住民從被殖民開始就很激烈，雖然在意識上尚有

落差，組織亦保有前近代的局限，但仍勇於進行多種形式的武裝抗日行動。

這些行動在經歷挫折後，以台灣文化協會等為中心，在政治、文化方面進行抵抗。有人被彈壓後沒有留在台灣，或是到大陸去考量別的抗日方式，也就是「曲線救台」（從大陸再迂迴轉回來救台灣），以先成就中國革命，再強迫日本歸還台灣為目標；也有組織作為世界革命一環的「台灣共產黨」，透過共產主義運動，希望使台灣從殖民體制的桎梏中解放出來。因此展開了多樣化的抗日運動[13]。

先住台灣人各族則還停留在自然部族的階段。前面已提到，他們還沒有形成作為先住台灣人的共通性及同一性；其實直到今天，他們也才萌生一點點共同的政治自覺，不能說已培養起來[14]。

至於漢人移民融合、統合的課題，如前所述，條件比先住民有多處優越的地方。但是漢人移民中，卻只有部分上層本地資產階級，到日本戰敗的八一五前，有福佬人及客家人的通婚及連帶關係，距離融合的成熟期還很遠。而在「台共」內部，福、客之間也相互蔑視、猜疑，體制方的挑撥也潛在持續著，因此耆老會

---

13 詳見以下文獻：1. 若林正丈，《台湾抗日運動史研究》（東京：研文出版，1983年〔譯註：該書中譯版已由台灣史日文史料典籍研讀會譯出，台北：播種者出版社，2007年〕）；2. 戴國煇，《台灣與台灣人》（東京：研文出版，1985年，5刷）；3. 葉榮鐘，《台灣民族運動史》（台北：自立晚報，1971年）。

14 到今天為止先住台灣人的政治參與，幾乎都是採執政黨（國民黨）推薦或援助的形式，在1985年底的地方公職人員選舉中，首次有非國民黨的「黨外」排灣族青年林文正（伊凡・尤幹）的獨立參選，雖然落選，但是被評價為新的徵兆。

悲歎福、客間矛盾、對立的傳統「框架」之陷阱不易克服。或許只能視為認識上的歷史局限所帶來的解釋，此外沒有其他方法。

對台灣認同的不存在

日本人把台灣當成殖民地來統治，起初對台灣的漢人住民稱為土人或支那人，後來因為這兩個詞感覺不妥當，所以改用本島人這種含混的稱呼，不過依然帶有些微輕蔑感。

眾所周知，台灣之前和中國大陸有特殊的關係，因此日本當局除了在殖民統治上多採取壓榨、暴力的彈壓政策外，也處心積慮地要減弱台灣的中國色彩。

漢人移民不管是福佬人或客家人都自詡是「文明人」，對於中原、中華文化的邊境＝台灣＝「蕃界」，在面臨保持這種態勢之時，他們是想以「中原＝中華文明」的方式在台灣生活。

明末清初時，台灣以國內殖民地的方式，被編組進中華文明裡。中華文明的基礎穩固，具有長遠的傳統，所以滿懷自信且富有凝聚力；但也因而在另面向，會流於頑固與褊狹。不僅福佬人及客家人會堅持自己的出身，有「勇氣」去切斷自己與大陸原鄉精神紐帶關係的移民也不多。幾乎所有的移民都不想放棄自己作為漢人，不，是作為泉州人、漳州人、客家人的生活方式。當然也有若干有「勇氣」的人冒險犯難，進入「蕃界」的生活型態中，被先住民系出身的女性和「富有」所魅惑吸引，也有此種例子存在。不過那些有「勇氣」的人的行為在漢人社會一般被看成是墮落的，或是一時的、功利主義的、狡猾且脫離常軌的作法。

　　移民中的壓倒性多數，無論出身何種集團，都同樣執著於既存的，也就是大陸時期的習慣或思考方式的生活型態。從一般的史實和事例看來，喜歡改變自己習慣的人很少。無論是福佬或客家，都各自堅守自己的母語、信仰，例如福佬人的媽祖、客家人的大伯公或義民爺信仰。他們建造閩南式、客家式的住家，維持福佬人、客家人的髮型、衣著型式，依循自己的傳統宗教儀式，拿大陸原鄉的地名來為開拓的移居地命名，以此方式經營、創造新生活。

　　日本帝國當局對於中國大陸潛藏無形的壓力，以及島內既存的中華文明深層的「根」，感到困惑與棘手。在中日八年戰爭時期，日本以皇民化之名，進一步強化同化政策，限制傳統宗教節慶，以引進神道的方式，彈壓本地信仰，並限制祭祖，廢止並禁止報刊上的漢文欄。與此同時進行的是強制推廣日語，中華民國成立後制定的中國標準語（即北京官話，目前國府在台灣稱為國語，而中共的大陸則稱為普通話），當然也不准在台灣普及。

　　妨礙學習與普及北京官話，等於無形中剝奪漢人住民跨越福佬及客家之別進行更高層次統合的語言媒介。在過去，母語屈辱地被輕蔑，現在則是更進一步地遭到剝奪，並以強權彈壓、侮辱，然後再持續強制以統治者的語言——日語取代，對漢人移民來說，實在說是憾事，也是悲劇。

　　彈壓常會引起反動。各抗日運動的領導者，幾乎都可見到其根本上具有強烈的中華思想。現在來看可以這麼解釋，置身日本殖民地體制下，他們感傷，對原鄉懷有鄉愁，對中國革命有期待，基於華夷思想而有排他主義，強烈執著儒教文化和傳統信

仰，從而再次強化了中華思想。

　　以中原、中華文化為自己的文化共同體，領導者對此有時無意識，有時其意識卻相當強大。福佬的稱呼，是河洛（異字同音）的訛轉，河洛表示自己的中原出身，福佬人對自己出身有相當的自傲。客家人也是一有機會，就不斷強調自己是中原正統的出身。至今台灣的本省人中，未見明確挺身將台灣「邊境之地」正面定位為自我座標軸的知識分子出現，這是很有意思的事[15]。因此，福、客出身者，都非先以凝聚在「台灣」為基礎，然後再以中華文化與中華民族連結，難道不是這樣嗎？幾乎所有的領導者，不管是福佬人或客家人出身，都超越了「台灣」，將純粹的自我主張直接與中原或中華文化共同體連結起來，這種跡象非常強烈。

　　不過，卻也不能忘了，在嚴酷的時代以及非常時期裡，在中國大陸的一般社會中，他們卻不可以自稱為「台灣」人或台灣出身，也不能這樣自我主張，他們被強迫匿名。在高漲的抗日氣氛中，台灣人被看成是日本人的間諜，是無形中釀成的。吳濁流曾藉小說《亞細亞的孤兒》[16]，描寫出中日戰爭期間，大陸台灣知識分子的苦惱（頁167），或許顯現了上述的情況與悲劇。當然，仍有少數台灣人有意識地自願成為日本帝國主義的走狗也是

---

15 筆者應是最早提出這個問題的，請參見戴國煇，《台灣史研究——回顧與探索》（台北：遠流出版公司，1985年，3版），頁126～127。〔參見《全集2・「中國人」的中原意識與邊疆觀》〕

16 吳濁流，《アジアの孤児》（東京：新人物往来社，1973年），請參見戴國煇對上述吳著的解題〈植民地体制と知識人——吳濁流の世界〉〔參見《全集15・吳濁流的世界》〕。

不必贅言的。

　　總之，到1945年8月15日為止，在日本統治下，台灣的所謂本島人，以及光復後的本省人，其中的漢族系住民，幾乎都是由衷地不願將台灣從中國大陸切離，不認為台灣有獨自的文化共通性和同一性，也沒有提出這樣的看法之必要，寡聞如我，不曾知道有這樣思想上的醞釀。

　　對這種精神史的狀況，當然在認識上有一定的階段之故，因此斷定為當然也有其可能。筆者以為台灣所處的客觀條件，也就是共同的地域、風俗、經濟的紐帶關係；種族、習慣、歷史的命運；語言、政治等的共通性、同一性等，要歸結出成為「台灣」獨有的基礎尚未成熟，一切可歸因於此。

　　主觀條件上，如果台灣的本島人（先住民和移民兩方）還持續停留在各行其是、分裂反目階段的話，把前述所舉的各種客觀條件放入「台灣」的構架裡，是否可以出現同一或類似的主體以及自覺的認識。個人認為，這樣的自覺與認識皆不可見。

　　「存在」決定意識，以這個古典的命題冷靜思考，「台灣人」的主體性、具有政治的自覺，以及具有整合性的「台灣人意識」，無論是何種內容，到這時候都還沒有成形，是顯而易見的。

四、外省人對本省人

台灣的「外省人」的移入

　　如前所述，外省人是（1945年）8月15日以後方從大陸移來定居者的總稱。外省人移居台灣，可以大致分為前期的小潮流以及後期的大潮流兩期。小潮流是（1945年）8月15日到二二八事件前後來台的人，以光復後接收要員以及其相關人士為中心。後期的大潮流則是自1949年後半年到1950年前半年為止，為躲避國共內戰而來到台灣的人，以及隨著國府中央大舉遷台，以軍事、政治、公家單位相關人士為主流。

　　一般都認為1950年末時，遷台的人口數中，軍人有60萬，其他則有140萬，合計約200萬人。前《每日新聞》記者若菜正義曾引用國府文化建設委員會主任委員陳奇祿的發言：「本省籍閩南語群占74.51％，客家語群占13.19％，山地同胞占2.37％，其他占0.08％，外省籍則占9.85％。」[17]不過我認為，其中外省籍的數字似乎有錯誤，過低了。

　　此外，本省人、外省人的用語並不是台灣特有的中文用法，這一點特別希望日本讀者能夠了解。例如福建人自稱本省人，通常將福建以外各省出生的人一律稱為外省人是很平常的事。但是反映在台灣戰後，也就是光復後40年的歷史中，基於本省人和外省人因緣的羈絆，台灣的本省人和外省人的用法有時和其他省相

---

17 台湾研究所編集發行，《中華民国総覧（1985年版）》（東京，1985年），頁146。

關的用法相較時，的確是有一些「特別不同的差異」。在台灣定居的外省人出生地或本籍，是分布在全大陸而相當複雜，雖以漢族為主流，但也有藏族、蒙古族、滿族以至於回族等少數民族，定居情形相當多元。

由於增加200萬人，一時人口大增，如果能以出生省別為基礎作社會調查，對新移民的社會意識、行動模式、政治意識、心理狀態等多方面進行考察分析，或許會很有趣。但是到現在為止，筆者並不知道有這種調查研究和統計資料。

眾所周知，外省人來自於相當於全歐洲那樣廣大領土的中國大陸，因此他們在台灣所說的方言也是各式各樣。因為國土廣大，國府遷台以來，戰亂接踵而至，雖然決定以北京官話為標準語而加以普及，但距離理想的境地還是很遙遠。儘管如此，成為「中國方言大鎔爐」的台灣，最近這20年來語言發展的情形，和大陸任何一省相比，其標準語普及的程度，都足以被評價為最高。這也就像是北海道的「日語」，是日本各地的方言中地方腔最少的，對外國人而言，最容易聽懂。

以台灣作為人們活動的舞台，如果只單純地看這一點，則本省人和外省人之間的差異，只有移住時間前後之別。國府中央遷台，隨之而來大量移居的外省人，和一般移民的情況相比有極大差別，但本省百姓並無自覺，甚且不去了解，也不想知道。一般而言，都是移民或移住的新來者，得去適應不是由他們制定，也不是為他們創造的既有政治、社會、經濟結構。由於新來者不得不配合，沒有其他選擇的可能，因而具有自己是客、是新參與者的自覺。也就是說，多半都會自我意識到未來某一天將要被同

化，抱持著這樣的心情而對此不會有異議，這是一般的情況。

　　但是本省人和外省人之間，在心理的糾葛及認識上，如眾所知，彼此之間存在對立和落差著。對於這糾葛和對立的解釋卻非常分歧，特別是關於意識形態、政治主義傾向方面，在日本稍嫌太多。甚至於將這種矛盾對立無限上綱到民族對立。

　　關於這些，未來有機會再作有系統的分析。在此，僅提出問題整理的要點。

本省人與外省人之間

　　試以站在對立方提問的形式，整理兩者之間的隔閡。此外，這裡所提及的本省人和外省人，是以一般、平均的中產階級以上者為對象。

　　第一，本省人自認是台灣本來的主人公，意識上把外省人看成新來者、外人。相對地，外省人方面則沒有新來者、作客的自覺，甚至於認為如果沒有自己參與抗戰、率軍隊入台，以金門、馬祖為前線，從事反中共的政策等成果，就沒有今日的台灣。也就是說，否則台灣將還處在日本帝國的桎梏之下，或是被中共併吞的悲慘情況，把這兩種境遇作擴大解釋。

　　第二，本省人認為反中共、甚至國共內戰等，都是外省人自身的事，和自己並無關係。由於二二八事件處理不當而造成慘劇，台灣人早已對「同胞愛、愛國心──愛中國心」冷卻了。本省人的本意，其實是不想被捲入國共內戰；本省人只想在小小的「台灣」團結一致，基於民主與自由，創造富庶的台灣生活。外

省要員則反駁說，想得過於天真，在嚴酷的國際關係與台灣海峽的緊張局勢中，小小的台灣如何能團結起來、安穩地生活呢？所以政府和人民要一同面對大敵——中共，並且提出「同舟共濟」的口號。

第三，所謂「同舟共濟」，不是不該排擠本省人而一起「同舟」嗎？但「萬年國會」卻依舊存在，而台灣省主席、台北市和高雄市直轄市的市長選舉，不也是不能隨人民的意向進行嗎？在政治參與度還不充分的情況下，如何談到「同舟共濟」云云？另一方面，在國府則可聽到如下的聲音：本省同胞不知道太多嚴酷的政治現實。國會改選是不可能的，由於反攻大陸尚未成功，無法實施大陸地區全面改選，如果硬要做，不是形同自行放棄中華民國的「法統」基礎嗎？本省人的政治參與已逐年增加中，希望能以更前瞻性的眼光來看待事情。

第四，擴大政治參與確實有進展，可以看到本省籍菁英的國民黨員被拔擢、進用到國府中央，在質與量上都有種種進展。但這只是在國民黨內部而已，本省人要求解除三禁（戒嚴令、黨禁——禁止組織新政黨、報禁——禁止新報紙的創刊），並要求幅度更廣的政治參與。本來自由主義和民主主義的理想，應是禁忌與限制盡量減少，而且愈少愈好。而當局則回應：的確是這樣。但現實上，中共一天比一天地激化「和平統一」、「國共和談」的威脅，民主和自由不是那麼容易的玩意兒。目前台灣可能實施的「民主」與「自由」，還是必須有一定程度的限制與控制。此外，本省籍的「黨外人士」（非國民黨籍的政治活動者）喜歡拘泥於本省人——亦即台灣人的框架，但是近十多年來，社

會經濟結構急速變化，省籍矛盾（有關本省人與外省人的矛盾）不是已經完全消除了嗎？現在應該到了以在台中國人一體化的立場來思考問題的階段了。而「台灣人意識」論者立即反駁：省籍矛盾確實已漸減少，不過現在應該是走進本土化──也就是台灣化的趨勢裡。40年來吃台灣米、喝台灣水，心中卻還仍執著於中國的一切，國府及外省人要員所堅持的才非常奇怪。

五、「中國」的人的鎔爐

　　台灣光復已經過了40年，方言的融合及變化已如前述，或許也可以假設以台灣為中國人在大陸之外、新的「人的鎔爐」，以此來看也是有趣。

　　如上所述，8月15日之前和之後，來自大陸移民的傳統思考模式，並沒有很大的不同，一貫地抱以百代過客的想法，在台灣的舞台上是主流──特別是把持政權者是這樣想的。在此情況下，光復40年來本省人和外省人，如講得不好聽，雙方一直是處在「同牀異夢」狀況下。國府當局和多數體制方的外省籍意見領袖，內容雖多少有些差異，但都高舉「同舟共濟」和「三民主義統一中國」的錦旗。他們要本省人接受，也看得到有一貫的努力；雖然如此，之前已舉過許多隔閡的事例，本省人並不容易接受，因而依舊是「同牀異夢」。

　　從「同牀異夢」到「同牀同夢」或「異牀同夢」、「異牀異夢」，還是所有的「夢」都碎了，最後究竟如何？而台灣目前已面臨關鍵決定性的轉換期。這種情形，應是所有關心台灣的人都

可以確知的事實吧。

　　使台灣在外交、政治、經濟、社會各個重要層面逼到歧路的世界史背景，明顯的，即美、中（大陸）、日三強的關係。在東亞的蜜月、和平共存的持續構圖消失之後，國府台灣作為「反共堡壘」，今後將如何變身與轉進，不論海內外，所有和台灣有關者，莫不屏息以待地注目著。

　　近年來台灣島內以及海外中國人、台灣人社會，熱烈議論關於台灣的「省籍矛盾」、「中國意識或台灣意識」、「中國人意識或台灣人意識」等主題[18]。如我推測無誤，這正是圍繞轉換期的台灣是應以中國人的架構度過，或應以台灣人的架構堅持下去的議論。在這項議論裡，存在兩種不同觀點的人：一種是把台灣和中國以及台灣人和中國人，當成是對立的概念而加以理解者；另一種是把「台灣‧台灣人」包括在全部的「中國‧中國人」的概念中加以理解者。

　　但是把中國‧中國人意識作為台灣‧台灣人意識的上位概念來掌握的論者中，在當前的階段，也只準備限定在文化方面接受中國和中國人的認同，至於政治方面的認同，則主張暫時保留。不只是看國共雙方對峙的局面，還要仔細觀察雙方的政治、經濟、社會方面的變化，再做最後決定。他們或許如此作想。

　　近年來國府台灣的政治、經濟、社會結構的變化相當急遽，見本書〔譯註：指《更想知道的台灣》一書〕下面篇章所述。其結果是：關於「同牀異夢」的議論，以往大多停留在本省人、外

18　參照戴國煇，《台灣史研究——回顧與探索》，以及若林正丈，《海峽》（東京：研文出版，1985年）。

省人這種省籍之說架構內，如今有了變化。已可見到跨越省籍的架構，採取基於階級、階層的觀點和立場的相關議論，這是新的徵兆。

更有趣的現象是，到目前為止，本省人之間談論「同牀異夢」話題時，所指的「牀」，幾乎都狹義地限定在「台灣」。但是，自稱對省籍矛盾的芥蒂淡薄的台灣年輕世代論者，則不喜歡狹隘地局限於台灣，他們已開始出現把「牀」自台灣向中國大陸擴展的趨向。這一點應加以注意。

不管在人或在心，有出現偉大「台灣」的可能嗎？「人的鎔爐台灣」的「台灣」有可以象徵的、新的價值觀嗎？如果是這樣，那麼會是什麼？又在哪裡？以上種種問題需要重新檢討，好好加以衡量。

本文原收錄於戴國煇編，《更想知道的台灣》，東京：弘文堂，1986年5月30日，頁1～31

更想知道的台灣政治

◎林彩美譯

戰後政治的底流

要追溯台灣戰後政治時，最低限度的前提有必要弄清楚以下各種底流。

第一，對台灣住民來說，戰後有特別的意義。第二次世界大戰結束後，對日本人來說是戰敗，對中國人則或許僅是慘勝[1]，總之，抗戰勝利是不爭的事實。至於受到殖民統治的台灣人，則可以說是處於特殊的客觀條件下，不論是對侵略或抗戰，都沒有或不能積極的參與。

當然也有例外。有些台灣人回大陸，在重慶或延安抗日；另一方面，也有人在「滿洲國」或汪精衛政權等傀儡政權中寄生、獲取甜頭；也有持續留在台灣抗日卻被鎮壓的人；另有不得不成為皇民化運動的先鋒，或為之賣力抬轎的人；也有少數人自願依附日本。

---

[1] 戰後中國的新聞記者用英語「pitiful victory」（悲慘的、哀傷的勝利），來表示自己的勝利。

　　戰爭末期，因為日本人逐漸欠缺自己的「人力資源」，於是日本當局在台灣擴大適用徵用制度、志願兵制度以及徵兵制度，藉此強制青壯年男女出任軍夫、軍屬、軍人。在年齡層上，這些人幾乎是皇民化運動的最大受害者，畢竟只有少數人從心底認定自己是日本人的一分子，有自覺地參與戰爭，多數平民百姓都是不由自主、不情願地捲入戰爭，或許這才是事情的真相。

　　從以上原委可以知道，對一般台灣人而言，終戰只是字義上的終戰而已；終戰的意思是單純的，但其意義很深遠。因為日本戰敗、中國勝利的結果，台灣從殖民體制中被解放，接著光復，亦即回到祖國。

　　因為終戰即光復之故，所以戰後政治的大架構裡，首要的課題是：從殖民政治體制重編為中國（當時是指從重慶復員到南京的國民政府）的政治體制。

　　應該要把握的第二層底流，則是國府中央遷台（1949年12月7日）至今（1986年3月），國民黨執政的中華民國政府，有效統治的地方是台灣、澎湖諸島以及福建省管轄內的金門、馬祖。海峽兩岸的中華人民共和國（以下簡稱中共）及中華民國（以下簡稱國府）對立抗爭，常被比擬為德國的東西德、朝鮮半島的北朝鮮（朝鮮民主主義人民共和國）和韓國或南韓（大韓民國）的關係，被視為同樣都是分裂國家。但形式雖然類似，分裂的歷史原委卻各有差異。前二者（德、韓的分裂）是第二次世界大戰後對終戰的處理所帶來的結果，而後者（兩岸的分裂）則是終戰處理後，與新中國革命相關的國共內戰尚未結束，因而持續對立的局面。

　　確認以上的底流後，將台灣的戰後政治分為三個階段整理介紹如下。

光復──國府中央遷台

　　眾所周知，1945年8月15日，日本接受《波茨坦宣言》無條件投降。台灣、澎湖諸島則是基於這之前的《開羅宣言》（1943年11月27日），作為終戰處理的一環，已決定歸還中國。

　　日本投降約一年半之前，蔣介石剛從開羅會議（1943年11月22～26日）回到重慶，立即任命陳儀進行接收準備，組織台灣調查委員會[2]。陳儀屬於國府內以開明官員為核心的派系政學系，日本陸軍士官學校畢業，娶日本人為妻，被看成是知日派的將軍。蔣介石選陳儀擔當準備工作的責任者，除上述經歷外，陳儀曾任福建省主席（1934年1月～1942年8月），有福建省治政經驗，了解福建省人氣質（當年85%強的台灣住民是福建省移民的後代）；他不只曾在福建省主席任內訪台（受邀參加1935年10月10日舉行的「始政四十周年記念臺灣博覽會」），並曾調查研究日本統治台灣的政績而有實際成果[3]。

　　因應日本的無條件投降，國府於同年（1945）8月29日任命陳儀為台灣省行政長官兼警備總司令，10月24日從重慶飛抵台灣，次日在台北市公會堂，即現在的台北市中山堂，與台灣總督

─────────────

2　陳儀另外在中央訓練團中設立台灣訓練班，進行接收工作的幹部訓練。

3　曾派遣台灣實業考察團（1935年11月13～29日），之後刊行《台灣考察報告》（福州，1936年）。

及第十方面軍（俗稱台灣軍）司令官陸軍大將安藤利吉舉行受降典禮，從此，台灣正式回到中國的版圖。

陳儀的基本施政方針，以以下三個綱目[4]為主：

第一點，是適合環境的行政制度。中國的省制常常較缺乏統一，相互牽制，對充分發揮行政能力有缺憾。日本在50年的經驗所產生的舊制，如果貿然變更，恐生混亂，因此繼承舊有機構。

第二點，統一接收。賦予長官公署統一接收之權，以防因接收行使權不一及運作上缺乏聯絡而產生混亂與糾紛。

第三點，幣制的安定。爲免受大陸嚴重的通貨膨脹影響而打亂台灣經濟，禁止本國銀行進入台灣以及在台灣流通法幣。

陳儀任命母系方的親戚、社會主義思想濃厚的沈仲九（銘訓）為最高顧問，並以治理福建省政時期的行政幹部為核心，成立長官公署「內閣」。

從陳儀的施政方針，可知他考量要把台灣與大陸隔離，沿襲前台灣總督府體制，同時逐漸使台灣實現「獨自」的統治體制。所謂獨自的體制，是希望能與大陸的行政無能、腐敗及因通貨膨脹而即將崩壞的「法幣」經濟隔離，而有台灣自己的體制。

但慘勝後的復員，在國共對立的基軸上複雜地展開。本來國府的組織及成員都仿效近代國家的形式逐漸打造，但其實質及體

---

4 大藏省管理局，《日本人の海外活動に関する歴史的調査・通卷第十七冊台湾篇第六分冊の三、附録・終戦前後の台湾に関する資料》，頁50。

質，卻是拖著又長又重的半殖民地、半封建時代與軍閥割據抗爭時代的尾巴。因此陳儀因襲前台灣總督府體制，身兼行政長官及警備總司令官，用這種制度及形式，一邊掌握上級官員，一邊開始接收。但陳儀無法掌握軍方、情報機構（軍統[5]及CC[6]）、國民黨的台灣支部機構，這些單位都各自聽命於大陸頭子之「意」而權宜計謀，好像「野馬」一般，在名為台灣這個甘蜜的處女地草原上，奔馳追求地盤和利權。

　　從殖民體制的桎梏被解放、光復了的台灣人，又是處於什麼狀況呢？當然一般漢民族系百姓是從戰爭的恐怖及殖民統治的壓制之下重獲自由，更因是脫離長久的「養女」情況，回到娘家，束縛大解，而沉醉在歡天喜地中。台灣人對於娘家的代表——也就是祖國的代表——陳儀一夥以及國軍（國府軍），這些從祖國來的「解放」軍，都表示熱烈的歡迎。

　　但是中上階層裡曾與台灣總督政治有某種直接關係的人，他們的想法、動向很複雜。積極與日本合作的集團雖是少數，他們害怕犯了漢奸罪或遭到報復，差點被捲入日本在台少壯軍人集團所提倡的「台灣獨立」運動，安藤總督知道此一動向後，勸告他們自重，計畫因此中止，但是台灣人集團的一部分人後來還是因為此一嫌疑而入獄一陣子。

　　本來台灣文化協會的成員，以及受該協會所影響的台灣人，或是1928年4月在上海成立的台灣共產黨等集團，光復後應該在台灣內部成為政治領導階層活躍行動。但事實上，台灣文化協會

---

5 特務機關軍事委員會統計調查局之簡稱。
6 國民黨中央調查統計局為特務機關。

受到日本彈壓，又因圍繞在意識形態等路線分歧，一再分裂。分裂後枝生的政治結社及文化集團，或是被解散，或是自行雲消霧散。許多受注目的領袖到大陸，順其政治立場和思想傾向，各隨己願，與中日戰爭有關聯。

至於留在台灣的領導者，前台共的成員，當然不難想像會暗中重建組織，並與中共進行新的聯繫工作。領導成員留在台灣最多的集團，則是1931年8月參加組織台灣自治同盟的中間右派，亦即穩健派集團。他們多屬大地主、商業資本家、醫師、薪水階級等中產階級以上出身，因此從台灣文化協會創立以來，還是很懷念中華民族主義，他們的抗日運動一向溫和，僅停留在殖民體制內的改良主義的大架構內。戰局從中日戰爭進展到太平洋戰爭後，他們被捲入皇民化運動，也有自陷其中的。當然，光復後這些集團會感到某種「內疚」，一面擔憂夥伴或新體制方面會對他們提出糾舉，一面決定凝神觀望形勢，明哲保身。

換句話說，光復之後作為台灣人整合性的政治主體意識非常淡薄，至於基於此一主體意識的自我確認的作為，則理所當然幾乎沒有值得介紹的。與此相反，體制的重組是單方面在進行。

不過先住的少數民族集團仍然被隔離，他們雖然高興此後不用再受日本官憲毆打及侮辱等傷害，但是究竟未來會出現什麼樣的「新主人」，他們還是有點不安，因此決定觀望。

戰後或秩序重組伴隨著混亂，乃世間常情。因為戰爭，台灣的經濟被破壞，復員中混亂不堪，一大群人像螞蟻吸蜜一樣群聚

「日產」[7]，包括陳儀等人的低效率等一連串的失政，加上不同的派系及機關之間，因私人的貪婪而造成的權益爭奪、私占及挪用等各式各樣貪瀆行為，令人不敢正視。此外，生產停頓，失業者氾濫，通貨膨脹及物價騰貴等惡性循環，加上之前的失政，相乘之下，不知不覺間就混為一片泥沼。

除了農民能暫時享受到農業榮景外，大部分台灣人生活困難，加上接收人員不公正，目擊種種脫離常軌的作為後，人心漸冷。人們把大陸來台的人當成思慕的生母，期待溫暖的懷抱。但才經過短短一年半的時間，人們就從失望而變成嫌惡，之後更加速地由嫌惡而憎惡到蔑視。此時，因細故而發生取締販賣私煙的不幸事件，以此為契機，引發二二八民眾暴動事件[8]（1947年2月28日）。

激情的都市及城市的民眾，善惡不分，對外省人拳打腳踢，施加暴行。暴動與起事引發彈壓，台灣不少菁英階層就此黯然地從世間消失，也有少數外省人犧牲。

這是個土地和物品可以接收、但是人心卻無法接收的教訓。（二二八事件）深刻的傷痕難以癒合，留在人心深處。陳儀和沈仲九負起責任，離開台灣（5月11日）。

同年4月22日，國府任命駐美大使外交官員魏道明為台灣省主席，繼任陳儀之職。同時廢除招致惡評的長官公署制度，改設省政府制，行政長官不再兼任警備總司令。魏道明的人事案，顯

---

7 指日本人或日本相關機關所留下的資產。
8 詳參於紐約發行的中文刊物《台灣與世界》1983年8月號起，陸續連載的〈二二八史料舉隅〉。

然有意塑造改走美國路線的印象，並擬藉此收攬台灣人心，此為一石二鳥之計。

事實上，魏道明主要任用剛從重慶返台的台灣出生者，以及文化協會中間偏右的知名本省人擔任省政府高官等職，繼續完成陳儀等人留下的接收及建立新秩序的工作。

協助魏道明施政，特別是恢復經濟秩序，復甦砂糖、水泥及電氣等生產者，是國共內戰中失去工作場所，因通貨膨脹及薪水延遲給付而苦於生活，為此來台謀職的資源委員會系統的技術人員（後來在經濟成長期裡，他們很活躍）。

大陸因國共內戰而發生混亂，台灣海峽發揮了防波堤的機能，使台灣受波及的程度降到最低。此外，以農業為中心的生產復興，因緊急輸入肥料等政策而逐漸奏效，慢慢建立起新的經濟秩序雛型。

不過與台灣的國府穩固新秩序相比，與大陸的國共對立情勢卻告急，國府急遽走向不利的發展。

或許蔣介石總統已預想到最壞的情況，因此在1949年元旦，公開發表為進一步強化秩序，將對台灣施政有新布陣。他任命其左右手，在軍事方面活躍而深受倚賴的陳誠為省主席，由其子蔣經國擔任國民黨的台灣省黨部負責人。

此外，為避免內戰的消耗，並為再起準備，蔣介石讓另一個兒子蔣緯國實質率領的裝甲兵師團，於同年二月上旬開始移防台灣。他讓唯一由美軍相關學校（維吉尼亞軍事學校）出身，認識馬歇爾（G. C. Marshall）及麥克阿瑟兩位將軍的孫立人將軍，擔任「編練司令」，亦即負責新兵訓練及敗退來台軍隊的再訓練；

同年9月21日，孫立人平調新設立的台灣防衛司令部司令官，這件人事案被看成是以東京的麥帥為考量。

其間應注目的是實施了幾項經濟安定政策，首先是把大陸的中央銀行「貨幣準備金」（指黃金）和相關銀行的「外貨」（外國貨幣）搬入台灣，其次是在台灣實施「三七五減租」[9]，第三是縮小台幣面值單位（舊台幣四萬元對新台幣一元）。

第一項和第二項後來對通貨膨脹有抑止作用，三七五減租對安撫農民，以及在食糧方面對於將近兩百萬來自大陸的軍、政、黨等與官方相關人員和其家族的糧食確保有所貢獻。但強行實施的地主餘糧收購政策（依據1948〔1947〕年7月30日公布實施的《台灣省收購糧食辦法》），使台灣本地資產階級領袖林獻堂（1881～1956）流亡日本（1949年9月23日）。

為防止中共勢力滲透台灣，也為避免國民黨內部甚至台灣住民內部的動搖，而頒布台灣省戒嚴令（同年5月19日）。不只如此，政治行動委員會也在同年8月20日成立，該組織後來對外改稱「總統府機要室資料組」，並且再發展改稱為「國防會議」，該會議統轄國家動員局及國家安全局，是國府實質的最高權力機關，此一機能迄今未改。

國府中央終在同年12月7日遷台，同時發布一項以美國為考量的人事，也就是任命吳國楨為台灣省主席。如部分人士所知，吳國楨是普林斯頓大學出身的親美、自由主義派的代表官員，吳曾擔任上海市長。他進一步採用安撫台灣人的政策，用台灣人擔

---

9 土地改革的前期措施，減免佃農佃租。

任省級的高層官員，並且開始釋放二二八事件相關入獄者。與這種「飴」的政策相反，處於另一方的特務機構嚴加舉發中共相關地下組織及人員，將之處以極刑，使許多人陷入恐怖的深淵，一發現異議人士立予排除。為整備、重組已略為鬆動的權力基礎，行使「鞭」的政策，最大的衝擊則是槍殺陳儀（1950年6月17日）[10]。

蔣介石與陳誠時代

1949年元月12日蔣介石下野，在遷台倥傯之際，代理總統李宗仁逃亡美國，監察院通過彈劾案，蔣介石復職就任總統（1950年3月1日）。陳誠從省主席下任，轉任行政院長，新內閣在台灣重新出發。

中國成立新政權，乘勢施加「解放台灣」的壓力，隔著台灣海峽喧囂。

國共內戰最後對峙的局面的原型，幾乎決定在這個時間點；對國府來說是危急存亡之秋。1950年6月25日，突然爆發韓戰，成為國府鞏固「復興基地台灣」在寶貴時間點上重整體制的契機，美國派遣第七艦隊巡防台灣海峽，並重開原已凍結的美援。實在可說，國府獲得「喘息」及「重建」的良機與甘露。

蔣介石與陳誠確立雙頭馬車體制，在此之下，蔣經國也強力推進鐵腕的重建工作。

---

10 陳儀離台後，調任浙江省主席。因共軍上海之役倒戈的嫌疑而被捕。槍殺他，有安撫台灣人心以及防止內部其他人叛離之警戒意味，執行死刑時曾有許多人旁觀。

　　從大陸敗退來台，台灣持續政治不安與人心動搖。結果，蔣介石成為精神領袖，陳誠（後出任副總統）為率領技術官僚的行政實務家（特別是經濟政策方面），蔣經國擔任國防部總政治部主任、政治行動委員會的實質執行者，孫立人是美國軍事援助的推手及搭橋者，吳國楨為自由及民主台灣「櫥窗」的重要人士，還有胡適及雷震創刊（1949年11月20日）的《自由中國》雜誌扮演「自由的燈塔」角色（但是後來不僅如此，更成為批評國府當局的前鋒）。在今天看來，這些是非常精采的組合。訂定體制方則沒料到，後來成為新興工業化國家（或亞洲四小龍，Newly Industrialized Countries，NICs）一員的經濟奇蹟的基礎，可說奠定於這段時間。

　　國府元老評價：此時期蔣經國體察父意，暗中進行重整再編「情治機構」（蒐集情報及維持治安之特務機構），掌握權力一元化並使其上軌道，對護持國府體制貢獻良多。但他也必須付出沉重的代價，也就是蔣經國帶來「噤聲與恐怖」的1950年代前半的批評。雖然如此，冷靜觀察，可以說蔣經國在入台初期、國府政權生死存亡之秋的第一戰中獲勝。

　　對蔣經國而言，第二戰則是透過國府軍隊的重新整編，進行軍隊的整肅。身為國防部總政治作戰部主任（1950年4月1日），他循序漸進，鞏固自己的想法與力量並將之伸展。

　　軍隊之外，接著當然是黨的改造。蔣經國以四十多歲尚稱年輕之時，負責統領台灣省黨部，並兼任1950年8月成立的中國國民黨中央改造委員會中央改造委員（16人中的一人），著手改造並掌握黨務。

　　他能維持以上如三頭六臂般的行動力，首先要提到的是，他有父親在精神上絕對權威的庇護；他年輕，具有活力與經驗；曾留學蘇聯，有西伯利亞的勞動體驗；此外，他又有贛南（江西省南部）「新政」（1939～1944年）[11]與上海「打老虎」[12]的寶貴中國實政經驗等。再者，作為他的左右手從事工作者，多為贛南時期的同仁、部下及學生，應注目的是，這些人幾乎都是蔣經國的同輩或年輕後輩。

　　蔣介石給兒子經國破格的權力及工作場所，當然是因為大陸失敗的經驗，感到可以完全信賴的人不多，並看重兒子的年輕及能力，同時也希望他能成長，而給予他訓練與試練的機會。這種看法，如今已廣被接受。

　　蔣經國不僅順其父的期望自我鍛鍊，更不忘養成支持實現自己理想的幹部，同時組織台灣全域的青少年。為了實現前者，1951年11月創設政工幹部學校；後者的實踐，則是1952年10月成立中國青年反共救國團。

　　眾所周知，幹部學校養成的政治工作幹部群，現今已成為蔣經國體制的重要支柱。然而批判反共救國團的「合法性」及其性格的議論，1950年代間持續存在著。部分有識者認為，蔣經國鑑於大陸的學生運動，首要目標是要透過體制主導青少年運動，予以管理，並由體制「昇華」青少年的精力。此外也可發掘人才，

---

11 蔣經國從蘇聯歸國（1937年4月）後，依父命擔任江西省第四區行政督察專門委員兼贛縣縣長，他以在蘇聯所得到的經驗與方法，結合中國政治現實，在地方執政，並藉機培養自己的幹部。

12 1948年8月末到10月初，大力取締上海惡質不法商人與財閥，處以極刑等嚴厲處罰。

並養成預備軍，對抗傳統保守的既得利益者，此具有多重目的，有附帶效果，是有遠見的行動。值得注意的是，他巧妙利用戒嚴令及徵兵制兩項利器，作為防止青少年精力朝向反體制方向爆發的機制。

　　當然，也不能說光憑蔣經國的鐵腕政治行動力，就可支持蔣、陳雙頭馬車體制萬事順利。當時特殊的背景是，美國對國府及台灣的政策。韓戰發生，北越奠邊府（Dien Bien Phu）淪陷（1954年5月7日），越南與中南半島停戰，同年7月21日簽訂《日內瓦協定》，亞洲相繼發生情勢變化。美國國務卿杜勒斯主張骨牌理論，在其主導下的各種變化也不能忽略。亦即從放棄國府及台灣的政策，轉向台灣海峽中立化政策，更進一步變成封鎖中共的防線，以台灣作為重要橋頭堡，美國的政策180度轉為確保台灣。因此，情勢變為《中美共同防衛條約》生效，杜勒斯二度訪台（1955年3月3日）。

　　隨著龐大軍事及經濟援助，第七艦隊巡防台灣海峽，確保及育成台灣這個橋頭堡，美國的想法與國府中樞的意圖之間有落差和微妙的小差異並不奇怪。美國意圖注入美國式民主主義，使國府及台灣體制民主化。而巧妙地趁此美國意圖之便加入自我理想，結合黨內對蔣經國蘇維埃式鐵腕政治怠工並提出批判的反主流派、被開除黨籍者以及黨外人士，起而倡導確實實施憲政主義，期望落實台灣的自由民主主義，以期其穩定及實現的理想主義者集團等出現。他們以國民黨政權的民主化為前提，提出反中共統一戰線的構想。前者為集結在吳國楨之下的集團，後者則集結在《自由中國》雜誌雷震之下的集團。

　　但國府中樞很難從由大陸敗退的苦澀中體驗自由。有必要抵抗有力敵人中共，且為了預先平服島內政情不安，他們主要仍堅持權力的絕對集中，執著於徹底的一黨獨裁。當局不僅持續排除異議分子，也在反抗勢力一萌芽時就進行壓制，使其無法成長。

　　著名的事件有，與美國有關的有孫立人事件（1955年8月）和襲擊美國大使館事件（1957年5月）；自家人背離的事例，則有吳國楨逃亡美國的事件（1954年1月）。此外還有包括本省人、外省人都參加的自由主義者集團的抗爭，第一個高峰是組「反對黨」運動，結果《自由中國》雜誌被迫停刊，雷震入獄，運動暫且結束。

　　如前述，美國的軍經援助，當然是以強化國府軍隊、確保橋頭堡為首要選擇，但也不可缺乏民眾的持續支持。因此美國透過支持台灣實施農地改革，提高農業生產，以圖農村之安定。另外也想巧妙運用經濟援助，養成及擴大台灣的中產階級，為台灣社會的防共嵌入免疫力，擴大親美勢力基礎，明裡暗裡都投入大量心力。

　　上述的成果，加上國府當局一定程度的讓步，使非國民黨員的台灣籍政治家也漸漸嶄露頭角。吳三連當選首任民選台北市長（1950年2月～1954年8月），高玉樹當選第二屆市長（1954年6月～1957年6月，後來再當選為第五屆市長，1964年～1968年6月）*1，為其中代表人物。

　　隨時間流逝，對「噤聲與恐怖」的1950年代前半，記憶或許

---

*1 據台北市政府網站的資料為：吳三連首任民選台北市長（1951年2月～1954年6月）；高玉樹第五屆市長（1964年2月～1967年6月）

淡薄了。隨著社會經濟結構的變化與開展，開始看到新基礎的支持民眾逐漸形成，也或許受到《自由中國》雜誌鼓吹憲政主義和大膽批評國府的言論等刺激，而鼓舞出參與民主政治的欲求，進入1950年代後半，台灣人政治家開始積極地參政，不僅如此，他們在政治上所採取的批判言論，與對國府的批判姿態，聲勢變大，與前述的《自由中國》雜誌集團合流。

　　赫魯雪夫訪美，象徵美蘇關係解凍的和平氣氛，甘迺迪總統上場（當選時間為1960年11月8日），稍前關於「台灣問題」的議論[13]醞釀出美國對中國（包括台灣）政策改變的前兆。日本在1960年安保的騷動，還有韓國李承晚政權崩潰等，錯綜複雜的局勢，也為台灣帶來危機意識。

　　批評國府的一派趁著世界和亞洲的混亂情勢，認為機不可失，預料國府中樞不得不讓步。他們一鼓作氣地組成反對黨運動。1960年5月18日，在台北市舉行地方選舉改進座談會，集合外省人的雷震、被國民黨除名的CC派大老亦為吉田茂的知己，東北出生的立法委員齊世英，本省人方面有吳三連、高玉樹、省議會南北兩論客郭國基和郭雨新（青年黨），還有台灣唯一的中立民間報紙《公論報》社長、留法的李萬居等72位錚錚傑出人士。幾經周折，於同年8月27日發表將組新黨——中國民主黨，並預

---

13 以美國加州大學（University of California）教授史卡拉皮諾（Robert A. Scalapino）為首倡導「一個中國，一個台灣」論（有關亞洲現況及美國政策的康隆調查報告，*Conlon Associates Report*），原報告於1959年9月1日發表，日譯本見東京：時事通信社，1959年12月15日出版（日譯書名《アジアの現状アメリカの政策—コンロン調査報告》）。另外，Chester Bowles主張一個獨立的中台國（*Independent Sino-Formosan Nation*, Foreign Affairs, April, 1960.）。

定9月中正式成立。

　　組織新黨運動的核心人物雷震，卻於9月4日以和中共間諜
（匪諜）有關係為由而被捕，同年10月8日軍事法庭以「煽動叛
亂罪」判他十年徒刑，隨即《自由中國》雜誌停刊，組黨的機運
當然也煙消雲散。

　　早於島內的民主化運動數年，經香港逃到日本的廖文毅等
人，於1950年組織台灣民主獨立黨，1955年組台灣臨時國民議
會，次年創立台灣共和國臨時政府，自任大統領。廖文毅等似與
以治病名義留在日本的林獻堂（1956年9月8日逝世於東京客寓，
享年76歲）有私密聯繫，但林獻堂年事已高，個性亦軟弱，並無
公開活動。

　　同時候以《香港》之作得到直木賞（1955年1月）的邱永
漢，也從香港逃到日本，常在日本論壇高唱台灣民族論，致力於
主張以台灣民族自決解決台灣問題，這或許是眾所周知之事。

　　廖文毅等所作所為，正如台獨運動第二代青年集團的導師與
領導者王育德適切寫道：「他（廖文毅組黨）的目的，不管內容
為何，或許是想藉整備形體來突破運動停滯問題，誇示其政治目
標。」[14]廖文毅的運動誠如王育德所寫係缺乏實質的東西，事實
上他在1965年5月13日、邱永漢則在尼克森訪中（大陸）之後的
1972年4月2日，相繼歸順國府。

　　如前述，國府當局早就在如何利用青少年層的支持以維護、
發展自己的體制上費盡心思，並付諸實行。

---

14 王育德，《台湾：苦悶するその歴史》（東京：弘文堂，1964年），頁170。

但1950年代末期起，出現以大學生或大學畢業人士為主，拒絕官製框架或想超越它的新浪潮。他們一方面受《自由中國》雜誌影響，另一方面，視當時台灣社會為「沉悶的年代」（鬱悶閉塞的時代），他們假託於美國式自由主義，暫以此為出口，嘗試否定與挑戰古老的道德和官製傳統與秩序。

外省人和有中國人意識的本省人新浪潮運動者，則集結在《自由中國》雜誌主要執筆者、以風骨聞名的台灣大學哲學系殷海光教授之下（《自由中國》雜誌被迫停刊後，他也喪失教職，懷才不遇，於1969年病故）。島內殘留的——不，是不得不殘留的代表人物，是兩度入獄仍不氣餒地持續批評的評論家李敖。至於海外人士所進行或協助的活動，則有「保釣運動」[15]與中國統一運動，或包含海峽兩岸的中國民主化運動都仍持續推動著。

本省人的新浪潮運動，則與自由主義的國際法學者、台灣大學教授彭明敏相關聯。海外首先出現的台獨運動，自1960年代初起（尤其是到日本的留學生）勢力增長。而在台灣島內，著名的則有1964年9月20日，因共同起草「台灣自救宣言」之嫌，而與彭明敏一同被捕的謝聰敏與魏廷朝。

兩蔣時代

對國府台灣而言，1965年是轉變的一年。

當年（元月13日）蔣經國以國防部長之姿開始現身於政治舞

---

15 美國把沖繩返還日本時，尖閣群島（即釣魚台）歸屬權成為問題，為保衛釣魚台島，北美、香港、台灣的中國青年學生發起保釣運動。

台上。也許是偶然，不久之後，台灣唯一的二號人物競爭者陳誠
副總統病故（3月5日）。

　　蔣經國因歡迎廖文毅歸順、特赦彭明敏（11月3日，之後彭
於1970年元月逃往國外，現在〔1986年〕流亡美國中）二事而提
高其聲望。次年三月蔣介石連任第四任總統，而取代陳誠的適當
人選，則推舉唯命是從的嚴家淦繼任。蔣經國著手建設北部橫貫
公路最末段支線，於同年5月1日完成開通；1957年*²蔣經國就任
行政院國軍退除役官兵輔導委員會主任委員。

　　一般而言，被多所指責的國府作為中，蔣氏政權在台灣安定
的相對要因，多歸因於蔣經國率領情治機關嚴密監視及統制，但
若冷靜考察，仍會留下一些無法解釋的部分。關於他在政治上各
項作為，筆者深感仍缺乏綜合研究。

　　迄今所見，蔣經國是位很有遠見、走在時代前面的強人。他
負責處理從大陸一起來台的60萬大軍的退役及復員，這是件大工
程。幾乎所有中下級士兵都單身來台，無家可歸，老兵沉緬於思
鄉之苦，處於「鐵鎖之外無物可失」的境地，被逼入絕境，不出
事並不尋常。老兵們依序復員，退役後給予他們工作，有最低生
活保障，盡可能提供他們結婚的機會等，輔導委員會負責辦理這
些事務。該會創會初期，最大的任務是建設全長348公里的橫貫
公路（主線自1956年5月開工），為橫貫中央山脈的艱困事業，
也可說是台灣唯一開拓、擴大新領域的工程。

　　老兵的欲求不滿，剛好在基礎建設上能有效轉化運用，並在

---

*2　應為1956年4月25日。

道路沿線引入高山農業，栽培當時台灣還沒生產的蘋果、水梨、水蜜桃等，開鑿太魯閣峽谷取得大理石，後來因應建築的好景氣，各種企業相繼成立。這項大工程的經驗及透過工程所累積的技術，據說後來也結合勞務輸出，在以中東為首的第三世界賺取大量外匯，成為軍用道路與觀光資源開發相結合的一個特例。不過，也產生破壞生態等負面結果。無論如何，這些事業的成就對於安定國府政治、鞏固蔣經國個人的支持基礎，其貢獻應難以否認。

　　1960年代後半至1970年代前半，越戰、文革以及資本主義國家間貿易往來好轉，使國府於政治、經濟兩方面，都獲得許多正向成長。

　　1969年6月內閣改組，蔣經國就任行政院副院長，表面是副首長，實質上顯然是總理〔譯註：指行政院長〕。由於其父蔣介石年事已高，形同半隱居，次年4月18日，他以代表其父的身分第五次訪美。4月24日，剛過完60歲生日的他，在紐約迎接他的是帶著手槍的台獨成員黃文雄和鄭自才，結果暗殺未遂。也造成此次訪美成為重大新聞，知名度大為提高。

　　以加拿大為首，許多西方強國相繼與中華民國斷交，中華民國退出聯合國，尼克森訪問中國（大陸），台灣遭遇天旋地轉的大震動。1972年3月，蔣介石當選第五任總統，嚴家淦仍獲選為副總統，但原兼任的行政院長一職，則轉移給蔣經國。

　　可如此看，國府台灣面臨第二次危急的存亡之秋，蔣經國自己出面承受。他不只是強人而已，也有巧妙演出政治秀的心得。他打出新政治機軸，在高層官員上大幅晉用本省人，並使人事年

輕化。迎接著名的台獨派邱永漢歸順後，人事上更大膽拔擢錄用本省人（行政院副院長、內政部長、交通部長、台灣省主席、台北直轄市長全都指定本省人擔任，這可說是破天荒的果斷決策），使一部分的淳樸台灣老百姓大呼快哉。

結語

1970年代以後，有「革新的年代」、「本土化、台灣化的年代」以及「困惑的年代」幾種可能的看法。無論如何，誰都可清楚看到國府台灣政局面臨重要轉換期。

在國際政治中，相繼而來的衝擊，包括：美中（大陸）之親近、喪失聯合國代表權、日中（大陸）建交、美中（大陸）建交，更加深孤立化。而內政方面，則飽受海內外對「萬年國會」的批判，如何重組國民大會和立法院，成為首要課題。無法改選而繼續留任的外省人，幾乎全部已高齡化，在形式上的掩飾與實質功能，愈來愈形困難。

第二項課題，是如何因應以日益強大的青壯層為核心所提出的內政改革要求，此事一天比一天緊迫。他們的要求，一言以蔽之，就是徹底實施憲法，達成政治體制的民主化。具體的要求項目包括：第一，戒嚴令；第二，黨禁；第三，報禁的解除。

第三項課題則是要如何鎮靜、緩和及解除「信心危機」（當局公開主張不存在）。所謂「信心危機」，是指對台灣前途信念動搖。之前國際政治的逆境，總算在經濟景氣好的時機下安然度過，但進入1980年代後狀況改變，亦即國際間通貨膨脹，世界性

經濟不景氣，尤其美國的景氣衰退，保護貿易主義有增長的趨勢等，台灣經濟也蒙上陰影。景氣衰退是無可奈何，卻又發生台北第十信用合作社擠兌事件等，象徵金融的不穩定狀態，一般民眾陷入不安。

文革顯然失敗了，來自中共的壓力暫時減退。但隨著鄧小平領導的體制齊整，推展開放政策落實後，壓力又再度升高，這是人盡皆知的事。1981年，中共全國人民代表大會常務委員長葉劍英提出九條方針政策以來，軟硬兼施，使用一切手段持續進行統一戰線工作及和平統一攻勢，不管喜不喜歡，有形無形間，其影響開始奏效，不可否認地，這成為「信心危機」的第二個要因。國府當局到底是否能如以往對中共拒絕一切的交涉溝通，如何堅持此一態度，是令人懷疑的。

「信心危機」的第三個要因，可以說是從美國引發的。1985年代後半起，雷根政權已有改變保護國府台灣的許多徵兆呈現[16]，島內也議論紛紛，人心敏感。而相繼發生的暗殺[17]及可疑死亡事件[18]，有關真相的追究及解消疑惑等尚不足，則是招致信心危機的第四個要因。

第四項課題與第二項課題部分重疊，亦即本省人中的反對派

---

16 參見《九十年代》的「中美台三角關係」特集（香港，1986年3月號）及《夏潮論壇》的「台灣前途往何處去？」特別企畫（台北，1986年2月號）等。

17 包括黨外人士林義雄的母親和雙胞胎女兒被暗殺的「林宅血案」（1980年2月28日），以及暗殺美籍華人作家江南事件（1984年10月15日）。後者請參見磯野新，〈江南暗殺事件の怪──大型ドキュメント三重スパイ『？』〉（刊於《中央公論》，1985年8月號）。

18 返台的美國卡內基美倫大學（Carnegie Mellon University）數理統計學副教授陳文成，被發現離奇死亡的事件（1981年7月3日在台灣大學校園內）。

揭舉「台灣人意識」，要求國府體制應該更大幅度的本土化=台
灣化，此一要求要如何因應或可否因應，是個難題。

關於台灣全體住民的自決論，與第一、第二代的台獨派主張
略有不同，自1984年以來，每次公職選舉，對這一主張是眾聲喧
嘩。僅就語詞來看，與基於「台灣民族論」的台灣獨立論乍見不
同，有如顏色閃爍不定的「金花蟲」般含糊莫測，島內有識人士
認為不易因應。島內的左翼分子和積極主張中國大陸統一論者，
或許怕被彈壓而隱藏著。表面上看來，到目前為止，國府當局似
乎還沒有把這當成是要對應的課題。

如上所述，蔣經國是國府台灣的政治舞台中心人物，面對兩
度危急存亡之秋，他以強力指導力、堅毅的精神以及鐵腕的政治
行動力，而能跨越困境，似乎可以給他這樣的定位。

1986年以後的新局面，顯然對蔣經國來說是第三次、也是最
後一次的危急存亡之秋。1949年末到今天，都一直持續的國府台
灣政治、外交的基本架構[19]，是他在其父蔣介石的指導、庇護之
下，以有限的合作夥伴所設定而成的。這樣的基本架構，在35年
間，即使有些微的調整，可以說大致沒有什麼改變。

在新局面外交條件充滿逆境的情況下，眾人都認為除非發生
第三次世界大戰，否則好轉的可能性幾乎沒有。問題在於，蔣經
國和他所指揮的黨政軍高層，是否已具備處理前述各項課題的能
力。蔣經國即將滿76歲（1986年3月末），年紀大，加上糖尿病
和眼睛的宿疾，這次危機他是否能像前二回，發揮精力充沛的指

---

19 蔣經國的主要事蹟請參照李元平，《平凡‧平淡‧平實的蔣經國先生》（台北：中國
　 出版公司，1978年）。

導力？可以說他「最後的敵人」就是自己，因此也處於必須與自己作戰的狀況。但他卻仍未培養出具精神領袖魅力的繼任者，難免因襲傳統的政治慣性現狀。故而常聽許多人憂心台灣可否安度後蔣時代、台灣是否能不陷入大混亂等等。

　　到目前為止，國府的作法是及早把可能成為對抗勢力者吸收入體制內，轉化為自己的能量。對於絕不屈服的異議分子，經常是不惜以強權排除，一萌芽就立刻拔除，以維持穩定。

　　但反抗勢力的種子，如今情勢已大為不同。這十年來，社會經濟結構變化，使社會上各種可能成為支持反對勢力的力量，出乎意料地充實擴大。在公職選舉[20]中呈現的黨外支持者層之厚實及熱情，以及青壯年層意識上的變化等，都是其明證。

　　有識之士指出，因為反對勢力的質與量都發生很大的變化，僅以過去一直採用的「吸收」與「排除」的方法，已無法因應；有心人心中，都高度期待能大幅改革35年來（指1949年以來）一直維持著的基本架構，也是極為當然之事。

　　人們由衷祈望，國府台灣的政治舞台不會上演流血的悲劇，並對此寄予關心。

增補・政局的大轉換與蔣經國的逝世

　　1988年1月13日，一直以來健康不佳的蔣經國逝世。美國與日本的部分媒體，原本預測因強人的過世台灣會發生「什麼」。

---

20 請參見若林正丈，〈台湾に於ける選挙と民主化〉，《海峽》（東京：研文出版，1985年），頁83～109。

但並沒有發生混亂，且照預定由本省籍的李登輝副總統繼承總統職位。

　　眾所周知，蔣長期作為國府台灣的絕對權力者而被畏懼。後來雖因糖尿病的末期症狀與其併發症而得過著坐輪椅的生活，並失去一邊的視力，但其精力旺盛，判斷力到死之前都很少有差錯。即便那樣，在其晚年的短短兩年中，解除了「萬年戒嚴令」，默認在野黨的結黨，允許街頭示威，許可訪問大陸，以及報紙自由化的起步，採取一個個民主化的措施，其「祕密在哪裡」？這是應該將之加到中國近代史之謎之一來檢討的有趣課題。

　　那麼，面臨秩序大轉換的時候，所有的社會矛盾以及「垃圾」會被拋出街頭。面臨政治大轉換的台灣也不能例外。街頭示威頻發，圍繞政治權力再編整的朝野勢力內外抗爭節節升高。只要痛罵國民黨、空喊口號就可得票的在野黨，也面臨伴隨充實實力的體質改善與改變走向的歷史考驗。

　　說到歷史考驗，蔣經國在世時就已決定舉辦（1988年7月7日）的國民黨第13屆黨大會的新執行委員人事決定，值得注目。至今還掌握大部分台灣政治關係「資源」的國民黨的體質改善與新體制的出發能不能上軌道，是影響今後台灣走向的關鍵因素。不論如何，除了促進民主化與憲法體制踏實的實施，以及摸索實施對台灣海峽情勢的積極且合理、有彈性的對應之策以外，已沒有台灣的存活之路。目前台灣的狀況，就如同不被允許逆轉的時

鐘指針般。

1988年6月23日

本文原收錄於戴國煇編，《更想知道的台灣》，東京：弘文堂，1986年5月30日，頁217～243。原題爲「政治」，共分10節，前5節係春山明哲所著，此處不錄入

學海行船，航向政治山頭
──政治阻礙學術研究實質進展

大陸學術出版以「統戰」為主

　　在進入主題之前，有幾個前提必須說明：第一，我並沒有去過中國大陸；第二，我一直以為學術研究與政治必須保持一定距離。我一直很欣賞日本敗戰後的學術界，那種直言批評認為負責的態度值得學習，以我的習慣在日本寫文章一向用真名發表，是對自己負責，也對文章負責。但這也需要社會政治條件的配合，經濟生活不受威脅才行。然而，近代中國的知識分子一直少有學術研究的政治、經濟、社會條件，陷入種種的困擾卻是常態。以我對中國大陸的觀察，其學術研究受政治因素牽制太大，當年我與沈宗瀚先生在1950年代末期到1960年代初，一起逛東京的中文書店時，發現大陸對農學遺產有諸多整理研究，有些好的開始，然而不多久「大躍進」之後到「文革」這段期間卻呈現一片空白和斷層。大陸上學術研究始終無法擺脫前述困擾，無法作純粹知識性及學術上的探討研究。四人幫倒台後已有部分好轉，從反右到文革這段期間的研究累積或成績也陸續得到部分的發表，但以中共的體制言仍然有限。我並不認為他們沒有學術研究，但資源

有限使其出版順序、宗旨仍以「政治」為考慮出版之優先次序，甚至於「統戰目的」為考慮之主要因素，以目前在大陸刊行的台灣文學出版物而言，所蒐集作家都以台灣較受歡迎的知名作家為主，談不上有嚴謹的選擇，這是「統戰」不是學術。

除了台灣研究，中共現在對華僑研究也頗下工夫，然而都以統戰目的、政治需要為主，因「四化」需要華僑投資所致。然而對資料的保存整理固然不錯，歷史研究還可以，但對當前「華僑」在當地國家的政治社會經濟的既有限制下如何求發展，所作研究的理論架構仍值得斟酌，華僑與華人的政治及法律範疇不同，前者仍持有中國國籍身分，後者已入籍當地國家，算是他國公民，若仍然動輒以「黃帝子孫」唱政治高調的態度則值得檢討。華僑研究華僑投資都好，若一味膨脹「自我陶醉」式的華僑或華人在當地國家的地位角色，則徒然引起居住國家民眾的反感。站在優勢民族與少數民族平等的前瞻性立場來看，「黃帝子孫論」的落伍心態必須拋棄，才能趕上時代潮流，台灣華僑研究的心態也有類似大陸之處，這都需要雙方冷靜檢討的。

以當年的「社會史・社會性質論戰」，國內胡秋原先生的傳記已開始整理，鄭學稼先生《我的學徒生活》又見出版，包括國內的嚴靈峰或大陸的有關人士和有關資料等，我都希望他們的有關文字能陸續問世。我的興趣並不僅限於台灣史、華僑史方面，希望能由中國早年的「社會史・社會性質論戰」與日本的「資本主義論戰」來作比較研究，以明瞭當時東西兩大國的社會經濟情況。所占有的地位和當年有關學者對其社會經濟發展階段如何評估，對其社會性質作下何種定位等。這些都是學術研究所需。雙

方如果能盡量撇開政治因素的牽制，學術研究才能有實質進展。

兩岸的儒家研究

　　以日本學界來說，與政治劃分非常清楚，即以學術領域的馬克思主義而言，馬克思主義與馬克思列寧主義是不同範疇，馬克思的唯物史觀與唯物辯證法亦可藉為「工具」，來應用於分析，也可作為一種分析路徑，研究馬克思未必表示認同馬克思的政治信仰，台灣當局似乎仍然無法將前述馬克思思想體系、與分析工具作不同層次的判斷區別，《中華雜誌》刊過洪鎌德君若干有關馬克思理論文字，這是非常值得贊許的，一個社會禁忌太多，學術研究是無法生根結果的。學術研究即是在盡量減少禁忌之下求其發展的。龍應台小姐雖然學的是美國文學，但其所帶來的開放理性批判態度是相當值得稱許的。

　　日本一位企業家澀澤榮一，主持或支持過五百家公司，他將《論語》與算盤結合在一起，所謂的學養來自儒家的薰陶，不只他一人，其他企業家也經常以《論語》來討論企業的經營、企業的社會責任。我們有所謂的「中體西用」、日本也有「和魂洋才」一辭，我以為和魂的前身是「漢魂」，即指日本個人所受論《論語》以降的儒學教養，日本將之吸收轉化變成「和魂」，是以陽明學說為主旨而創造轉化的。而我們始終沒有將「漢魂」轉化為「中體」，我們的《論語》始終是「死」的，停留在訓詁層次、古董式的解釋，日本的這段轉化過程非常重要，是從明治維新到現在，維持社會人際關係的基本哲學，我們除了拿來訓人變

成教條外，並沒有善加利用。我希望將來有機會，將《論語》如何在漢字文化圈裡，如中南半島、朝鮮半島、日本等如何被吸收、轉化，成為現代化理念一部分作深一層研究。我對日本文化、日本史的情況稍有了解，都可使我便於入手。以中國大陸對儒家研究，由於五四以來批判態度明顯，而台灣相對於中共則持護衛發揚態度，雙方的立場態度不同，然而如果能進一步開放互相參考觀照，對儒家在何種政治、經濟、歷史真實背景被拒絕或採用，還其本來面目，對學術研究都甚有裨益。我希望雙方對學術自由取向，解除禁忌方面能持開放態度，海外學者也樂於見到這種情況的出現。

學術研究基本前提為資料開放

日本的學界蒐集資料非常用心，文革之後來自中共的資料中斷也曾一度轉向台灣。中共採行開放政策後，書籍資料為了賺取外匯又開始大量輸出。特別把一些民初至1930年代之報紙、雜誌類復刻刊行，對學術研究有頗多貢獻。1949至1976年期間，頗多日本學者往往《人民日報》登什麼就相信什麼，現在這幾年態度比較理性，這對日本研究中共或大陸未嘗不是件好事。學術研究的基本前提，在於資料的開放，如果海峽兩岸雙方對此一原則有充分認識的話，對雙方的學術研究都有好處的。

本文原刊於《中國論壇》第262期，1986年8月25日，頁14～15

戴國煇研究心得，籲朝野建立認同感

　　中國歷史上時常有統一、分裂的局面，我認為無妨提出新的概念，來因應未來的挑戰，亦即暫時不必談到統一，而承認中國每一個地方附屬的性格，使地方性格不要走上極端，發生負面的影響。

　　我研究台灣史，台灣有一百多年的時間，未和中華民族在朝向民主化、近代史的步調中，保持同一的步調，這種受到外人的干涉，發生了很大的傷痕，要由時間來治傷療痛，再尋求未來的整合與統一。

　　日據時期把台灣與中國隔離50年，後又發生不幸的二二八事件，這些創傷，我們不必迴避，應該勇敢面對與治療。

　　將來執政黨與民進黨都要為立足台灣，來提出一個新的認同與理念，民進黨應該向支持執政黨的朋友提出有說服力的遊說，而執政黨也要和民進黨支持者建立共同的理念與認同感，人人都能認同新的方向，才能解決問題。

　　另外，外省人只是人類學的概念，但現已成為政治學的概念，以及政治上的象徵，這種現象要解決，而語言原本不應該成為問題，但現在形成政治對抗，並不正常，大家也要建立新的

觀念。

本文原刊於《臺灣時報》，1987年8月23日，5版。係戴國煇於「解嚴後的情勢及問題討論會」的發言。此討論會係由臺灣時報社與現代論壇社合辦，1987年8月19日，與會者有丘宏達、呂亞力、康寧祥、尤清等人

中日近代化的比較分析
——和魂洋才與中體西用的分歧點

◎**蔣智揚譯**

　　各位與中國大陸或是台灣的中國人，或與東南亞的「華僑」作生意時，恐怕不無諸多的體驗，例如困惑、生氣、失望；或對他們如雜草般的活力感到驚異。向來我所關心的是將研究與「時務」（日常所發生的事情），亦即將學問與日常事物結合在一起，並將研究成果反饋於社會。我覺得這件事雖然困難重重，但也是值得推行的課題。就此意義，今天給我這個發表的機會，實在感激不盡。

　　其實，今天的主題在某一時段我曾經著手過，但途中由於另一個工作而不得不中斷。我在亞洲經濟研究所服務的某段時期，曾經把中國社會史、社會性質論戰的爭論，作為研究課題，此乃相當於在日本盛行的資本主義論戰。這個論戰係以上海為中心而發生的，我作過關於這個時期論戰的箚記，也寫過幾篇相關論文。途中所發覺的就是：1920、1930年代的中國狀況，係無法僅以學術立場來暢言的狀況；換句話說，這個論戰本身也不過是在極其政治化的狀況下之學術爭論。因此關於這個爭論的研究，我也不得不半途而廢了。更明確一點來說，我發覺中國共產黨與國

民黨,以及居於中間路線的那些當時非屬中國共產黨的左派論客
們,他們究竟在什麼政治狀況之下參與這個論戰?其狀況不明之
前,將其比較研究也沒什麼意思,因此中途放棄,亦未予出版。

探討日本近代化的成因

眾所周知,日本的資本主義論戰也是以岩波書店的《日本資
本主義發達史講座》為中心而展開的,自此才成為知名的講座派
與勞農派論戰,戰後經過日本共產黨以及社會黨左派才聯繫到社
會主義協會之流派。

我是在1955年秋天因緣際會下才定居日本。老實說,我本來
想去美國,途中逗留日本就定居下來了。戰時正在法學部留學的
二哥,因學徒出陣而被動員。在宮城前廣場接受東條英機的閱兵
後就出征了,日後成為波茨坦中尉而復員。但是他沒有絲毫音訊
給故鄉台灣,使父親非常擔心,教我去一探究竟。因此使我命中
注定般降落羽田機場,爾後31年的漫長期間就都留在日本了。

其間也是基於緣分才能夠進入東畑精一老師門下。當時我的
問題意識當中,常有的疑問就是:為何中國的維新未能成功?換
句話說,為何中國不能從上而下使近代化順利上軌道呢?另一方
面,日本為何能使明治維新成功?雖然可說有種種的負面作用,
但仍得以使爾後的資本主義化成功。所謂維新,是以漢語方式來
表現,嚴格說來,我以為可以將其解釋為「官僚主導型的,從上
而下的近代化」。可是在清朝的中國,此事卻失敗了。這個問題
應如何加以原理上的追究,這從我進入東京大學研究所以來,一

直存在我的問題意識之中。因為這個關係，雖然我的學籍登記在農學部農業經濟系，但是經濟學部甚至社會科學研究科的教授們，如具體列舉芳名則包括：勞農派的土屋喬雄老師、被定位在講座派末流的大塚久雄老師、政治思想史的丸山真男老師、社會學科的福武直老師，還有與今天會議在座的各位同世代、以《勞動法》〔《労働法》〕（岩波新書）知名的磯田進老師，我從這些先進以各種方式領教而受益良多。

《論語與算盤》：儒教文化與經濟發展

　　與今天主題有關的其實是澀澤榮一。關於澀澤榮一，首先使我覺得驚奇的是：土屋喬雄老師本身雖然是勞農派，但是他的1931年大作《澀澤榮一傳》〔《澁沢栄一伝》〕一書裡卻有稱讚澀澤榮一為「日本資本主義之父」、「日本近代化之父」*1的評價。恕我直言，當時剛來自台灣的我，以未成熟的思維來說，對澀澤榮一的印象並不是正面的。其實，我現在雖然與繼承澀澤派的部分人士很親近，但想起血氣方剛學生時代之自大狂妄，內心感到慚愧之至。當我知道澀澤榮一有本叫作《論語與算盤》〔《論語と算盤》〕的大作時，老實說，我真是大吃一驚。

　　我在殖民統治下的台灣，就讀現今所謂的明星學校，初中二年級時適逢日本戰敗，才開始學習中文，接受國民黨的教育，直到服完兵役後才來到日本。說明白一點，以我們的世代來說，當

---

*1 參見山本七平，《近代の創造——澁澤栄一の思想と行動》，東京：PHP研究所，1987年。

時還有相對的自由。至1949年中共政權底定大陸之日為止，在台灣還有某種程度的學術、言論與出版的自由。在那個時期，我讀過中國大陸的小說、文學，當然對於在中國大陸被譽為近代青年運動永垂不朽的「五四運動」壯舉，銘刻心中，受到極大的影響。不過這樣的自由時代，在台灣卻極其短暫，瞬間即逝。晚了我大約兩年的世代，就完全沒機會接觸這樣的自由了。1950年起至1953年，台灣對潛伏的赤色分子，進行了非常嚴厲的肅清，許多人被槍決。結果，不只關於「五四運動」，歷史相關以及其他書籍、文學作品都不能從大陸進來，在台灣也不能出版。總之，當時從大陸撤退來台的國民黨，為了要在台灣鞏固自己的政權，實施嚴酷的思想箝制。

　　生長在這種時代的我們，受到「五四運動」非常大的影響。這個影響，到底是指什麼？總之就是打倒孔子、打倒儒教。也就是說，那些封建的思考方式，乃是諸惡的根源。可是想不到，澀澤榮一卻有本叫作《論語與算盤》的著作。若以我們的認知來說，提起《論語》就意味道德，算盤卻是代表利己主義，或是某種高利貸似的商人印象。但是澀澤榮一卻將這兩個東西結合在一起。而且土屋先生還有稱澀澤榮一為「日本資本主義之父」、「日本近代化之父」的正面評價。

　　我的學生時代，還留有對日本資本主義的負面印象，也就是其侵略亞洲的重大後遺症。在當時的環境下，尚無法就整體歷史將日本資本主義加以客觀地對象化、相對化去探究。這點不只限於我們這些非日本人的亞洲人，連大多數的日本學生也一樣，他們具有對日本民族主義（Nationalism）的過敏反應，對於日本資

本主義會過敏地直接排斥。因此對於收集並整理澀澤榮一相關資料的土屋先生，就其作為實證主義的經濟史家，我敬佩其熱心的學者態度，但老實說，也讓我覺得有些「不能理解」而受到很大的衝擊。

從1983年4月起大約一年多的時間，我接受了加州大學柏克萊分校的聘請，主要作為台灣、華僑問題的專家，擔任客座研究員。在這段旅美期間，與白人教授及亞洲、中國相關人士討論時感覺到，美國對於「太平洋圈、東亞太平洋圈」之類的構想，有很強烈的內在要求，或是有迫切的時代要求。這點我在東京時也曾感受到，但是當時並未強烈到要將其意義在歷史的座標軸中將之捕捉。我以為這是由於未來學稍稍受阻，為尋其適當的思想出路才會這樣思考，認為也許不過如此而已。可是實地目睹美國經濟之後，開始覺得果然似乎已到達這樣的階段了。

躊躇當中，儒教文化圈的問題就浮現了。對於經濟大國日本給予明確定位，面對附隨的台灣、韓國、新加坡以及香港的經濟成長，又該如何解釋？伴隨此問題而來的就是儒教文化圈的思考方式。再者，也發現到美國經濟力的鈍化、衰退以及其相關再生之計的歷史趨勢等等。因而想起如前所述，類似資本主義論戰等的往事，催促我是否須就「應如何思考儒教文化圈」為題來歸納論述。

另外，去年八月在台灣舉辦「儒家與現代化」國際研討會，英文名稱為「Seminar on Confucianism and Modernization」，我也被邀請參與並寫了相關文章發表在《世界》雜誌的1986年12月號裡。對此我所思考的是，現今在台灣，儒教文化圈的問題被深入

探討一事。也就是儒學與經濟成長並不矛盾的想法。其實，關於
這個問題，在台灣也分為兩派爭論。一派認為：對於經濟發展，
儒學究竟與它有什麼關係？我們還不是因為這個儒家思想的作
祟，才歷經慘淡的過程！此外另有一派比較接近體制，具有較為
國粹主義的中華思想之議論，認為：台灣的經濟發展是由我們自
古相傳的儒家思想所支持，儒學博大精深，應該使其再度復興。

圍繞近代化的中國現狀

我在中（大陸）日恢復邦交那年（1972），回去過台灣，以
後約十二年沒再回去過。其間台灣以凌厲之勢達成經濟成長。

另一方面，在中國大陸，也如眾所知，鄧小平復出之後的四
個現代化，符合中華人民共和國的社會主義文明論等都被提出。
我感到很有趣的一點是：台灣的國民黨與大陸的中共正在作相似
之事，那就是利潤追求。雖然我未曾去過大陸，但是透過許多刊
物得知，其實中國大陸也與現今的台灣狀況相同。來自中國的留
學生，也有好幾位到我這裡研究，有時招待他們吃便飯，交談之
中，得悉大陸與台灣並無太大不同，兩者都向「錢」看，追求利
潤優先於一切。

尤其是中國大陸，使我感覺好像充滿了一種氣氛，即凡一旦
能攝取日本的東西，就能近代化。中國自古以來都是人治國家，
就是以人來統治國家，而不是以法律與制度來統治國家的法治國
家，具有這種傳統觀念的中國人，如今也許因其反作用而產生了
這樣的氣氛：只要能將硬體拿到手，軟體部分就無所謂了。這樣

的說法也能適合台灣。我還在亞洲經濟研究所時，對有關台灣建設近代化一貫作業製鐵廠，參與此構想研討會議論中，出席的國民黨議員、立法委員們都說，只要這樣的工廠能夠建好，不論飛機、戰車都能馬上製造出來。我認為這樣下去會有問題，此時此地有必要寫些學術性的文章，因此決定參加在台北舉辦的研討會，對於如「儒家與現代化」的相關問題加以思考。

「近代化」一詞，無論在台灣或在中國大陸，都代表相同意義，只是在大陸方面因為有唯物史觀或是唯物辯證法的思維，所以另有某種價值的含意。這種價值又是什麼？那就是所謂「近代」，即是引進資本主義生產模式的世界史之一個階段，而所謂「近代」涉及超越其生產模式，在某種意義上是開拓通往社會主義或共產主義之道路──這樣的想法包含在「近代化」的意味之中。關於這一點，我認為在日本崇奉馬列主義的人士也有同樣的想法。

從和魂漢才至和魂洋才的過程

如上述狀況，在台北參加研討會後，回日本與岩波編輯部友人談話中，受託寫了一篇論文〈「儒教文化圈」論之一考察──「和魂洋才」與「中體西用」的分歧點〉，刊登於去年的《世界》。所謂「和魂洋才」，眾所周知，就是日本的大和魂，或是新渡戶稻造所說的武士道精神，與西洋的學問、技術結合在一起。相對地，所謂「中體西用」（中學為體，西學為用），總而言之，就是以中國的學問來修鍊心身，並以西洋的科學技術來思

索某種近代化。其實，我在《世界》裡，不讓這兩個標語明確地對置，因為我認為在日本史的脈絡中，應如何以階段別來解釋和魂，我所下的工夫還是不夠。今天，並不是說因為各位都是外行人，至少不是像我們這些靠學問與研究吃飯的人，因此乾脆請恕我工夫不夠，當作一個假設來發表我的意見。

　　我以為這個「和魂洋才」的「和魂」一詞，是很有意思的。在中國，所謂「中體」一詞，雖然是以中國的學問來修鍊心身，但是明顯地未加入精神或魂魄的概念。相對地，「和魂」一詞，能夠指出至為明確的主體。所謂「和魂洋才」的「和」字，就是「大和」的「和」之意，究其由來，《魏志・倭人傳》所使用的「倭」字，是當時以漢民族為中心的中原中國之知識分子，藐視日本所用的差別用詞，日後日本列島的知識分子，以「大和」的「和」字來代替。

　　以現在的常識來說，知道在這個「和魂洋才」之前，有個「和魂漢才」大致已成常識，《廣辭苑》也有這樣的記載。最初提起這個「和魂漢才」問題的人，也有人說就是菅原道真。菅原道真這個人，據說曾被任命為遣唐使，但是他卻拒絕了。這樣的傳說到底是真是假，尚無定論，但如果菅原道真曾拒絕這樣的任命，我就認為是一件很有趣的事。因為，當時在很難得被許可出國的狀況下，他竟拒絕好不容易得來的機會，而且提起「和魂漢才」的問題，由此可見，他很明顯的已將中原中國，或是中原中國的文化作為對象來思考，同時也將自己相對化，而開始定位自己。當然那時與日本有關聯的，不只是中原中國，朝鮮半島也有相對的高水準文化。於是我就想到，當時住在日本列島的人們，

對於中國與朝鮮半島兩國的「羈絆」，開始要擺脫之而確立自己，其結果，此和魂便明確地被提出，漸漸地展開來，其意識也逐漸明確化了。

　　我想，大家當然可能也曾思考到：「日本人」這個概念，或是「日本」這個概念，並不是那麼早就有的，也不是超歷史的事物。明白來說，在日本文學之中，「日本人」這個概念開始出現，是在西南戰爭〔譯註：明治10年以西鄉隆盛為首的鹿兒島士族之叛亂〕以後的事。而且這件事變為更明確，是在甲午戰爭日本戰勝以後。總之，就是在對於對抗外來勢力，開始認識自己以後的事了。因此如果引用猶太裔美國人哈佛大學名譽教授艾利克生的「identity」概念的話，在日本，其群體認同（group identity）的形成，含有擺脫中原中國、朝鮮半島這兩國的　絆而自立化的意味，於是我把它當作假設來告訴大家。

　　雖然在《廣辭苑》以及其他代表性的日文辭典，可看到「日本固有精神」或是「日本人固有精神」等言詞，但是老實說，我難以贊成這樣的說法。所謂歷史，是徹頭徹尾「動態」的東西，而「日本人固有」的說法，正如同中國人主張「台灣為中國固有的領土」一般，我認為是有問題的。如果說到「中國固有」的領土，其所謂的「中國」是將時間倒算到什麼時點的中國？這就成了問題。我雖然不是台灣獨立運動家，但是作為學者，認為應該將中國共產黨、毛澤東、中國社會相對化之後，才來加以思考。我想，如果當時鄭成功不攻打台灣而趕走荷蘭人的話，也不知道現今的台灣會屬於哪一國家。同樣地，1950年代如果沒有韓戰，杜魯門不使第七艦隊介入台灣海峽的話，台灣必被中華人民共和

國併入，現在的台灣已不存在了。

　　當然我充分了解，將「if」亦即「假設」帶入歷史是禁忌。可是，若要客觀地掌握全盤狀況的話，如「日本固有」或是「中國固有」這樣的想法，不宜無限制地使用。以中國這個國家概念來說，秦始皇時代的中國與現在的中國是全然兩樣的。因此，「中國人」這個概念也不過是歷史的產物而已。在這樣的意義上，以《廣辭苑》為首的辭典裡，可看到的「日本固有」或是「日本人固有」，對於這樣的思想，身為學者的我，實在不能苟同。

　　因為「日本人」這個概念，是從明治中葉才開始成熟起來的，所以明治中葉以前，全國民都沒有這個概念。甚至連「國民」這個意識，也是原來都沒有的，頂多只有遠州人、薩摩人、長州人這樣的意識而已。而且這個「州」，在漢語是「國」的意思。所以「國」這個東西，是會成熟起來的。也就是說，國的概念漸漸成熟而形成現在的國家形式。因為這個緣故，如果要動態地掌握歷史的話，我以為我前述的思考方式就可成立了，亦即這個「和魂」本身表示一種過程，就是如前作為假設所說的：日本列島住民想從中原中國或是朝鮮半島，企圖由政治、文化等方面脫離其羈絆而自立，同時在他們之間逐漸發生了某種精神凝聚。

　　所謂「和魂洋才」者，也可認為是「和魂漢才」成熟後的東西。據說，在明治維新前後，「和魂漢洋才」這個詞也出現了。其實關於這件事的明確文獻，我只讀過加藤仁平先生所著的《和魂漢才說》一書而已，因此不知可否明說，但是無論如何，在這位加藤先生的大作裡面，發現這個「和魂漢洋才」一詞時，感覺

很有趣！因為我可以想到：這個「和魂漢洋才」的「漢」字，不久就消失，而成為「和魂洋才」。說明白些，就是因為日本在甲午戰爭打了勝仗。清朝在此之前就因鴉片戰爭而無指望，但當時的日本知識分子還是對中國—— 他們的文化根源，也是老大哥——的命運痛心不已。想不到在不知不覺中，一部分日本人出現了蔑視中國人的看法，如「支那人、清國奴」等的罵聲，轉而向洋才一面倒。接著經過明治維新之後，這個「和魂洋才」便串連到「趕上西洋，超越西洋」的標語。

伴隨和魂民族主義的危險性

在昭和50年三木內閣時代，現在擔任《朝日新聞》客座論說委員的永井道雄先生，擔任不具議席的文部大臣。永井大臣組織了「思考現代文明 —— 文明問題懇談會」。這個懇談會邀請諾貝爾獎得獎人湯川〔秀樹〕先生、朝永〔振一郎〕先生、唐納德・基恩（Donald Keen）、達幹爾（Ronald Dour）、來自亞洲的我及一位印度裔人士。永井先生尚是助教授時，我就與他有很深的交情。其實，至明治成立國家以來，亞洲人被選為這種政務委員，可算是頭一次。在此不想談及我個人的事，但這就是近代日本的文化結構、社會結構本身所具有的一面，也是具歷史意義之處。自明治維新以來，西洋人占有日本人僱用外國人的主流地位，因此西洋人參與這官辦懇親會，並非不可思議的事。

當時我指出，「和魂洋才」不久就會結束，今後不得不變成「和魂和才」，不管喜歡與否，日本會朝那個方向前進。其間我

所陳述的主旨如下：

> 日本是從江戶時代的「和魂漢才」，轉移到明治維新的「和魂
> 洋才」。為了趕上歐洲，首先的要務就是集中最大能量團結一
> 致，我想其近代百年來的驚人發展，就是這個團結的成果。在
> 那之後，這個將民族的能量集中於經濟成長的日本，如今已邁
> 入可謂「和魂和才」的新階段，而且日本人的國際化已構成問
> 題，例如如何定位自己，對於他人的看法如何解釋，對於日本
> 與亞洲的緊張、摩擦如何因應等。（文部省，《思考現代文明─
> 文明懇談會討論要旨》，1977年3月31日，第2版，頁27）。

　　這是限於亞洲與日本的關係所陳述，並非遠溯「和魂漢才」
而記述，總之在這裡我要強調的是：剛才所述的我的想法，並不
是最近的發想，其實已是十幾年前的事了。

　　將此「和魂」在日本史的動態（dynamism）之中來捕捉，
這種思考方式其實伴隨著某種危險性。我所以敢這樣說，就是由
於在傅高義所著的《日本第一》（*Japan as Number One*）之中出
現的問題。亦即，日本曾經拚命地想要學習美國的經營學，或是
品質管理手法。將終身僱用制度視為負面的東西，而採取了自由
競爭與能力主義。但是沒經過幾年之後，就發覺不對，覺得自己
可能弄錯了，還是團隊合作、集團的共同作業來得重要，且應該
對集團性、集團主義的日本傳統加以評估。尤其此時的這個日本
傳統，到底應該追溯到哪一個形式的日本傳統，我想其定位有問
題。總之，思考「和魂與日本集團性」這個問題時，我認為必須

加以注意。我想，不只限於日本，思考所有的民族、社會之際，這都是應留心的問題。亦即所有的事物都有正面與負面。

正如我剛才說過：在脫離中原中國或是朝鮮半島而自立的過程中，產生了「和魂」，針對其技術性的部分應如何處理，經過「漢才」、「漢洋才」，最後採取了「洋才」，而自今以後的日本，不得不自己展開科學與技術，因為已經沒有老師了。這時候的「和魂」，若以艾力克生的理論來講，我認為可以評估為群體認同的肯定面。可是，這個所謂「和魂」者，在某種意義上為民族主義。而民族主義有正面與負面，對此必須特別留意才是。

在第三世界的近代民族主義具有一正面，那就是在與舊傳統、封建等因素以及帝國主義戰鬥之際，能夠集結民族規模的能量。可是像日本這樣一個藉由明治維新而近代化成功的國家的「和魂民族主義」，就像「章魚吃自己腳」的自保之道般地展開下去，逐漸一直偏右前進，終於發展為國粹主義。而且，本來是應該與亞洲共同思考事物的，反而變成侵略亞洲之形式的「和魂」了。有關剛才我所提到的「和魂和才」，作為思考國際化之中心課題，也正是我認為必須慎重處理的。

中曾根總理在其總結戰後40年的文章中，大力主張應該確立日本的主體性，可是我認為此日本主體性必須為近鄰亞洲所能接受的，而且為具有世界普遍性、正面性、更寬廣（wider）的自我認同（identity）。假如不是這樣的新主體性的話，日本即有迷失而又走回以往舊路的危險性。我想目前日本正迫近這樣的危險轉捩點。

與歐洲的「近代」不能融合之中國體質

　　中國過去有「中體西用」這句口號，可是從這個口號不能夠看出相當於日本的「和魂」精神，也就是能夠成為推動中國近代化的中心思想力之精神。這個所謂「中體」是極其模糊的，勉強來說，不論槍砲或是軍艦，中國均敵不過外國，所依靠的只是中國的傳統、絢爛的歷史，這些程度的「中華思想」而已。因此我認為清朝中國的「中體」缺乏了主體性、承擔者，更沒有「變革的主體」或者「維新的主體」。再者，為何在中國雖然有漢民族的概念，但是沒有「漢魂」的說法？雖曾有基於「華夷」概念的中華思想，但那是文化概念，「靜」與「動」、「陰」與「陽」的相互包含，也就是靜動、陰陽二元無限地繼續轉變的循環，因此這個循環總是很難進一步「起飛」。故而在某種意義上，中國內部可說在混亂狀態下進行著國際化。形式上有明朝或者清朝，在相當於歐洲大陸那麼大的國土面積之中，有那麼多的邊境少數民族經常作怪，不時要去彈壓他們，在這樣的過程中有了某種相遇可將其視為「捲進與擴散」的歷史過程。其意義在於欠缺了強大的外壓，因而也無必要形成「漢魂」。換句話說，中國如太過分主張「漢魂」的話，就不能將周邊少數民族容納進來，我在思索，是否也可以這樣地來整理其邏輯。

　　這是我的假設，本來應該再下工夫之後才可奉告，現在陳述似乎是作為學者不當的放言，在此膽敢將其披露於各位面前，尚祈見諒。

　　如依據上述來思考的話，在這個以中華文明（中國的禮【禮

教、禮法條規與道德基準】）的「文」（文治、教化，再加漢字及包含中國式飲食生活的風俗習慣）為名的鎔爐裡，所有的一切都被投入，連自己也投入，然後逐漸形成漢民族。在這樣過於龐大的雜亂中，形成具多元性格的中華文明。其實直到清朝末年，其結構還具有與歐洲的「近代」難以融合之體質——我認為可以這樣思考。同時，外圍也沒有能夠對抗它的外壓。以當時歐洲之強勢，頂多也僅及於印度，而無法影響到中國。

　　在這樣的環境下，知識分子之間對於事物，自然發展創造出如「白髮三千丈」的思維。這樣的中國，其社會、經濟、歷史的意識或體質，都與歐洲的「近代」無法融合，可以這樣說。所謂歐洲的「近代」是由民族國家以互相衝突之形式而產生的。日本的情形則是一方面承受來自朝鮮半島以及中原中國的外壓，另一方面與其他民族混血而形成大和民族，以這個大和民族為中心，日本民族才成熟起來，在此過程中才形成了所謂「和魂」。同時，明治維新當時的日本，不論從人口或是規模來說，亦處在沒有過多包袱的恰當狀態。

　　相對地，中國實在是悠然自得。如果歷史進程順利、不斷地向前延伸的話，以當時正在進行的大規模行動，可以作到中華文明圈內的國際化。中國對外壓表態，頭一次說「不」，是在鴉片戰爭時，而第二次說「不」，是對從來視為小老弟的日本。可是在中國內部對這些事情，還未產生明確的自覺。毛澤東也說過，日本軍國主義、日本帝國主義，對中國人來說，是近代民族主義之父，也是「反面教師」，讓中國獲得教訓。具體來說，假如日本的關東軍不製造滿洲國、不發動盧溝橋事變的話，說不定中國

人還是脫不了說「喔，是啊」（事不關己）的狀態。雖然以前也有過中日戰爭，但這是李鴻章等安徽集團，亦即部分的官僚集團與所謂明治國家的近代國民國家的戰爭，而在中國尚未存有國民國家這種意識。這是歷史的事實。

　　有趣的是，在中國並無對應「和魂」的「漢魂」，不過卻產生了「反清排滿思想」，這是以從明末就有的「黃帝魂」、「黃族」（黃帝中心主義）為基調的。但是這個思想畢竟也是為了打倒所謂滿洲的夷狄，也就是野蠻人，而想要回復以黃帝為象徵之魂的思考方式。所謂黃族也就是漢民族，是黃帝的子孫，所以有需要將其團結起來。這樣的黃族或黃帝魂再展開下去，就連結到孫文的革命思想。

　　在這裡有一個很有趣的問題。與我同世代的朋友，大概都可以明白，就是在辛亥革命結束的瞬間，孫文便將反清倒滿，也就是打倒清朝的口號，忘得一乾二淨，甚或捨棄之。在不知不覺之間，竟提出「五族共和」（由漢、滿、蒙古、西藏、維吾爾族五個民族所組共和體制）的理念。其實我認為這不過是顯示中國文化、中國文明的結構而已。如果喊著黃帝魂或是黃族思想，而認定與敵人不共戴天來抵抗的話，應該是無法在短期間忘掉的。民族怨恨這件事，並不是那麼簡單便可遺忘的。可是將其完全忘掉了，我認為這一點就是中國式熔爐，能夠捲入所有的一切而同化之──說得不好聽就是「馬虎主義」──其肚量大而深，同時也是一個「泥沼」。關於這個「泥沼說」，牽連澀澤榮一的《論語與算盤》而思考如下。

用另一種方法解讀《論語》的可能論據

剛才也提到過，中國大陸正在進行四個現代化，台灣也以趕上日本為目標在進行。台灣最近自認外匯存底可能會超過日本而信心滿滿。在這個時期，提出要重新認識儒教文化圈或是《論語》的口號，以他們的體制方來說，當然是非常可喜的事。「是的，這是好事」，他們會馬上這樣附和。在此不諱素來彆扭的壞習慣，我要說請等一下，雖然《論語》確實是以孔子與其子弟之間的對話為基礎而成的，但是我想說的是，《論語》隨不同讀者，其解釋也有異。也就是說，中國人的《論語》讀法與日本人的《論語》讀法是不一樣的。因此我提出《論語與算盤》的澀澤榮一之《論語》讀法作為問題來討論。

澀澤榮一的《論語》讀法，可說就是將孔子所講的話巧妙地解讀為資本主義的倫理。澀澤榮一這個人，其個人姑且不論，他大力地強調社會的倫理面。也就是說，他一直主張在資本主義裡面也有倫理，企業的倫理也應該如此。其實，去年在台灣開學術研討會時，因為我帶這本《論語與算盤》去，所以這書成為話題，據說現正在翻譯。雖然如此，一問台灣企業人士，其回答認為《論語》和他們並無關係，雖然聽過澀澤榮一這個名字，但是未曾思考過《論語與算盤》或者企業家的倫理、企業的社會責任等問題。此外，一般人士也認為資本家不是好東西，只有三民主義（即孫文主義，由三原則組成，即主張民族平等與脫離殖民地狀態而獨立的民族主義；主張主權在民的民權主義；主張修正經濟不平等的民生主義）才是好東西。

　　當然關於《論語》的讀法，在中國也有朱子學及陽明學的讀法。澀澤榮一明顯地用了陽明學的讀法，因而有必要提出一個問題：使其有了這樣的讀法，或是使其能夠那樣解讀的原因何在？導致這樣解讀的論據何在？這個論據與近代化或是維新──就是由上而下的近代化──有關聯，若是由社會經濟史的見地來思考，有從內部以及外部來的兩種論據。

　　以日本為例，作為外來論據，可提出如美國的培里提督率黑船航行到下田的外壓，但是與中國的外壓相比，卻是微乎其微。鴉片戰爭以後，中國一直蒙受很大的外壓。再者，另一方面，當時列強對中國的認識，與對日本相比，全然兩樣。當時的日本，無論從資源方面或是歷史方面，以他們的眼光來看，不過還是小國而已。而且由文化方面來說，日本不過還是中國的旁系而已。當然包括如馬可波羅（Marco Polo）《東方見聞錄》不正確的日本報導，使他們對日本也是有興趣的；還有如葡萄牙、荷蘭等這些比較早期就對日本要求貿易等的國家。可是在當時的歐洲列強的眼光裡，只將中國當作掠奪陶器、瓷器或是美術品之類的對象，並因此感到中國有無限的魅力，因而造成像義和團之類的事件發生。日本在江戶末期或是明治維新時所蒙受的外壓，與其相比遠較輕微，而且日本的外壓在稍早時期就已緩和。

　　總之，日本有德川260年間所建構出來的東西，而以此為基礎的爾後社會經濟發展，以及國內的社會經濟力實力很大。究其原因，今日也有人指出，是因為私塾教育普及於一般人所致，但是我要指出更重要的一點，就是將《論語》移轉到和魂，再將和魂移轉到武士道，然後將武士道以大和魂的形式加以明確化的過

程中，該武士道的道德作為社會的主流而固定下來。當然在士農工商的封建體制中，也有商人被欺侮的負面情形，但是在那一階段發展了士農雙方的結合，這一點我認為是值得去探討評估的。

在中國也歷經士農工商時代。在此於各位面前，未經正確考證而有違學者態度，我膽敢再次放言。從外面理解中國有兩種方式：一為從所謂道教方面來理解的作法，二為從所謂儒學方面來理解的作法。我認為雙方都是正確的，同時若將重點只置於一方，即不完整。簡單來說，中國是二元結構的社會，所以有儒學與道教部分。所謂科舉制度是基於儒學的部分。因此如果不懂儒學，就不能通過科舉考試。而考取這個科舉的秀才們，就能夠在儒學世界裡，享受既得權益。而且他們會不斷地與土地結合起來，逐漸形成貪污結構。相對地，老百姓就在道教世界裡，辛辛苦苦保持著家或家族的相互扶助之型態，一部分即繼續過著如賽珍珠之《大地》裡所描繪的貧窮生活。

當然，日本的農民一直到明治中葉為止，也還是繼續過著像在深澤七郎的《楢山節考》、《東北的神武們》〔《東北の神武たち》〕裡所描述的貧窮生涯。但在日本是以士農為中心，基本上由於士的邏輯、武士的倫理而使社會漸漸成熟起來。而且日本的武士未與土地結合，只食其祿。中國的「士紳」，也就是相當於武士的知識分子，不斷地結合其土地而地主化之後，開始腐敗。農民在前面提到的二元結構之中，過著長吁短歎的生活。因而若單以道教一面來看中國，只能夠理解中國的一部分。再者，在中國，雖然想要將《論語》以陽明學方式來解讀，但是因為道教部分的分量太大，反而被拖累。前述的「泥沼」所指的，就是

這樣的狀況。泥沼一方面是包容少數民族的混雜多元性，而另一方面由社會經濟史來看，可以說是無法使其像日本那樣發展成近代化的東西。

像這樣，儒學與道教之二元結構，永遠繼續反覆著。在日本，和魂亦即武士道，能夠領導、牽引貧窮的部分。澀澤榮一之所以能夠巧妙地推演《論語》，使其倫理配合近代化資本主義的生產模式，並使其心態或精神支撐該生產模式，其原因在於有這個武士道存在，以及社會經濟之基礎已臻完備。

中日社會結構的差異

在這裡，容我敘述另一個假設。若就儒學所說「忠孝」的「忠」加以思考時，日本的天皇與中國的皇帝有很大的差別。並不是說日本的天皇制是好的、中國的皇帝制是不好的問題，而是作為客觀的歷史事實，我認為可以說，日本的天皇除了明治天皇以外，不過是象徵性的存在而已，我想這件事大家都會認為是日本史的事實。可是中國的皇帝卻具有絕對的權力，甚至是血腥的權力。

進一步來思考「忠孝」的「孝」時，雖然文字一樣，但是日本的孝敬父母，與中國的孝之間也有差別；再者日本的家族主義與中國的家族之間也有很大差異。中國的家族是採均分傳承的方式，即重覆分解而再組合下去。親子的關係亦同，表面上在子嗣分家的那個瞬間就已切斷了，但實際的結果卻是：家長到死還想要掌握權力；中國的家長並沒有像日本那樣退隱的意願，也就是

並無「退隱」的制度。在日本，象徵意義的家是存在的，就是說「家」這個東西，並不是爺爺的，也不是老爸的，更不是子孫的，只不過是大家都認為綿延長存的東西。長男、長子傳承制度是為了守護這個家、守護家的核心而存在。相對於此，在中國，傳承制度雖然存在，但因為是均分，所以未能充分發揮作為守護家或是治家的規範機能。

　　容我再添一個大膽的假設，在歐洲文明裡，正如佛洛伊德（Sigmund Freud, 1856～1939）所分析，有「弒父」的概念。當然這並不是真的要殺父親，而是意味著超越父親。換言之，就某種意義，我認為這可說是自由競爭的邏輯已達到能夠貫徹的境地。正如上述，在中國因為沒有退隱制度，所以皇帝到死還是皇帝；蔣介石總統到死還是總統；還有毛主席到死還是主席。也就是因為沒有「弒父」，所以稱為「孝」的儒學與道教的二元社會中之上流社會部分，因受限於此結構而無法從其內部跳出。相對地在日本的社會，因為有退隱制度，所以能夠取代重組。

　　總之，雖然是相同的儒學倫理，又是相同的家族概念，但是其實際在中國與在日本，二者還是有所差異。勉強來說，精神分析之所謂「弒父」在日本成為退隱制度或退休制度，在日本社會可說從早期就預作準備了。在此有一相關話題，我想有很多人在批評霞關〔譯註：在東京都之地名，有許多政府機關在此，轉為中央部會之俗稱〕的官僚制度，其實日本的官僚制度，其品質可以說是世界級的。在那裡有一種清潔感。這是因為：有新陳代謝；人事由上級指派；有生活的保障。在中國的話，一旦辭退官僚，爾後毫無保障。無怪乎中國共產黨的老爺們，都不敢早日退

休。一旦退休，下一代的生活特權即將面臨危機。如果子孫做了壞事，也無法受保護。法律之前人人平等，搞不好甚至可能被槍斃。

正如前述，中國大陸的經濟發展，也不是平均發展。地方農村的貧窮與上海附近的發展相比，確有天壤之別。時常旅遊中國大陸的人士都知道，中國農村地方以往的貧窮，比日本農村的貧窮嚴重太多了。雖然同是中國，以上海為中心的揚子江三角洲，或是以廣州為中心的珠江三角洲，這些地帶的近代發展，確實是不得了的。上海的產品帶到台灣，也比得上台灣產品，甚至有些產品的品質不遜於日本。再懷念昔日，中國唐宋時代的發展也真是了不得。當時，在日本確實無法找得到像這樣發展的地方。

但是這樣的發展，不足以成為全體的牽引力——只有部分呈現出消費過度狀態。因此，有的人享受鴉片，出現了像《金瓶梅》、《紅樓夢》之類的情色世界，或是像《儒林外史》裡所描寫的知識階級的世界，而這樣的東西，都被隔絕於道教世界之外；此外也有像《水滸傳》裡出現的豪情浪漫世界。但是無論如何熱烈，總無法成為帶動全體的動力。

結語：從原理上來重新檢討傳統與近代化的關係

在日本，可以看到如澀澤榮一把中國的《論語》變成近代的「社會風氣」〔譯註：希臘文ethos，指民族固有之社會風俗習慣〕。換言之，我認為，稱之為近代的以歐洲中心文明為背景所建構的資本主義生產模式，以及其所附隨的個人主義或是市民主

義，以這些及其他各種的型態來結合倫理，以此觀點解讀《論語》，進一步形成了日本資本主義的社會風氣並發揮機能，才能夠成為明治維新以後的日本近代化社會風氣。

與此相對，中國的「中體西用」，其承擔者為誰並不明確，精神也不夠。而且因為讀《論語》的人少，又是在社會經濟的物質基礎不充分之狀況下，所以無法解讀。因為無法解讀，所以也無法成為「社會風氣」。康有為與梁啟超共同發動的「戊戌變法」（變法自強運動），也就是以明治維新為樣本的維新，竟成百日維新而失敗，部分人士被殺。相形之下，在日本明治維新之後，德川與天皇兩家，至今還保持親睦的關係。德川幕府官僚的百分之六十幾之士，被維新政府錄用而編入其體制之內。

在台灣，1950年代的後半期，以國民黨為主流的經濟政策還未上軌道，處於不穩定狀態中。當時，年輕人之間就起了議論，認為應該設法處理那些腐敗傳統，將那些腐敗老人趕下台，甚至主張應該全面歐洲化（「全盤西化」論）。像這樣的事情，曾經於五四運動時發生過。此外，在如今正進行四個現代化政策、開放政策的中國大陸，也發生了類似的狀況。因此，應該如何思考近代化這個問題、應該如何處理近代化與傳統的關係……這些古典命題的重新檢討之問題就產生了。

這個所謂近代化的概念是很複雜的。最近在日本，近代化這件事不太成為話題。雖然也許因為受了公害等問題的影響，近代化所帶來的負面影響正被強調著。在這裡另有一看法，就是將近代化這個概念，與工業化、產業化、資本主義化同義地解釋。這個資本主義化的意義，我想可以用自由主義化一詞來代替。說得

更明白一點，就是歐洲化。

可是，以社會主義革命、共產主義革命為目標的中國大陸來說，無法接受這樣的近代化概念。在大陸使用「現代化」這一詞，以他們的立場來說，雖然不得不接受工業化、產業化，但是自由主義化是有困難的。因為自由主義化就是一種資本主義的表現，所以民主主義是否需要就成了問題──因為民主主義將個人的人權或是個人的個性，充分地解放之故。這其實是個難題。隨著資本主義的發展，市民社會一成熟，個人主義即產生。也就是說，個人被確立、解放而獲得力量。但是個人主義到了某一階段，就變成自我主義或自我中心主義。因為貧窮國家的社會主義革命，是靠階級鬥爭打倒既存權力之後，利用其能量起飛，所以要實踐個人主義、自由主義是有困難的。

現今的社會主義革命，以與馬克思所構想的全然兩樣的模式來推行。也就是說，只有在資本主義還不太成熟的社會，社會主義革命才可能發生。但是，由社會主義革命依據資本主義的生產模式所產生之物，其價值應如何接納？可否接受？這些問題依然存在。或許中國共產黨的幹部們，曾經想過要起飛，但是知難而退。如今，既要資本主義的正面，又想創出社會主義的文明，正在左右為難。這也就是四個現代化的窘境。

明白來說，近代化這東西是無法避開而通過的。但是此時也有一個問題發生了，就是能否將傳統完全破壞？或是將其忽視而通過。推動近代化之際，不得不與傳統對決來推動，如用老套的說法，就是必須以批判的型態來繼承傳統。重要的是，歐洲近代所建構的正面，應如何使其與傳統共存，保持平衡？就此問題，

我對中國本身全然失望，而全面歐洲化，無論在中國大陸或是在台灣，都是無意義之事。

我認為無論在台灣或是在中國大陸，只要一定程度的論據齊備的話，《論語》的解讀是可能的。也就是說，與傳統對決並加以批判來繼承之是可能的。我所說的並不是單純地使《論語》復活的意思，但是有些無法將結構明確化、合理地整理的人士，卻直接將此解釋為可以使論語維持現狀而存續下去。要使論語存續下去，還是需要論據、需要「社會風氣」。明白地說，現今的中國國民，由於貧窮或是文化大革命所引起的教育荒廢，能夠體會近代精神真正意義的人，不得不說：實在是很少。

糟糕的是，毛澤東藉著要改造人性而畫了大餅，想以主觀的能動性來動員人民，他以所謂大躍進的口號欺騙人民，也欺騙了自己。這件事就意味著毛澤東並不是徹底的唯物論者。毛澤東也許是偉大的人物，但是他宣揚那一種邏輯，這件事就意味著他未能將自己的個人界限相對化。所謂唯物史觀者，必須將唯物史觀本身相對化，這樣才能當作邏輯在現實中發揮作用。但是當年的中國共產黨主流，未能作到此相對化。結果被迫進入非常狀態，大躍進、文化大革命都終告失敗。我是這樣將其定位。

以上述意義來說，我認為中國的四個現代化，必須將古典命題重複檢討。亦即最終的問題，就是將傳統與近代化的關係加以原理上的重新檢討，如何將其當作政策發展下去。僅單純地以為日本能近代化所以中國也能，我認為以這樣平板的邏輯是不能夠發展的。

最後我想要介紹名古屋大學飯田經夫教授所寫的《日本經濟

往何處去》〔《日本経済はどこへ行くのか》〕這本書。飯田經
夫，是實踐自我否定原理以及自我相對化的優秀人物。此將自己
相對化之意，就是譬如將日本的社會、國家、學界、資本主義相
對化，也就是不斷地考慮事物與其他的關係，以這樣的方式來思
考事物。飯田教授在《日本經濟往何處去》這本書裡指出，如果
將日本能夠達到現今的狀態，歸功於日本人本來就是很勤勉，或
者日本本來就是一切都很優秀，這樣的認識是很危險的。不做這
樣的認識，而認為在某一階段的歷史過程中，日本偶然地被置於
那個歷史狀況之中——讓我來說，就是拜幸運之賜——才能夠達
到現今的狀態，藉由這樣的認識，並藉由其與世界的關聯而將其
在座標軸上加以定位，或許日本是因為這樣才能夠持續發展，也
產生必要的生命力。從這樣的意義，我也認為將「和魂」當作自
我中心的、國粹的民族自信而固守的話，是很危險的。

　　以上，今天我的饒舌如能供做參考的話，至感榮幸。感謝各
位的聆聽。

問與答

　　問：中國與日本可說讀著同樣的《論語》，日本的近代化成
功了，可是中國卻未能作到，如果中國爾後要近代化，需要一個
論據，亦即需要「社會風氣」，這是今天拜聽先生講話的主旨。
那麼要請教的一點，就是具體地要有怎樣的「社會風氣」才好？
　　答：首先作為第一個論據，可舉出社會、經濟的論據，就是
必須將中國那種貧困做若干改善，提升中國整體的生活。如果這

個論據不完備，我想就不能夠產生近代人的類型，也就是可當領導者的階層。這個所謂領導者的階層，並不是一、二人，而是有若干厚度的階層。同時需要有這些階層能夠產生影響的社會、經濟之論據。藉由這樣的循環，才能夠前進。

部分學者之中有人主張，因為韓國與台灣曾受日本的殖民統治，所以才有現今的發展，但是我認為這並非正確。應該認為韓國也好、台灣也好，在各該國內部均有能夠使經濟發展的論據存在。當然也可以說，由於日本的殖民統治，教育水準提升了，但是所謂教育者，具有兩種意義。其一是從價值這樣的觀點來看的不偏不倚（中立），也就是接受近代科學技術為目的之教育。其二就是賦予價值的教育。殖民地的知識分子，其人性皆被這個殖民地教育破壞，而喪失自信。這樣被歪曲而且失去自信的人，要恢復自我需要一定的期間與主體性的努力。

台灣有自大陸逃亡而來、具相當厚度的知識階層。當然，其中也包括批評國民黨的人，而這些逃亡的知識階層，在大陸時毫無作用，一旦到台灣就有很大的意義。二次大戰結束時，逃亡到台灣的人數，據說約為兩百萬，就其中之逃亡知識階層所扮演的角色，我想還是有必要給予客觀的定位。

與此同時，對日本殖民統治時代的教育，也有必要思考其意義。殖民統治並不是慈善事業。因此殖民地教育就有應負擔的政策性目的。譬如說，像我的老家就是典型的例子。我家作為地主受著殖民地當局保護，當時對我們兄弟來說，作為社會菁英的人生只有兩條路，一是將來要當律師而考進法律系；另外是以當醫師為目標而考進醫學系。也就是說，殖民地的精英被允許的晉身

路線，僅限於這兩條。在殖民地的醫療、衛生，其與生產力之間有很大的關係。亦即，如果勞動者時常生病，就無法工作，而失去榨取剩餘價值的對象。因此需要被殖民統治出身的醫生。再者，日本統治台灣50年，其間住在台灣的日本人數目大概四十萬左右。相對地，台灣本地人包括少數民族，於大戰結束時大約是五百六十萬人。在殖民統治下，為了解決住民間的複雜關係，需要能夠在法律上為本地人「辯護」的本地出生之律師。因為如果全部都是日本人律師，裁判的公正就會受到質疑。雖然法官一職幾乎未曾任命台灣人……

這並不限於日本的殖民統治。是全世界的殖民地、殖民地主義共同之現象。也就是說，重視殖民地教育的，並不只是日本。未與其他作比較，就斷言日本在統治台灣當時做了許多好事等，這種沒檢討而缺乏反省的作法，我認為是不正確的。從另一角度來看，譬如同樣達成經濟發展的香港、新加坡，未曾受過日本的殖民統治。雖然遭受日本軍大約三年八個月的侵略與統治，但是所留下的，除了怨恨以外，別無其他。因此，若說殖民統治有過正面的好處，這樣的想法不過是印象論與膚淺的思想罷了。對於做這樣議論的學者先生們，只好請他們在電視、周刊雜誌上討生活，我們毫無與他們逐一議論的精力與時間。

回到您所問「社會風氣」的問題，以日本為例，自德川幕府末期起，直到明治維新期間，建構了相當高水準的一般教育，以及社會全體能夠協同合作者之深厚階層。雖然多少有些參差不齊，但是社會經濟頗為平均地進展了。這點就與中國不一樣。又，外在條件也與中國完全不同。尤其戰後的日本進入美國的核

傘保護下，並由於韓戰、越戰這兩個悽慘的歷史悲劇，其結果促成日本經濟發展。我認為必須將這些史實加以思考。

舉個極簡單的例子：我是昭和30年來到日本，當時因為我多少會英語，所以曾在熟人所經營、以美國大兵為主要客源的賓館打工。那是《賣春禁止法》尚未實施的時代，而當時的日本還被稱為「野妓經濟」的國家。那些美國大兵買了很多日本製的照相機回去，為現今Canon、Nikon的發展提供了市場，由此大家可看出最單純的邏輯所在。當然，日本所具有的內部技術力，不用於戰爭而用於和平方面，這點也必須提出。但這畢竟也是沒有市場就不可能的事。

以上舉了極其單純的例子加以說明，在這樣的意義下，中國可說並非沒有可能性，只是與日本有異，相對是處於很困難的狀況。可是現今，包括日本、美國的資本主義經濟的綜合生產力，已經進入飽和經濟的階段。因此若要保持現狀而繼續良性循環的話，目標就不得不轉到中國大陸，甚至西伯利亞。在此意義下，期待蘇聯總書記戈巴契夫的改革路線，我想不見得是沒有道理的事。再者，為此也不得不請中國大陸好好地發展。由此觀點，必須幫助中國的發展，也就是說，從救濟他人中發覺如何救濟自己，這樣的邏輯也要由日本的領導高層產生出來。這已不是意識形態的問題，因為我們已到了攸關再度面臨世界恐慌時代的緊要關頭。

最後，在我已發表的文章中曾提及，與星野芳郎先生對談時所說過的：現在的日本，連廠商都走向資金炒作，這與中國唐宋時代的都市經濟曾發生之過度消費，是相同狀態，可謂茲事體

大。亦即只是在帳面上買賣，已演變成與生產活動毫無關係的狀態。以下村先生為首的日本領導高層中，也有部分人士已察覺此狀況，正在喚起輿論注意。身為日本資本主義基幹的產業界領袖們，究竟應如何擺脫這個難關，要如何不再依靠資金炒作來營運企業，能否維持生產活動的良性循環，我想這會是很重要的課題。如果不適當處理的話，我認為不久就會產生嚴重狀況。

本文原刊於《国際問題研究シリーズ —— 中国問題研究講演　》第4號，東京：社団法人日本在外企業協会，1987年8月。係於「第十三回中国問題研究会」之演講紀錄，1987年5月25日，頁21～39

李登輝統治下的台灣
──台灣往何處去

◎陳仁端譯

我的研究態度

　　今天要講的題目預定收錄在目前正在寫的《台灣》（岩波新書、暫定題目）的最後一章。因為有許多微妙的地方，還有在台灣嚴峻的政治形勢和言論統治下，一直到現在還沒能夠自由地放手去寫好。說有微妙的問題，理由有兩個。一個是從學問上的意義來說，是不是能夠寫出自己覺得滿意的東西，另外一個是台灣的政治狀況現有遠超過想像的嚴峻這一現實。

　　我來日本將近三十二年，由於種種原因至今沒有歸化日本。長期間住在日本最強烈的感覺是，雖然日本已經達到這種程度的資本主義成熟的階段，在好的意義上，「個體」的確立和個人主義還沒有紮根下來。在日本，事事都介意頭銜，喜歡以團體為單位思考事物的傾向，原因就在這裡。這在30年來有交往的、學會的朋友之間也是一樣，談話時還是有不著邊際的情形。

　　那麼，在進入正題之前，作為講話的前提，我想先談三點事情。

　　首先，我是占「台灣人」總人口的大約13％的屬於漢民族系住民的客家出身，而我是執著於這個出身的。同時在研究現代史的時候，堅持雙腳站穩在台灣的客家立場來思考問題的態度。因為出生不能事先選擇，所以只能從這個原點出發。

　　第二點就是我對民族的尊嚴抱著強烈的關懷，想去思考總人口達11億5,000萬人的中華民族的命運，而我認為一直到21世紀中葉，民族問題將會是人類持續的共同課題。包括台灣、香港、澳門、中國大陸以及全世界「華僑」在內，其命運的去向是關心的對象。

　　第三點是堅守學術的尊嚴。環顧包括美國、日本、韓國、台灣等現在的國際形勢，就可以知道世界正在脫離過去的以意識形態分色彩的階段，向具有實際內容的世界化的方向發展。學術本來就因為是普遍性的，所以是超越國界的。當分析各國情勢的時候，沒有比今天更需要以「世界大」的規模去思考的時代。

不流血革命

　　1月13日，我罕見地在很早的時間就回到家。晚間八點多有幾個新聞社來了電話：「請暫不要洩漏，蔣經國總統好像已經去世了」、「請給我們評論蔣經國總統逝世後的台灣是不是會有很大的混亂或變化」，大多是這樣內容的電話。我只回答：「台灣什麼事也不會發生。」可是日本媒體各新聞社的多數人覺得似乎該會發生什麼事的樣子而要我加以評論。作為一個近代史的研究者，我想日本媒體操作的報導，往往只採用冰山一角的事來敷衍

了事的情形很多。但是，若將真實的歷史比喻為冰山的話，冰山有浮在上面看得見的部分和沉在下面看不見的部分，這兩個部分有機地結合起來成為整個歷史。因此，把兩個部分看作一個整體，從中盡可能吸取真實，在此基礎上如何向社會發出信息，我認為這才是現代史研究應盡的重要角色。最近，關於發生在台灣的事件的報導，和其他國際報導機關相較，日本報導機關的遲鈍特別引人注目。關於《蔣經國傳》的作者、著名的記者江南在三藩市附近的大理市（Daly City）被殺害的事件就是一個例子。他的死對後來台灣的政治社會形勢影響很大。世界上具代表性的報導機關奔走於這個事件的報導，而日本的報導機關卻沒有去美國採訪，尤其是沒有到事發現場採訪。關於這個事件的新聞大部分是經由香港取得的。

　　缺少在美國「華僑」社會採訪的門路和語言，日本駐美特派員也不懂中國問題；此外，就是去台灣採訪，能說台灣當地語言的日本新聞記者很少，我想這些都是原因。採訪台灣的情報源只限於會說日語的台灣人，這種日本的報導態度我想今後應該改善才好。情報提供者的局限直接影響到報導的偏頗性。不用說，多方面的接近才是最好的。

　　蔣經國去世後，就像很多日本的報導機關來了聯絡，台灣的大新聞社聯合報社也委託我寫有關新任總統李登輝的評論稿。這個新聞稿發表後引起許多不小的影響。現在就包括這個新聞稿的內容來談一談李登輝總統的為人和政治素養。

李總統的為人和政治素養

　　簡單介紹李登輝總統的經歷，他於1923年出生於台灣省台北縣，在舊制台北高等學校畢業後進修京都大學農林經濟學科。他選擇京都大學的理由是什麼？頗富興味的是戰爭結束後他回到台灣再度進入台灣大學（台北帝國大學的後身）的農業經濟學系。台灣大學畢業後，留學美國愛荷華州立大學和康乃爾大學，取得Ph.D學位。1972年參入政界，歷任行政院政務委員（無任所大臣）、台北市長、台灣省主席，1984年5月就任副總統。然後，於1988年在蔣總統之後，以第一個本省人（台灣人）的身分擔任總統之職。副總統李登輝的繼任總統，再加上於2月27日最終決定其為代理黨主席，在台灣被稱為「不流血革命」。這意味著國民黨內部的改革派的勝利。蔣宋家族的統治從內部被拉下了布幕，這大概就是被稱為「不流血革命」的最大理由。

　　李總統就任後不久，新加坡大使館的某先生想聽我講有關李總統的事，於是我們一起聚餐。當時他問我說：「李總統沒有前總統那樣的威望，能不能很好地掌握政局？」我回答說：「所謂威望一般是在政治家一生的從政過程中逐漸形成的。假如李總統在事前就具有威望的話，他就沒有今天這個地位。反過來說，在某種狀況下沒有什麼東西的人、最弱的人有時反而會變成最強的人。李總統的例子也正是近於這種例子。就是說，有了野心也不能當總統，如擁有有能力的智庫也不會有今天的機會。而且沒有受過選舉的洗禮，所以也不能說有很多群眾直接支持他。可以說，他只是老老實實地輔佐蔣前總統，經得起嚴峻的評價才在最

後階段被選為繼承者。」

台灣往何處去？今後的課題和展望

李總統的政治課題可以設想有以下三點：第一，推行黨內的統合；第二，島內政治權威正統性的再編成和應付反體制勢力；第三，對大陸政策的策定和明朗化。

作為威望很高的蔣總統的繼承人，李總統為了政權的安定，第一首先要作的是國民黨內部的統合，在第13屆黨大會以前完成這個框架。

第二重要課題是國民黨擁護李總統這個象徵性人物，藉以再編造該黨在台灣內部的正統性和合法性。國民黨的正統性可以說是根據大陸時代選舉出來的代表而構成，可是最近領導層的老年化現象顯著，有必要換新。在日本，戰前的「天皇制」秩序在八一五崩潰，戰後實施新的議會政治，在這一過程中有一段時期，形成了政治統治中政黨政治的正統性和合法性。我覺得目前台灣的情況正像那時的日本。不過，和日本不同的地方是，中國大陸的存在大大地壓在台灣之上。

還有一個牽扯到政治上統治的正統性的問題，就是對付島內反體制勢力的問題。在台灣的各種政治問題裡，存在著多層的複雜結構。儘管如此，日本的媒體一般都立即用本省人vs.外省人的二分法來處理。確實，曾經有過像那樣的時期，但是現在情形已經有了很大的變化。台灣社會發生結構上的變化始於1972年以後。蔣前總統的改革政策「奇蹟」般地使台灣經濟活性化。在今

天的台灣承擔著經濟活動中樞的人們,是本省出生的所謂台灣人占主流。在這個過程當中,在國民黨中樞或周邊形成了台灣人的特權群體,這一點不能忽略。就是說,國民黨用經濟政策,一方面支持台灣的上層階級,另一方面加厚了中產階級這一層,他們留學國外的子弟推動了台灣獨立運動。同時,島內民眾的政治意識水平提高,參加政治的欲望增強,更引起了一部分反體制過激派的政府批判。

然而,在高度領袖性質的指導者蔣經國過世的現在,反體制的一方也不能只喊口號,能否提示準備變革的適當理論與思想也是個課題。好像也尋找不出可站在反體制方、體現對抗力的指導性人物是客觀情況的樣子。以往反體制方的人們,不必提出有理論根據的具體政策,而只要對國民黨高聲批評喊出口號就可以得到選民的票。可是今後這種手法已是行不通了。可預想的是,在野黨方也被迫拿出新的對應方策。

第三個課題是,對中國大陸政策的策定與明朗化。關於這個,是繼續擴大推進蔣經國晚年時期對大陸親屬訪問、交流的公開化,更進一步增加對中國的投資,展開直接貿易。觀察家們的診斷是(台灣)不能不朝這方向的模式進展。那是謀求台灣經濟活性化與持續正循環的一個很重要的課題。如海南島的大開發例子也可看到,關係到香港、澳門問題的複雜場面的對應也有必要做思考。

最近,我在研究現代史時會思考,為何中國不採取歐洲的多民族國家型態,而持續拘泥於一個國家的框架。毛澤東曾經說得很妙:「你們的祖先或許是人,而我的祖先其實是猴子。」現在

的漢民族是重複混血（雜種）而成的結果。而大家卻深信是單一的漢民族，只是這樣而已。

　　思考今後台灣往何處去的時候，我覺得有必要在歷史的更長波長之中來重新定位。

　　感謝各位長時間的垂聽。

本文原刊於《日本貿易会月報》第409號，東京：社団法人日本貿易会，1988年4月15日，頁10～14。第1216次定例午餐會講演要旨，1988年3月16日

台灣人原日本軍將士遺族的傷痛

◎林琪禎譯

　　大約十三年前吧，靖國神社問題正開始受到爭論。我那時曾經前往。

　　我穿過用自台灣掠奪而來的檜木製成的巨大鳥居，若無其事拜訪靖國神社的辦公室。

　　由於媒體與街頭巷議盛傳，靖國神社也合祀著台灣人原日本將士，因此我想來確認一下。無須贅言的是，我並非為了上香或參拜而前來。稍微翻閱了一下名單，並沒有發現親戚的名字。說真的倒是鬆了一口氣。

　　以台灣史、近代中日關係史為一部分研究方向的我，一直以來，都站在批判日本「近代」的行徑與其結構的立場。

　　其中過程，從殖民地50年間台日複雜錯綜的構圖看出不尋常之處，這是被殖民者應負的責任所在。

　　批判的手術刀，逐漸指向被壓迫、被掠奪的被統治者，也必須負責任。如果沒有這種批判自己、重新檢討的營為，批判到最後只會流於形式而沒有收獲。這種體認雖然晚了點，但總算察覺到了。

要如何運用有水準的高層次思想、邏輯、原理，高明地去恨那個「敵人」，是我一直以來的煩惱。

不管願不願意，硬要強迫台灣人其擬成共犯的體制與結構。

因為看得見，要恨要批評是比較容易。

然而，要挖掘出自己從不知不覺之間，落入侵略者的圈套，成為其打手，甚至積極地從「共犯」變成「主嫌」的這種複雜深層心理，其實是相當困難的。更棘手的是，要使那些浮現成為具體可看見的存在且足資批判的對象，是很費勁的。

我的親人，共有四人受日本當局徵召前往戰場。

叔父擔任海軍中校的軍醫，才從高雄港出發不久，所搭乘的船就被魚雷擊沉而戰死。外甥被派到新幾內亞作戰，從此行蹤不明。大哥被動員到西里伯斯海域（現稱蘇拉威西海），千辛萬苦才回到家。二哥為「學徒出陣」時期的軍官，隸屬以海洋輸送任務而「聲名狼籍」的海盜船部隊——陸軍曉部隊。聽說，就在要用特攻艇出擊之前，戰爭結束了。

他們四人都以志願的美名遭到強制徵召。如果拒絕徵召或徵兵，在日本的絕對主義式殖民地體制之下，會有什麼下場，大家心知肚明，無須贅言。

但是，日本的評論家或部分作家，卻有人寫道：「台灣人樂於從軍。」我不否定確實是有台灣人無意識地，或有意識，受限於日本軍國主義的侵略體制。不過，我對巧妙操縱「場面話」與「實話」的日本「文化人」僅止於「瞎子摸象」的描述感到難過。

每次我接觸到已是「病入膏肓」的狀況，認定所有的台灣人

是「從犯」，或是低水準的「主嫌」時，總是令我難以接受。

　　無論如何，就我所知，我剛才所舉出的四名戴家人，就沒有一人是自願參與這場侵略戰爭的。

　　我可以斷然地說，他們是被捲入、被強迫成為「共犯」的。

　　終於到最近，有正式消息發表，說日本政府願意對這些人的遺族提供極為微薄的慰問金。

　　1988年初，為了參加學會返台。有一晚，我和表哥等人一同參加宴會。席中他們以日本政府的慰問金為中心，談論日本人的國際觀。

　　「就算成了經濟大國，日本人還是依舊小鼻子小眼睛、『小氣』又自戀。還真是不識大體的『老好人』。」

　　「向田邦子來台灣旅行遇難，為了賠償金談不攏，輿論議論紛紛。確實向田小姐遇到這種事很值得同情。不過，我那個當醫生的老爸花了40年，好不容易才爭取到300萬日圓。」

　　「日本人之中，有過反映這麼爭取太難看了，別這樣子之類的反省意見嗎？」

　　「國輝，聽說你擔任立教大學國際研究中心所長。身為戴家的一分子，很以你為榮喔。不過日本人要邁向國際化，看樣子還是前途多舛啊。」

　　也許是自己在日本住了30年的關係吧，感覺這些批判似乎就是衝著自己而來。也因此，那晚的酒實在苦澀。聽著他們的批評，我心中的某個部分隱隱作痛。

　　我想起台灣人之中，有些既期待賠償金，又希望討好日本人，毫無忌憚地大放厥辭：「我等志願效忠天皇陛下，樂於為天

皇陛下而戰。」如此卑下情景，真是令人感歎人間百態。這世界上卑鄙的人還是很多的……我只好如此安慰著自己。

　　待心情稍稍平復了，我才回應道：「就算搞錯，你們應不會把慰問金分配吃掉吧？到時候在叔父的墳墓上刻個石碑吧。碑文除了中文之外，或許也刻上日文吧：我們台灣人，絕不再成為日本軍國主義的共犯者。謹此誓言。云云。」

本文原刊於《わたつみのこえ》第89號，東京柏市：日本戰没学生記念会（わたつみ会），1988年7月24日，頁51～53

抗拒皇民化的殖民地台灣

◎孫智齡譯

　　眾所周知，台灣從1895到1945年為止的50年間，是大日本帝國的殖民地。這時期的日本當局很擔心被殖民地住民，尤其是漢族系台灣人將日本的天皇制視為中國傳統的皇帝制。

　　在漢語的表現中，被日中雙方尊稱為天子的用語，分別是天皇和皇帝的別稱。然而對漢民族來說，傳統熟悉的「天」的觀念，是以「天是宇宙的主宰者」為前提來認識。只是，「天」不具備人的形象，更無法直接表達自己的意思或行動。

　　為此，「天」命人，也就是聖人執政，由聖人代天支配統治天下。對此聖人，庶民則視之為天子。雖然如此，但若天子的行止不像個聖人，那麼萬民有權力革天之命，另求聖人。所謂的改（＝革）「命」，也就是革命的意思。

　　然而，日本當局卻強迫人民接受天皇家是萬世一系，天皇是現神、是具有現世人身的神。「滿洲事變」以後，台灣人被強制變成天皇的子女而強化皇民化運動。

　　但當局顯然是徒勞無功。有關天皇制和皇帝制的生活感覺完全不一樣。加上以強權為手段的殖民地統治，引發台灣人強烈的

反抗和排拒。

　　總之，圍繞天皇制感覺，在台灣上演的悲喜劇可說不勝枚舉。

　　例如，漢民族方言之一的客家話，對「天皇陛下」的稱呼，若戲稱為「田螺起價」（田螺漲價）〔譯註：二詞的日文發音近似〕，會被特高〔譯註：特別高等警察〕盯上，受到刑罰。還有，將刊載天皇玉照的報紙拿來包鹹魚的魚販老闆娘，也會被警察抓去拘留、毆打。舉凡這些事例，終戰後，也有不少台灣人報復的例子，如赤腳踐踏明治天皇的玉照，或將代表天照大神的神符，連同神壇一起丟到火堆裡焚毀。

　　　　本文原刊於《朝日ジャーナル》第1569號，東京：朝日新聞社，1989年1月20日，頁97

從歷史角度看二二八
──試論二二八事件研究的視角與方法

　　今天我為何到高雄談這個問題，是有理由的，我最近在日本岩波書店出版一本新書《台灣》，這兩天作家葉石濤先生把其中一章翻譯成中文在《民眾日報》發表。葉先生是我所尊敬的老學者，但從日本學界的習慣來講，那是不可行的，因為他事先未經過我的同意，但我相信他並無惡意。

　　然而，這卻引來邱垂亮教授為文對我的文章提出批判，我要並無強調的是，葉先生翻譯的文章，只是整部書的一小部分，並不足以代表全部，整部書是我花了十幾年工夫研究的結果，對台灣人在光復以後，對國民黨政府從歡喜變成失望、幻滅的過程都有所交代，可惜卻因一小章引來誤解，令人遺憾。

　　我研究二二八事件是本著日本名學者矢內原寫《日本帝國主義下之台灣》時之精神，當年他以一個大學教授的身分，不懼所有的輿論及日本當局，毅然對日本社會提出他的看法，堅持他的信念，說出良心話，除了直貶日本帝國主義侵略台灣外，還提出如繼續侵略滿洲將會面臨崩潰的警告，結果他丟了飯碗，被解聘教授職務，而事實證明他的看法是對的。

　　當時，卻沒有人理會他，大家都怕，就像台灣過去40年來一

樣，二二八事件發生後，誰敢去提？誰敢研究？誰敢講話？誰敢蒐集資料？根本沒有人敢。為什麼？當然大家都想保住生命要緊。

任何人可放棄，知識分子不能

我在留學日本時有幸成為矢內原教授的學生，對他的這種精神很崇拜，我深深感覺到，一個知識分子不應老是看著今天太陽在哪就往哪裡轉，或是哪裡有一頓飯吃就往哪裡去，這種知識分子我們可以不要，我們的社會、政治要的是有批判性、有良心的學者，這種學者所擔任的社會功能，應是客觀研究問題，把一般人看不見的問題找出來，確實擔起學者應負的社會功能責任。

我從1955年11月21日到日本的第二天，即開始蒐集資料研究台灣史，我做這件事，不像其他人一樣是為了賣錢、為了一時的利益，我是經過多少年的累積蒐集資料，針對二二八的問題見了許多老前輩，如楊逵、吳濁流等，最重要的是丘念台先生，他告訴了我許多事，都非常重要。

對史實盡責，還當事人清白

台灣目前正值轉型期，大家都很興奮，40年來不能講的，以二二八為最大的禁忌，在這種情形下，假若我早二、三年寫出對二二八的研究結果，可能比現在還出名，但由於我在東京大學所

受的學術訓練，使我認為這是不應該的，作學者應該一步一步紮實的研究問題，不是像政論家，而是需對歷史負責任的，我這樣對自己嚴格的要求。

有關我對二二八的看法，雖然過去因為報紙的偏差報導，引起很多誤解，認為我對二二八的看法有所偏頗，其實，前年我就開始主張，二二八事件被冤枉犧牲的人都應由國家賠償，冤枉坐牢的也一樣，但我反對陳永興醫生主張的設置紀念館。為什麼我會反對？因為我知道多少年來台灣的黨外活動、社會運動，都一直是口號一籮筐，不斷喊設紀念館、圖書館等，到現在我卻只看到一個「鍾理和紀念館」，內容還是一樣貧乏，喊到後來大家都繼之無力，並沒有繼續支持，因此我想到要為二二八建紀念館，我們要擺設一些什麼呢？

事件資料匱乏，研究起來複雜

我蒐集了多少年的二二八資料，深知根本不知要擺什麼，當局有沒有留下照片都不知道，研究歷史的人都知道，在當年的那種混亂情況裡，究竟有沒有建立檔案？我們至今根本不清楚。

例如，丘念台先生告訴過我，當時的情況根本不是一般人想的那麼簡單，他因職務關係必須撰寫二二八的報告，光是這種報告他就寫了三份，一份是寫給國民政府主席蔣介石，但由於報告需經文官長吳炳昌過目，而吳是屬陳儀系統的人，因此，丘先生即盡量避免並壓制對陳儀個人的批評；另外一份是向監察院提出的報告，是公開的，但這是另一套報告；還有一份則是給監察院

長的,這又是另一種報告。

　　這些都是丘先生親口告訴我的,給我帶來很大的衝擊,那就是歷史的檔案還是有問題的,史學家的責任應盡量把所有的檔案資料加以整合彙集,才能提出事實,我今天絕不是為國民黨政府講話,我是站在歷史研究家的客觀立場來講話,丘先生告訴我的一些事,使我恍然大悟,了解到當時的情況,因局勢和人際關係非常複雜,要研究起來,根本不是那麼單純,不是喊幾個口號、罵幾下就可以看出真相的。

　　我認為研究當代史需具備兩個條件:一是歷史需經過時間沖淡,從歷史現實成為歷史真實,才能成為我們真正要研究的歷史;二是學術研究需要言論自由和研究自由。目前我認為時機已到,對二二八的研究已經具備了這兩個條件,因此才著手寫書,將我對二二八的研究結果公開。

　　在這段期間,台灣有許多黨外雜誌(不是全部)把二二八的資料東拼西湊成為文章刊登發表,都是為了賣錢,未對歷史負責,但我們研究歷史的人卻不可如此,需看清楚別人看不清楚的事,否則會犯很多錯誤。

從心理歷史學分析事件始末

　　我對二二八的研究方法,除了從政治、社會、經濟各方面著手外,同時也從「心理歷史學」的角度切入,希望能把台灣人民精神深層的草根情結分析出來,使它開展,走向健全之道,這才是我最想做的。

　　雖然如此，但是它能夠發展出什麼嗎？不行的，誠如邱垂亮教授說的，二二八已變成政治意識形態的象徵，但是我的目的並不是為了以當前的政治意義做為第一個目標來研究，我最大的目的是要以歷史家的角度來作歷史意義的研究，我是把兩者分開的，我的角色就是這樣。

　　因此，我寫二二八事件，從發生的前一夜，一直談到發生過程及後遺症，把它們織成一塊精緻的布，希望大家能夠接受，認為有道理，這才是我努力的主要目標和意義。

　　　　本文原刊於《民眾日報》，1989年2月16日。係為「國是系列演講之二」，由記者曾家倫整理

學習歷史，進行調整
──就世界和平對日本充滿期待

◎劉俊南譯

　　南日本政經座談會二月例會於22日，在鹿兒島市城山觀光飯店舉辦，台灣出身的立教大學教授戴國煇先生發表了講演。戴先生以「變化中的台灣」為題，強調：「台灣正在發生非常大的變化，台灣海峽之間的緊張正在走向緩和。這完全可以成為中國大陸近代化的興奮劑。在面向21世紀的進程中，美中、兩岸、中蘇等關係進行調整時，大國日本應如何與中國、蘇聯及台灣等交往，能否在世界中發揮應有的作用，引人注目。」講演要點如下：

　　第一，將台灣視為舊殖民地，或視為國民政府的台灣，都不妥當。隔著台灣海峽，與中國的對峙依然存在，但敵意正在慢慢淡化。蔣經國（前總統）去世前一年半，台灣戒嚴令得以解除，默認在野黨成立、新聞自由化等，民主化正在急速發展。

　　第二，對於日本的媒體而言，台灣不過是如同盲腸的存在。會講日語的台灣人與政權並無直接關係，卻習慣從日本的框架中觀察事物，即使從那裡取得資訊，也難以把握台灣的整體形象。為了準確報導台灣為了生存的作戰是如何展開，需要考慮視角的

問題。

第三，根據一月底的統計，經香港與中國大陸的貿易額已達24億美元，台灣訪問中國的人已達45萬人。這種動向雖然尚未表現出政治上的關係改善，但對於台灣而言，有某種程度的滿足感。正在形成雙方希望交談的狀況。

第四，蔣介石、蔣經國父子最終守住了台灣。可以說不僅對於中國，而且對於世界來說守住台灣也有其意義。現在的台灣，如果以植物來說就是微量元素的存在，也可說是稀土類或催化劑性的存在。在世界性的綜合調整中，這種存在會對中國大陸有幫助。

第五，中國的革命40年，蘇聯迄今改革也已經走過了70年的歷程，必須將這些作為人類史上的嘗試。大國日本應該以歷史哲學的眼光觀察事物，並進行對應。只有學習歷史才能預見未來。日本從和魂漢才到和魂漢洋才，再到和魂洋才，不斷轉換，現在將迎接和魂和才的時代。發揮日本特有的個性，為了建設和平做出應有的貢獻，我們對此充滿期待。

本文原刊於《南日本新聞》，1989年2月23日，2版。係戴國煇參加南日本政經座談會之講演紀要

還給歷史眞實的面貌！
──從「二二八事件調查報告」談起

歷史事件隱藏內情

　　我之所以對二二八事件給予特別的關心，不僅因為它是台灣近、現代史的重要組成部分，而且我本人也曾目睹了事件的一部分，我親戚也有人遭受池魚之殃，它對少年時代的我留下了無法抹去的深刻印象。我發現其他一些台籍人士也因此種草根情結困擾，始終走不出二二八事件的陰影。往往把事件極端地單純化及象徵化。眾所周知，任何歷史事件都是既複雜亦隱藏著許多「內情」的。特別是屬於當代史者。因為有關人士仍然健在不便言明故也。

　　我在事件後，有幸和一些外省籍朋友結交，尤其與他們留學過日本的父母交談後，得以逐漸「看透」所謂的省籍矛盾等許多有關中國近代史的本質問題。到日本後，我即留心收集關於二二八事件的各種資料。雖然始終沒有公開署名發表過關於二二八事件的論文，但我一直盼望著能早日出現一個可以公開研究事件的良好政治社會環境。

　　我想藉去年監察院將楊亮功與何漢文的調查報告公布之舉，

闡述一下自己並不成熟的意見和冒昧的建議。

如果毫無分析研究地認為楊何調查報告已將二二八事件真相披露無遺,這是幼稚、天真的;但將楊何報告公開看作是朝著揭開事件之謎前進了關鍵性的一大開始,則是毫無疑問的。

由此我還回想起丘念台先生談及的楊亮功先生印象。念台先生生前多次來訪東京,我常去探望並求教許多有關台灣的問題,尤其是二二八事件前後。丘先生對楊亮功的為人應該說是推許的。我當時曾問過念台先生,楊作為閩台監察使奉命調查事件,應該有書面報告留世。念台先生說確實有報告,但恐怕難以問世。他認為楊是學者型的公正人士,是同情台灣同胞的,故而在事件後推薦楊擔任將要復校的延平中學校董和逢甲學院之創辦人與校董。

延平中學前身為延平學院,因受二二八事件牽連而暫時被迫停辦,復校時丘先生說服校長朱昭陽先生,為避當局嫌疑而獨舉薦外省籍楊任校董。談及延平,憶起朱向陽、華陽先生昆仲亦曾是受害人士,好不容易逃出虎口之「過來」人。向陽先生已有《我的回憶》述及「不幸的二二八事件」(刊載於《延平青年》第20期)可資參考。

丘念台有三份報告

除此,更重要的是,念台先生說,不僅事件後有楊亮功的調查報告,他自己也親自呈上三份報告,分別呈交當時國民政府主席蔣介石先生、監察院及監察院長于右任先生。因當時文官長

（等於現在的總統府祕書長）吳鼎昌為政學系人士（與陳儀同派人士），及呈監察院者為公開文書，故而前二份報告因各種考慮而有相當的保留。但給于院長的係私人特別報告，卻是坦率地直陳意見，點名批判高官無多大之意見保留。于與丘關係極佳，相互敬重。當年國共和談時，于還曾有意推薦丘去北平當國民黨方面的代表。我想，如果能將念台先生的三份報告也一併發表，相互比較及參照，就能更清楚地了解事件的全貌及更易接近真相。

楊亮功先生1947年3月8日受命到台，3月9日遭到槍擊。為此事我也徵詢過念台先生的意見。他說這可能是官方某些人為給楊造成暴民造反的深刻印象而策劃的，從其所用槍枝便可得知。此外，楊亮功先生到台後於3月10日發表題為「共濟時艱、努力建設」的廣播詞，其中提到當時的救濟分署署長錢宗起和中央社台灣分社特派員葉明勳先生曾陪同他去醫院探視傷員。錢先生去年在大陸去世了，葉先生則以于右任的「不容青史俱成灰」為題發表二二八事件親歷記（載於1988年2月29日《聯合報》），雖然是40年後的回憶，但他是官方通訊社人士，有些內幕應該知之甚詳。而與楊何調查報告一致的是，既不能把二二八事件的爆發完全歸於中共與台籍人士，也不能將其責任全塞給陳儀。

突破人為政治禁忌

由此我感到，只要突破人為的政治禁忌和學術研究禁區，按照尊重歷史的態度，便可以將湮沒40年的二二八事件真相逐漸搞清，這除了研究者的用功之外，更需要像楊亮功、葉明勳、劉闊

才、周憲文諸先生那樣的事件親歷者能夠拋棄偏見，秉史直言，再加之政府當局公開檔案，多方努力，則歷史疑案如二二八事件者的真相澄清是指日可待的。

　　但是，特別要提醒台籍鄉親們注意的是，絕不能把二二八事件再次當成政治新籌碼使用。真正的政治家應該具有從整個世界、整個時代的視野來把握歷史與真實的關係，只有政客式的人物才會只顧票源短程私利，而缺乏對時代及歷史負責的責任感。那種光點火而不顧及後果的輕率之政客行為倒是應該避免的浮躁舉動。台灣社會的和諧及改革進步絕不是少數人、領導人的事，必須有全社會力量之支持，尤其是學界和輿論力量的支持。最近眼看著將「二二八」拿來為我「私」用者日眾，覺得我們的社會政治病理病入膏肓，深為憂慮。

勿讓歷史悲劇重演

　　追究歷史、學習歷史，正是為了不讓歷史的悲劇重演。冤魂及冤獄該受到弔慰和補償，但不該假藉悲劇事件來做報復。

本文原刊於《聯合報》，1989年2月28日，2版

從時代與歷史考察中國大陸
——藉自我改革指望脫離「吃不飽的社會主義」

◎蔣智揚譯

前言

　　在此先感謝歷史悠久的貴會邀請，同時也感到惶恐之至。這是因為，自從我於昭和30年秋來日本留學，與日本的新聞界、學術界、文化界的前輩或同輩們在各種不同的場合下成為朋友，受到大家的指教。目前在北京的日本記者中也有很多朋友，當他們還在日本時，經常在電話中提到台灣或中國大陸的問題，交換彼此的意見。交流的型態大部分都是以「希望名字不要登出。私下在原稿上研討，若能有所幫助就行了」為主。而這次到北京與記者諸位在一起時，他們說：「戴先生，你終於也來了。」並問我：「要不要寫個旅行見聞？」我以不到一星期的旅行期間，寫不出什麼見聞為由，加以婉拒。但在那些朋友中有一位交情很久的今田先生，為《每日》新聞支局長，本來是負責該報文化版的記者，他則說：「快別這麼說，撇開複雜的東西不談，以文化史

的觀點幫我們寫一篇吧！」在他的遊說之下我寫了一篇散文刊載在《每日新聞》去年〔1988〕12月6日的晚報上，題為「中國大陸『走馬看花』──窺看歷史的深淵」〔參見《全集》3〕。可能就是這篇文章受到貴會企畫負責人的青睞，因而邀請我今日來此（我感到惶恐），總之就是，（對於台灣與大陸的事）我仍有不方便寫、不方便說之處。

　　至今我受到日本國內各社團的邀請，比如說曾在東南亞視察報告中闡述我的華僑論，除此之外更重要的是，我從以前便知道國策研究會這個優秀的團體，我今天來此希望能稍微回報在日本所受的恩情，拿出有點特殊的話題來發表，懇請各位批評指教。

憑良心過活的難處

　　我在昭和30年來日的翌年，進入東京大學研究所，接著便在東畑精一等老師的指導下，在農業經濟學科中學習。之後，退休後擔任亞洲經濟研究所所長的東畑老師讓我進入該所。當時亞研為特殊法人，並不採用外籍人士，但不愧是東畑老師──並不是因為他採用我才誇獎他──他說：「日本的經濟將漸趨於國際化。亞洲經濟研究所的研究以包括中國的第三世界為主，卻連一位外籍的研究員都沒有，這是多麼丟臉的事！」，如果我沒記錯的話，在花了兩年時間與通產省進行多次交涉後，正式錄取我為該所研究員，並在不久之後提拔我擔任管理職，也就是將我升為主任調查研究員。

　　在亞洲經濟研究所待了約十年後，正好立教大學需要一位史

學系老師——由於新入學的學生們所期望的不是傳統史學，而是
範圍更廣的東洋關係近現代史的老師，所以在1976年我成為立教
大學的專任教授，直到今日。

　　雖然有這樣的經歷，但其實我對中國大陸的研究是（追溯）
相當古老的時代，關於現代中國並沒有寫太多（論文）。這是因
為我的老家在台灣，不能給家人帶來麻煩。台灣雖然在這兩年有
顯著的變化，但老實說，（尤其言及現代中國的部分）還是有許
多顧慮不敢寫的部分。這是因為（在台灣）直到最近還實施著
「戒嚴令」，近著《台灣》（岩波新書，中譯書名：台灣總體
相）〔參見《全集》2〕也是在很久以前就受到委託，但卻因為
很難下筆，所以拖到最近才將這本書完成。

　　這不是在評判蔣介石或蔣經國的好壞，在非常時期的體制中
的嚴苛狀況下，若要以對歷史真相負責的文章來著述一本涉及現
代史的書，必會衍生非常嚴重的問題。若由岩波新書出版的話則
能流傳後世，身為歷史學家、身為作家，實在讓人想要放手一
搏，但以台灣前一陣的狀況來講，這種舉動的代價就是拿生命作
賭注。在韓國也有相同的狀況，或是說，在第三世界都有相同的
情形。我既不是馬克思主義者、也不喜歡政治。我相信只要大家
回想戰前日本的情形，就能了解我所說的。目前第三世界的知識
分子想要活得不違背良心，真的是一件困難的事。

睽違百數十年的中原中國

　　經常會有日本人問我：「戴先生應該已經去過中國大陸不少

次了吧？」受到這樣的誤解已經很久了。然後回台灣也會被認識的人問：「已經去過幾次了？」。但實際上去年（10月27日～11月3日）的旅程是我第一次到中國，在此之前，雖然多次受到透過各種管道來的邀請，但我都沒去過。明明沒去過但總是被誤會，雖然我不知道是為什麼，但從某種意義來看（以「去過中國並不令人感到驚訝，而是當然的事」的含意來論及台灣與大陸的關係），應該可以說狀況正在轉變吧。

話說回來，我從來沒去過中國，我們台灣戴家的人百數十年來也沒有一個人踏上「中原大陸」。只有我這次是第一次，碰巧工作（前述近著的定稿）告一段落而剛好必須執行公務，才搭上往北京的飛機——也就是所謂的出公差。這是以立教大學國際中心長（前年四月成立）的身分，奉命陪同濱田校長到南開大學（位於中國天津市，是已故周恩來的母校）簽訂四年前便著手交涉的交流協定。

短短一星期的旅程，除了會見大學的相關人員或教育委員會——以日本的講法就是文部省（教育部）的人，也只參觀了（離北京不遠）萬里長城與明朝的十三陵（搭乘自費的出租賓士），真的是名副其實的走馬看花——只有騎在馬上賞花而已，所以今天報告的中心並不是來述說這一週的旅遊見聞，而是以我的實地見聞，以當時的感受為根基闡述我多年來的想法。

自我相對化與時代超克

首先，我必須說明農學部出身、目前研究歷史的我是以何種

方法去看待事情，雖然有點冒昧，但我認為先稍加說明，或可成為了解我邏輯發展的一個途徑，這也許有些拐彎抹角，但還請允許我講一下。

雖然現今的歐美國家也是如此，但（在亞洲）特別是日本與台灣的資本主義非常具有活力。在這種國家（或是地區）中，學者若想要在大量媒體圍繞的情況下維持學者應有的作為，必須戰勝種種的誘惑才行。只要將隨興的想法以評論的口氣對外發表，便可以名利雙收；相反的，認真地以原理的或是以思想的次元──並不是指所謂政治意識形態，而是指使用非日常語言的學術用詞來思考、論述事情，這種事（樸實而與名利扯不上關係）以目前來講是很難辦到的──學生或上班族並不會去讀太深奧的書。

在這樣的一個狀況下，比如說要如何去思量中日關係或日本、東南亞的關係，或者是要以什麼樣的態度來掌握在中國、台灣所發生的事，（雖然這不是件容易的事）我也努力地想要以我微小的力量有所貢獻。

嚴格說來，我不希望自己是個（所謂的）親日派，而是以知日派（的一員）自居。這是因為我至今曾受到東畑老師、才剛過世不久的松本重治老師等多位日本老師的照顧，雖然說日本的好話、做討好日本人的事，便可輕輕鬆鬆地賺錢，但這樣會讓我覺得羞愧，沒有臉去面對東畑老師及松本老師。

我覺得（要藉研究歷史來把握現今的狀況與事物的話，此時的）歷史，如果也有如傳統史學般，只顧著操控及排列過去的資料，然後說：「就是這麼一回事」的作法，並非本來的歷史（研

究的方法）。歷史並不僅是過去的現象，而是與今日相連的，也就是說今日是成立於過去的累積之上，並向未來連鎖。因而，歷史中就存有未來，而歷史學家必須具有預見未來的能力。如果不是這樣的話，（不看未來而僅著眼於過去發生的事）只不過是垃圾，無法預見未來的歷史學者，在社會功能上，沒有自國家稅金和學生們的學費中領取高額薪水的資格，也就是說，這種人對社會無甚幫助，只是寄生性的存在。

　　然而，要做到這種境界必須經常與「自己」戰鬥。我認為就某種意義來說，就是從自己的內部將事物相對化，為了超越時代而埋頭苦幹，且必須不斷地挑戰自己才行。

歷史研究：我的觀點與手法

　　因此，我（跟一般人比起來）做比較不一樣的歷史（研究），也受到各方的批判與忠告。再者，我探討歷史不僅只顧直線關係，並運用橫向的有機關聯，進而作國際性的比較。比如說，日本是這樣，在歐洲的話會怎麼樣？而中國的話又是如何？以此類推。正好我又同時懂日語與中文，另外英語和德語則是翻翻字典，慢慢來的話也還過得去。而且幸運的是，日文的翻譯書中有許多品質很好的書，所以我在東京可以說是如魚得水。

　　還有一點就是，日本有喜歡將事物以政治的角度去解釋的社會風潮，我認為太過於偏袒中國或傾向中國的態度也是由此而來的，但政治、經濟、社會是息息相關的。而且我認為雖然眼前的事物可以輕易地掌握，但那只是冰山一角，其實在水底下潛藏著

更巨大的部分。我們的責任則是要探索肉眼所看不到的水面下的部分，並將它與看得到的部分結合在一起，進而掌握整個冰山的形體。

再者，在研究歷史上，比如文化大革命，有時會涵蓋到精神分析或社會心理學的領域，也會涉及必須將社會主義理論好好整理的部分，或者是：為什麼希特勒會出生在德國？孕育出那樣偉大的文學、思想家們的日耳曼民族，為什麼會作出像奧斯威辛集中營那樣的事、要推翻希特勒是件簡單的事（但光這樣還不夠），而是要深入探討潛藏在歷史事實深層中的部分，比如哈佛大學名譽教授艾利克生——猶太裔美國人的著名學者，他所創認同理論最近在日本也經常聽得到——他將Psychology History的方法作為歷史分析法的一部分，以學科融合的方式來理解，像這樣的作業也變為需要。我在這方面雖還很粗淺，正在努力當中。

其實，這些小小的成果就是前述的近著《台灣》，這本書（此書把過去至今台灣的歷史以何種觀點、手法來探討）基本上可以從副標題「人・歷史・心性」來了解書的內容。

本書敘述台灣至去年9月的歷史。至9月所含的意義則為：（所謂的本省人）李登輝（作為蔣經國的繼承人）除了任職總統之外，在第13次黨大會（1988年7月7～13日）正式當選國民黨黨主席，而岩波新書要經過五年（當事件已成為不變的史實）才會改版的事乃眾所皆知，由岩波新書來出版對我來說是一件很冒險的事，但很幸運地，到目前為止證明我的看法沒錯，讓我鬆了一口氣。

在大規模世界變動之中

　　且說，我是以這種形式來思考、意識歷史，那麼，由這種觀點我又是如何來觀察今日世界的情勢呢？

　　眾所周知，今年五月將舉行戈巴契夫與鄧小平的中蘇領袖會談。這是以美蘇關係的新開展為軸心，也是這一、二年世界大變動之中的一項，實際上放眼現今的世界，台灣、朝鮮半島當然不用說，從前年秋天紐約股市大崩盤的黑色星期一到其後的日本經濟在內，讓我認為艱難的路將會持續下去。美中、美日、中蘇之各關係的變動也非常劇烈，一言以蔽之，我們正處於世界體系的大調整中。這種狀況要如何去觀察、理解呢？

　　比如說，不僅以政治面的角度去觀察國際關係（也要從經濟面的角度），就如日本的有心人士指出，在戰後的40年間，雖然各地還是有零星的戰火，但並沒有發生第三次世界大戰。正因如此，在這段期間最初以美國為中心，不久加上日本、西德等所謂的自由主義世界，其總生產力實在龐大得很，接下來該怎麼辦？該如何去維持這個良性循環成了個大問題。就某種意義來看，現今日美貿易關係的摩擦正是因為沒有好好處理這個問題才發生的，而我認為台幣或韓幣對美金的匯率問題不過是這個問題所造成的漣漪而已。

　　在此資本主義方面大哉問的同時，首先該正視的，我認為是中國。中國目前正在超越種種混亂，為打造新秩序而蠢動。1949年毛澤東在天安門樓上宣布中華人民共和國成立，而現在中國所展開的情況，與我們當時的印象差異甚大。

「一國兩制」是鄧小平的敗北宣言

　　現在在中國內部，也已允許批評毛澤東。但對黨的批判則要相當慎重，還沒有充分的自由。（但事實上已經有了很大的改變）對此仔細想想的話，鄧小平所提出「不管是黑貓還是白貓，會抓老鼠的貓都是好貓」的「黑貓白貓」論（文革時被批得很慘），其實與現今的「改革、開放」政策是一直息息相關的。

　　比如說，（鄧小平）對於台灣或香港問題提倡「一國兩制」。這種說法在台灣政府當局與大部分學者的眼中，認為這是「意圖併吞台灣的『統戰』（統一戰線）謀略的政治口號」。但我認為有待商榷。真的是這樣解釋就行了嗎？並不是說支不支持鄧小平或中國共產黨，而是以中國共產黨為中心，冷靜地觀察革命後這40年的過程的話，並不難發現這明顯是一種「敗北宣言」──我是作如此定位的。

　　鄧小平又說：「光一個香港是不夠的，我們需要更多的香港。」然後他最近將海南島升格為省，在那邊嘗試以台灣為典範的經濟開發。他的目的不只是為了解決台灣問題，也因為按照以往社會主義建設的方式已經做不下去，所以在共產黨的統治範圍內作（資本主義式的經濟建設、營運的）實驗。換句話說，就像製造不鏽鋼或特殊鋼中所需的稀有金屬，也就是稀土類；或者是植物生理中所需的微量元素的存在般，將資本主義的要素內建在自己的社會主義體制中，藉此以圖自己的存續。

　　如此對於「一國兩制」，我想要從更為世界經濟的視野，或作為社會主義經濟建設的基本問題來思考，並以更為原理、邏輯

的觀點探討之。

作為人類史上的一個過程

關於戈巴契夫的改革，我們大概也可作同樣的評論。對於戈巴契夫的「新思維」，日本共產黨作出十分嚴厲的批判，我對此很感興趣，但可惜的是我忙著準備將於台灣的學術研討會中發表的論文，尚未好好閱讀該批判（所以今天不提這件事）。只是我現在強烈地感受到，我們到現在總算心有餘力來觀察社會主義或是共產主義，將它當作是人類史上的一個過程、一些人的嘗試。

再說，尼克森與毛澤東之間的對談的事實，經過了17、18年後，現今（與尼克森同樣作為反共領袖的）資本主義代表雷根與（「社會主義的祖國」代表）戈巴契夫也能夠對談了。我認為我們必須深刻考量此事的意義，重新為這樣的情況在世界史中作出定位──曾經相互視對方如蛇蠍般的兩人，如今則在同一張桌子就座試著對談。

回首當年，我認為當赫魯雪夫批判了史達林時，會從此產生某種新的狀況出來，但過沒多久赫魯雪夫垮台，接下來的布里茲涅夫時代則為（蘇聯國內與東西關係同時陷入）停滯的時代。好不容易出現了一個與我們同一世代的領導者戈巴契夫，嘗試著重大改革。基於我們對蘇聯領導者的以往印象，仍對戈巴契夫（之意圖）抱持懷疑，或是認為以蘇聯政權的那樣性格來說，有（突發）政變的可能性，但以歷史的脈絡來思考的話，我認為蘇聯最近的狀況是處於較容易說明的情況。

社會主義必然要付出的代價

　　京都大學有一位勝田吉太郎教授。雖然我沒見過他，但他在十幾年前曾有一番發言，要旨如下：

> 史達林是1920年代末開始由上而下的第二次革命的要角。一掃反對派的勢力，建立了「無產階級專政」，運用強大無比的國家權力強制執行工業化政策，也就是說他推行了蘇聯式的近代化路線。可以說在一掃托洛斯基派之後，自己動手來執行過去托洛斯基派，特別是他們的經濟政策發言人普列奧布拉任斯基所提倡的「社會主義之原始積累」。當共產主義者藉由革命掌握權力時，原本應該已由資產階級所運作資本的原始積累，就必須由他們自己動手來做。布爾什維克則必須扮演這種歷史上的黑臉，以無產階級專政之名發動殘忍的國家暴力，鎮壓勞動者與農民的抵抗，壓低大眾的生活水準，將得到的莫大剩餘價值用於工業化，特別是在國防產業部門不斷地投入。這就是所謂史達林主義的真面目。（引自林健太郎編，《革命の研究》，1978年版）

　　換句話說，我們只要一聽到史達林或史達林主義，就會馬上聯想到獨裁、肅清等血腥味濃厚的印象。我卻認為：其實「史達林主義」說起來不就是社會主義近代化所必須付出的代價嗎？

　　也就是說，依據馬克思所提出的理論，社會主義應該在資本主義圓熟（其本來內含的矛盾極度尖銳化）階段，由其（資本主

義）培養出來的無產階級成為承擔者，將資本主義推向更高的階
段來實現社會主義（社會），進而不久就可達到共產主義，但這
樣的方式實際上（革命當時的）現實（的俄羅斯社會）卻全然不
是如此，他們只是（在沒有任何可繼承的資本主義積累之狀況
下）從沙皇手中奪下政權而已。生產力持續低落，人民的生活、
文化水準也未能提升，只有崇高的理念，反而造成了倒金字塔的
狀況，再加上資本主義強國的包圍之下，讓史達林能夠徹底抹殺
包含托洛斯基等（「異端者」或）反對派，而握有絕對的權力，
同時揚起所謂無產階級專政的社會主義革命之錦旗，施行所謂社
會主義的原始積累。

　　當然，就算可以這樣解釋，我們還是無法肯定史達林犧牲了
這麼多人命所作的「實驗」。

歐美民主主義中也有歷史的黑暗面

　　我們將這些過程與資本主義的發展過程，進行比較觀察。

　　比如說，我們將現今英國的議會制民主主義（在政治體系
上）視為優良的模範。但是，在昭和30年我來日時，日本的國會
經常演出毆鬥的全武行，（在幾十年之前）與日本相同的事也經
常發生在英國的議會中。

　　除此之外，英國的工業革命是以什麼為基礎而建立起來的？
當然少不了英國人的才智所衍發出來的主體經營。但在此之前，
英國是以海盜的行徑搜刮世界各地的財富，我們不能忽略這一段
歷史。英國在世界各地征服、掠奪，並將此作為「資本」遂行工

業革命。（英國的資本主義與其社會發展的）全部都是在那之後開始的。我們許多人都沒有注意到這個過程，只看到工業革命的開花結果和後續的發展，將其當作範本，或者是向他們學習。沒有去留意在這之前的「黑箱」部分。

而日本則是靠甲午戰爭所獲得的賠償金確立金本位制等，雖然（在其資本主義發展的前期階段）還有種種其他的原因，但對於日本的事情大家都比我清楚多了，為了不浪費時間所以在此省略不講。

許多第三世界的國家，都以美國為近代化的範本。台灣也是，特別是從歐美國家回來參加會議的華裔學者常常將美式民主主義的好處掛在嘴邊，發表他們的高論。比如說去年召開的台灣國家建設研究會——這個會議主要是由從歐美邀請來的華裔學者與台灣學者、官員共同討論「台灣將來該走的路」——但從歐美來的華裔學者在議論中，還是大談美國的民主主義。

這些華裔的學者與來日三十幾年還維持台灣籍的我不同，幾乎都已經取得歐美的國籍了。他們之中約三分之二是自然科學學者，大部分都是在中國或台灣完成大學學業後到歐美國家留學，並取得博士學位，在各該國工作而在社會上占有一席之地。他們在回來之後的言談總是不離「美國的民主主義是這樣的……」，去年正好是總統選舉期間，所以他們老是說：「在美國是採取這樣的民主選舉方式……」

容我評論的話，他們不過是有如書生論政而已，也就是紙上談兵。雖然紙上談兵偶爾也有起作用的時候，但我發現他們的知識中有重大的缺陷存在。那就是：他們並沒有注意到自己用來對

台灣官員與民眾垂訓的美國民主主義背後所暗藏的「黑箱」。

在那個時候我終於忍不住對他們說：「請各位稍微冷靜地，在完全掌握住美國資本主義200年來的歷史之後，再作發言好嗎？」意思是說，美國這個國家，簡單的說，就是從歐洲來的人追趕、搶奪尚未確立近代土地所有權的印地安人，屠殺他們而搶奪其土地，並且從非洲引進奴隸剝削他們的勞力，或者是利用中國的苦力建造鐵路，廉價僱用貧窮的日本、墨西哥移民，美國不就是在這些人身上建立起來的國家嗎？各位完全遺漏了美國的建國史與美國資本主義發展史的黑暗面，從中國大陸或台灣的大學畢業後就投靠美國，在那裡取得博士學位、工作與居留權，形同沒有付出任何代價便能享受American way of life。

他們並沒有受到殘酷榨取的經驗。他們離開祖國寄生於別的國家，依賴他國完善的社會福利，迎接七十餘歲的雙親或兄弟姊妹，使全家都受到美國稅金的照顧。宣揚美國的自由或民主主義是件好事，但在歷史上為了這卻不知付出多少代價。自由、人權、民主主義，都必須靠富裕的物質經濟來支撐，實現豐富的物質經濟則必須付出一定的代價。看漏了這一點而不加以分辨，卻評論台灣的政治如何、中國大陸的現狀怎麼樣，一點說服力也沒有，只會引起一般民眾「你們以為自己是誰？」的反感。

日本在戰前的民主主義也是十分有限，其今日的成果則是建立在吃了兩顆原子彈等代價之上。

邁向自我改革的戈巴契夫

　　總之，史達林所做的事，不正是（從舉起無產階級專政的）自上而下強制執行的近代化政策嗎？只是他集中地殺了太多的人，將知識分子一個接一個地肅清，讓人強烈地感受到他野蠻而極無人道的作風。如以前東京大學新人會的同人們，我也懷有與其類似的浪漫主義，這種作法讓我感到十分的痛心與悲傷，覺得這也是人類史上一大傷痕。

　　只要想想看，就知道資本主義（於歷史的過程中）藉由自我改善與修正，將過去如《女工哀史》所見悲慘與黑暗逐漸除去。然而社會主義則沒有所謂自我修正的從容，反而漸行僵化，進而導致今日所面臨的危機狀況。

　　嘗試著打破目前的僵局，且勢在必行者，則是目前的戈巴契夫。其前提條件就是：認知已經無法再打核子戰爭（所以擴充核武也沒意義），此外如車諾比核電廠災變亦顯示，若只將視野放在一個國家是來不及、無法解決問題的，這就是今日的時代狀況。

　　其實在資本主義這一邊，也發生了如前所述，該如何去處理膨脹的總生產力所引發的銷路問題。非常簡單地說，就是日本或歐美等資本主義，要如何（有助於自己的經濟活動地）納入利用中國大陸的市場，又該如何開發納入西伯利亞，將其導向良性循環等等，這些切身的課題已逐漸在浮現。

細說「白貓、黑貓」論

再說，為什麼那個現實主義的英國如此簡單的便將香港歸還（給中國），我們有必要加以探討其意義。從國際法或是國際法所認可的角度去看，姑且不談九龍半島部分，香港島如果不還，也不一定能說英國犯法。並沒有非還不可的必要性。那麼為何英國將其歸還呢？這是因為英國（判斷）將香港還給中國，對於英國以及對英國資本主義的將來有較大的幫助──這就是英國的如意算盤。

1983年我到柏克萊擔任客座研究員，當時日本媒體的報導大多傾向於香港將會崩潰的論調，但我一直說不會。為什麼呢？因為，若照著鄧小平的「白貓、黑貓」論詳述下去的話，香港是不會崩潰的。

這是因為香港是隻「會生金雞蛋的母雞」。若是「四人幫」的話或許會將香港搞垮，但只要（主張經濟合理主義的）鄧小平貫徹「白貓、黑貓」論邏輯的話，是不會搞垮香港的。而讓香港活下去，就等於迴避內部由於「沒得吃的社會主義」而可能引起的二次革命，形同將中國共產黨從毀滅中救回來，搞垮香港的話便會導致自我毀滅。有許多日本媒體似乎無法了解這個道理。事實證明，在那之後的發展，大致是朝如我所說的方向。

要是以鄧小平派的邏輯觀察人民公社的話，應該早就能預見其解體。實際上，在日本最初提出此一人民公社解體問題的人應該是我。我並不是由自己本身意識形態的觀點與主觀主義的願望去看馬克思主義，而是從歷史學者的眼光客觀地將其定位於歷史

之中，我認為這種態度與立場是非常重要的。

權力獲得前與後

　　藉由對前述史達林主義的解釋，應該也能說明毛澤東的問題（思想與行動）。我認為我們在此必須分別去觀察理解延安時代的毛澤東與入主北京後的毛澤東。此二者（雖然是同一人物）明顯有別，就如在野（以權力為目標）戰鬥的共產黨與掌握權力後的共產黨也是不同。

　　很多分析家並不太作這方面的區別。其實關於這一點，毛澤東本身也不是分得很清楚。因此批判他的人經常說：「毛澤東這個人充滿了矛盾。」的確，毛澤東這個人，包括他的「矛盾論」都充滿了矛盾。他一方面極具浪漫主義色彩，另一方面又是徹底的現實主義者。所以他的見解會依狀況變來變去。對鄧小平與劉少奇的態度也是如此，這樣的特質讓他掌握最高權力、被超人化，是故，產生很嚴重的問題，對中國來說是悲劇。

　　但是我們若冷靜地觀察的話，其實可以發現毛澤東本身並沒有自覺——當還沒掌權，對於自己所率革命黨，要以中央決策者的立場來抓住中國問題的自己，與身為執政黨的最高領導人的自己；或者是作為革命集團的共產黨，與掌權後的國內政治指導集團的共產黨，我認為他並未能好好整理各該有的態度與角色，因此總是搖擺不定。

　　我們再將這些事情與史達林連結。雖然史達林在第二次世界大戰時蒙受德國希特勒很大的迫害，但史達林主義在那之前便已

在蘇聯擴張勢力，他殺了不計其數的同志而自上而下強制執行了
近代化政策。就此意義上，我們在評價、定位史達林時必須十分
小心謹慎才行。

反右派鬥爭到大躍進到文革

　　而毛澤東呢？大家都知道他在1956至1957年展開反右派鬥
爭。雖然他在反右派鬥爭中所殺的反對知識分子比較少，但逼人
去尋短的迫害卻不少。這是說，（中國共產黨的新政府）並不像
日本明治維新政府那樣，讓舊政府時代（德川幕府）六成的官僚
留在政權體制中，無法將原本就稀少的知識分子，也就是舊體制
所遺留下來的「人力資源」，加以有效利用而對新政府造成正面
的效果，導致了非常大的後遺症，再加上中國並不是如馬克思所
說，在資本主義一定程度的資本積累之後發起的社會主義革命，
因而使混亂、悲劇更加擴大。

　　（在反右派鬥爭）之後接著是「大躍進」。這是在社會經濟
條件不足之中（經濟建設太過於躁進）匆促採取的主觀行動。我
認為毛澤東自長征以來，徹底重組了下層的農民，成功地從農民
身上取得革命的能量，但他也過於相信其力量。實際上是在虛幻
的結構中，上下相互說謊，在欺騙自己的同時向前冒進。說什麼
土法煉鋼，將既有的建築物的鐵窗等拆下熔化，宣稱鍛冶了多少
噸的鋼鐵以自我陶醉。這明顯地是毫無任何意義的欺瞞行為，是
最具代表性的修正主義作風。可以說，身為最具代表的修正主義
者的同時，卻嚴厲地批判他人的修正主義，正是某個階段的毛澤

東一夥的作風。

　　文革也可以說是在相同的路徑上。在大躍進失敗後，鄧小平躍上舞台，嘗試融入資本主義的要素重新再來。「白貓、黑貓」論便在此時產生。在情況有所好轉時，接著又來文革。如此再度陷入破壞與混亂之中。

沒有榨取的對象，只有負的遺產

　　再者，中國社會主義的原始積累問題，與蘇聯的情形比起來並不相同。各位都知道蘇聯在第二次世界大戰後擁有東歐這一塊「殖民地」──雖然他們可能不願意承認是殖民地。殖民地是為了原始積累（成為榨取對象）而存在的轉嫁地。雖然與日本統治台灣、朝鮮或滿洲等殖民地的模式不盡相同，但也有十分相似的地方。

　　反觀中國並沒有什麼殖民地，沒有可以榨取的對象，（能成為榨取對象的）只剩下國內的農民。想要在農民身上動腦筋而設立了人民公社，吹噓「人民公社的建立代表我們已經來到了共產主義的門前」，得到畫餅的農民們，設立共同食堂，最後連播種用的種子都吃得一乾二淨，造成無可挽回的慘劇。

　　而周邊少數民族的情形又是如何呢？（別說榨取了，）反而是要照顧他們，不然會倒向與中國處於對立關係的蘇聯或印度。比如說西藏是傾向印度，維吾爾族或西南地區則傾向蘇聯，這樣的傾向不管怎麼樣都會發生。而毛澤東則必須背負著中國歷史沉重的包袱（＝遺產）。

　　有人批評毛在某方面帶有帝王的思想，我認為這只是說對了
部分。比如說，廣州的商品交易會就有朝貢貿易的想法。當然，
發展不均所造成的悲慘內部問題，不想被（外國人）看到，應該
也是其中一個原因。

　　非洲坦尚尼亞鐵路的建設援助也是其中一例。將自己國內的
鐵路建設擱置一旁，居然去建那些（使用度低）遲早會鏽掉的鐵
路，只能說這是（從一開始就）完全未經打算盤（嘴巴上說是援
助事業，其實只是帝王虛榮之自我陶醉）的行為。

　　韓戰（之介入）造成了中國對蘇聯巨額的負債，說是為了社
會主義（的大義），其實可以說是為了史達林才介入戰爭。而在
越戰中，援助河內一百幾十億美元，然而後來卻遭到河內政權過
河拆橋的回報。

超越懷疑、不信任的重新考察

　　撇開對中國共產黨的支持等等，以邏輯來考量的話，我們會
發現文革的性質較為明顯易懂。從反右派鬥爭到大躍進到文革，
可以說是毛式社會主義的原始積累的蛇行發展。文革的終結與鄧
小平的復出，在某種意義上，此現象可說「再造中國」又再次受
到根源性質疑，也是（中國共產黨與其政權）身處其中必須面對
的最大課題。

　　政權不能讓渡，但在社會經濟面則不得不回到馬克思所提起
的本質問題。（在此）並不僅是如何去進行原始積累，而是該如
何有效地引進資本主義的資金、技術、管理方法，來達成自己自

辦的經濟建設，也就是說，保留社會主義政權體制而如何將計畫與利潤（市場）的混合體制作有效營運，是重要的課題。

因而我認為（鄧小平的）「一國兩制」或不改變香港的現狀等，並不是在說謊。雖然對中國共產黨感到懷疑、抱持著不信任感的香港居民與國府關係者相當多，但我相信從中共黨方的「苦境」邏輯來重新考察（他們的政策或發言），我相信還是有其意義存在。

對於他們「想在中國大陸內部建設出更多有如香港般的地方」的官方發言，我希望這是中共當局為了解決廣大貧窮且發展不均衡等苦惱的問題，而期望有許多如「香港」般的火車頭或牽引車，能帶領全大陸活性化與提升所作出的發言。

中台間非政治交流的活性化

最後，讓我對台灣與中國大陸之間的關係稍作說明。

強人蔣經國的去世與台籍李登輝總統的繼任等，台灣內部的政情在這二、三年間經歷了很大的變化。在與大陸的關係上，政治面當然較為遲緩。以基於「人道的考量」為由開放一般人到大陸探親，在去年一年中就約有四十五萬人次；而由大陸來台則受到國民政府嚴厲的限制，只限於（親人之）探病與參加喪禮，所以人數上只有二、三百人。

（兩邊的）「貿易」額約有二十四億美元，與前年度比較，據稱增加了50%，成長極為快速。不僅是「貿易」面，台灣中小企業的登陸投資據說也熱鬧滾滾。雖然（大陸對此企業投資的）

開放政策才剛開始不久，許多地方尚無法配合，想要步上軌道可能是很久以後的事，但無疑地進行得非常熱絡。而大企業也以日本關係企業或利用美籍的親屬作幌子，企圖進入中國市場。

（在經濟面上）如此浩大的動向，最主要的關鍵在於台灣內部的經濟狀況急速地變化。在這三年間新台幣對美金的匯率貶值了45%，台灣的企業急速喪失國際競爭力。在台灣，薪資的提升與勞工運動的激化——罷工、要求加薪、獎金的鬥爭動作頻繁——再加上反公害運動等，對資本家來說，投資、企業活動環境每況愈下。也有人認為，大陸方面的勸誘政策部分也開始奏效了。

無論如何，我們可以確定的是（台灣與大陸之間）在經濟面互補的接點，有漸漸地由點擴大為面的傾向。

（台灣的）政府當局似乎很清楚自己處於世界調整的漩渦中，為了守住台灣國府最重要的「命脈」，也就是經濟，而展開生死存亡的作戰。積極地進入東歐之蘇聯勢力圈，連經濟使節團都派到了越南，這是值得注意的。

雖然不想被共產黨統治

其實我在數日前，2月6日傍晚才由台北回來。（那邊）正好是舊曆新年的春節期間，1月29日，在舊曆年年末大家都很忙碌的星期日，我碰上在野黨的民進黨發動遊行，要求中央民意代表（從大陸原封不動移來台灣的國民代表、立法委員、監察委員）全面改選。

　　我所搭的計程車無法移動。（沒辦法，只好跟計程車司機邊閒聊邊等遊行人群通過，）那時計程車司機說了有趣的事：「蔣經國這個人實在太過分了。為什麼？他要死也不該把戒嚴令解除，應該把戒嚴令持續下去才對。」然後又說：「我是因為國民黨的一黨獨裁橫行，又胡作非為，所以一直支持民進黨。希望民進黨壯大能夠監督國民黨，但最近對於民進黨的腐敗（發生於台北的弊案事件，造成數名幹部遭到逮捕）或對立抗爭（涉及民進黨第二次黨大會）引起的騷動已經忍無可忍了，再加上像這樣一天到晚發動遊行，只會搞亂我們老百姓的生活。在這方面，民進黨跟國民黨都是一丘之貉。真想逃到國外去算了！」他頻頻發出感歎。

　　我問他：「不過你認為今後台灣與大陸之間的關係會變得怎麼樣呢？」他則回答：「大家都是中國人，慢慢地溝通就可以互相了解啊！彼此就像親戚一樣呀！說到親戚，我的親戚現在正在大陸旅行呢！」

　　「那（從台灣的）投資呢？」

　　「好像不是很順利，投資方面還不是很……」

　　大概就是談了這些。

　　總之，（在目前的台灣）「並不希望共產黨渡海來統治台灣，但若是大陸也進步、經濟好轉的話，也不反對（兩邊）自然統一。台灣目前的經濟，特別是中小企業正面臨困難，希望（大陸那邊）能充分地讓他們投資，並有保障他們的投資等完善的體制」，這是一般的想法，似乎（在經濟面）對中國大陸有期望的人很多。這些是真心話，也正合己意，就某種意義來講是打如意

算盤，這種情況正急速地在台灣蔓延。

因而我認為，政治的會談還在很久的將來，但會在搶先一步的型態下，加深經濟間的利害（關係）與以人道主義為基礎的民間交流、往來。

邁向全中國的復甦

眾所周知，目前台灣的對外貿易總額為900億美元，外匯準備額則有760億美元而位居世界第二位。到這個地步，台灣的經濟已不可能再以孤立的形勢作下去。如此一來，台灣也必須面對剛才所提到的大調整，不得不去摸索今後的走向：是要靠自己生存下去？還是鍛鍊自己以便將來能與大陸共存？或者是該如何與日本、美國往來？而比照以往的方式來延續與日本、美國往來也漸漸變得不可靠了。

台灣目前可以說是處於非常矛盾的狀況，自己經濟力變得越強大，就越需要好好地調整與中國間關係，這樣的課題已經浮上檯面了。提出將中國大陸、香港與東南亞的華僑界整合，進而創出循環結構，有這樣主張的國府派美籍華裔學者也開始出現。

（在這樣的情況下）我以自己的見解，超越（政治）意識形態，在此擅自期望台灣能夠且應該成為中國——不分中華人民共和國或中華民國，而是全中國——復甦時所需的稀有金屬或微量元素，即微小卻又十分有效的存在的近代化的觸媒。

問與答

什麼是「客家」？

　　問：我拜讀了老師最近的著作《台灣》，聽了今天的這一席話更是受到感動。而與台灣、中國有所關聯的所謂Hakka（客家），在此希望老師能再更詳細的說明。

　　戴：簡單的說，（客家）最初是在黃河中、下游一帶，其後經歷了易姓革命等等，漸漸南下移居，現今則以廣東省的梅縣一帶為中心廣泛分布。其後成為太平天國運動的主流，又與孫文的辛亥革命——孫文為客家「混血」——有所關聯。在此之後，一部分流入中國共產黨，一部分則遠渡重洋，成為現今的海外華僑。

　　從語言面來看，比如茶的英語是Tea，其語源來自閩南的「de-」；客家則是發「cha-」的音；日語也是發「sa」或「chya」的音；北京話也是「cha-」的發音；俄文的發音也接近「chya」，非常有趣。客家人在台灣只占了13%，其餘的則出自閩南的人居多。

　　雖然是玩笑話，但大家都說，鄧小平是客家人，台灣的李登輝總統是半個客家人，新加坡的總理李光耀也是客家人，所以現今的「三個中國」都是由客家人所統治。

　　中國的近代革命中的郭沫若、朱德、葉劍英和廖承志等都是客家人。並不是說客家人比較厲害，而是因為客家人在清朝末年時處於最艱辛的環境中，所以傾向革命。又因家境清寒，所以勉

勵向學，或是為找出路而從軍的人也不少，我想應該這樣解釋。

　　有些人說：「客家人是中國的猶太人。」但客家人似乎並不像猶太人擅長作生意。不過事實上在海外歸化並能躋身該國政權的客家人很多，例如最近的新加坡駐日大使李炯才也是客家人。

　　客家人，比如說鄧小平雖然不會說客家話，但聽說還有客家意識。最近日本的雜誌中，或是中國出版的相片集中，也有介紹他在四川客家的老家。廖承志的父親廖仲凱是知名的客家人，而他的母親何香凝則是廣東人，此外萬金油的胡文虎，也就是Tiger Balm Garden（香港）的胡家，他們也是緬甸出身的客家華僑。

　　當被問到什麼是客家人時，我也只能回答：「說客家話的人，或是還保留著客家意識的人。」

極端困難的全黨員鄧小平化

　　問：在蘇聯，因為在（像以往的）共產主義體制之下無法有效的提高生產性，所以他們採取新的措施，而在中國也開放港灣都市或採用資本主義的手法，但我卻認為能否讓資本主義的作法在共產主義的架構下生根並且發展，是件非常矛盾的事情。對於這個問題，您有何看法？

　　戴：誠如您所說，該如何去調整？以共產主義為目標的馬克思主義政黨或是社會主義政黨掌握政權時，在推行共產主義的同時，該如何有效地將資本主義的機構或是因素注入自己的體內？這是件非常矛盾的事。

　　但是取得權力的一方，不會如此簡單地放棄權力。（同時不

會降下「社會主義」的旗幟，這是因為）他們只能以完成社會主義革命來主張（自己）權力的正當性。在這期間或者保持寬容或修正幅度，或者經過不少反覆的曲折，以逐漸引進資本主義，我認為除此之外別無他法。

從前經常聽人講要將10億中國人變為毛澤東的說法，就是這樣的作法將中國害得很慘。若（中國大陸）現今接近約四千萬的黨員的想法能像鄧小平一樣的話，想必能（更大步朝向近代化）邁進發展，但事情的進展好像不是那麼順利。造成了上面暢言，下面卻動也不動的情況。

剛才因為時間關係所以未提到，中國大陸（在革命後）受到社會主義的「恩惠」，從前沒有辦法結婚的人也結婚並且生子。關於小孩，雖然現今採取所謂的一胎化政策，但在中國的傳統思想卻是希望「多子多福」。（為了在嚴苛的自然或社會環境中生存下去，也就是為了將自己的種保存下去，）多子是一種風險的分散，也是一種保險。（所以一胎化政策無法徹底執行，特別是在鄉下。）所以在這樣的情況下，貧窮的人還是很多。可分的餅本來就少，但基於社會主義的平等意識與理念卻無限地擴展下去。而到了現今的社會則因「改革與開放」，導致物欲橫流，拜金主義氾濫。

華僑內也有「大中國人經濟圈構想」

問：將蘇聯與中國做比較，首先是革命後的期間有很大的不同。這兩者間革命後的時間要素，以及與西方交流的不同之

處──當然蘇聯的人也有與西方交流的機會，比如說透過（近來明顯傾向西歐的）匈牙利間接與西歐交流，但跟能透過台灣、香港或者是全體華僑進行（多方面地對外）交流，其機會豐富的中國比起來，我認為還是有相當大的差距。在這方面，我認為戈巴契夫改革的成功性比起中國（的改革）要困難的多了。關於這一點，我想要請教歷史學家的您對於這件事的見解。

戴：與其以歷史學家的觀點，我更想以華僑研究的立場來回答。這是我另一個研究項目，華僑以一種非常奇特的方式存在；同時這也可以說是世界的「近代」與中國近代史的交錯所產生的問題。

現今，（全世界的華僑）約有二千五百萬人。大部分以東南亞為中心分布著，他們幾乎都在中產階級以上。在國民所得再分配結構中，大部分位於中上階層。因為如此，他們在東南亞被當地住民敬而遠之，或是冷眼相待。

而另一方面，對中國來說，比如說援助孫文革命的也是他們，同時國民黨在台灣經濟發展的一部分也是他們的投資。特別（重要的）是人才的問題，比如說我在美國的朋友們，也是以各種方式在協助台灣。

而中國大陸若能像1956年之前一樣，順利走下去的話，或許就像您所說的，可以有效利用華僑的力量（進行國內建設）。但（中國共產黨）卻在1957年後的反右派鬥爭中連歸國華僑都給鬥垮了。到了文化大革命後，更加偏激的階級史觀統治著社會，華僑成了「階級的叛徒」、「帝國主義的走狗」等眾矢之的。這實在是非常悲慘的事態，他們（中國共產黨）自己斷送了稀有的

「資源」——人力與資金——的供應。

現在關於「華僑」，他們再次重新評價，甚至有人提出以在美「華僑」——約有一百萬人——為中心的大中國人經濟圈的構想。

新加坡的問題則有些微妙而且敏感。該國270萬人口中約75%為華人。但若太過於凸顯以中國人為本位的思維，又會對中國在東南亞的外交政策造成阻礙。

最近大家很熱絡地發起該如何有效的將澳門、香港、台灣等地構築為大循環的談論。針對這樣的想法，我在上次回台時堅持「不能將日本與美國排除在外，這樣是無法順利運作的」。我闡述了要如何在與日本、美國的資本主義經濟連動下有效地調整，就算要以如何樸素的中國經濟民族主義來營運，也只會得到負面，而不是正面的結果。

我了解（各地的華僑）基於民族的感情，希望能幫助中國脫離貧困的心情。但我在反對狹隘的經濟民族主義的同時，也是個中國人經濟民族主義的批判者。

2月9日會員座談會

本文原刊於《新国策》第1209號，東京：財団法人国策研究会，1989年4月1日，頁13～24

試論二二八事件研究之視角與方法
——兼談日常用語與學術用語之差異和界定

時間與自由

　　首先應該涉及的一個原理性問題是：當代或現代史的研究是歷史研究中一個比較新和棘手的問題。當代史是否能作為歷史研究範疇的問題，雖然說已逐漸得到肯定的回答，但不能否認它的研究仍需要兩個最基本的前提（亦可說是條件）。第一，是需要一定時間的經過或淡化；第二，是具備言論自由以及學術研究自由的環境。就第一點而言，當代史的特點是當今的、流動的、不穩定的。歷史活動的主角是在世的、變化的，蓋棺論定的歷史法則較難套用。因此，為了盡可能達到客觀、比較完整，就必須經過一定時間的淡化，也就是沖淡其強烈的「現實性」，使其變成相對穩定的「歷史」，然後納入歷史研究的範疇之中，而力求歷史的「真實性」。在此，我得詮釋一下歷史的「現實性」與「真實性」之分際。關於這個觀點我曾作過解釋。眾所周知，洪秀全自稱是耶穌之弟，這不可能是歷史的真實，但在太平天國運動期間，它卻成為歷史的現實而發揮了作用。藉此史例，我們不難窺知所謂「歷史的現實」往往不一定是直通到「歷史的真實」的。

就第二點而言，由於當代史的種種限制，尤其是人與事的存在，仍然活生生地延續，就很容易在言論自由以及學術研究自由不充分的情況下被套牢，成為「禁忌」，甚至於被體制有形或無形地劃為「禁區」。因此，當代史的研究比其他歷史，也就是非政治事件史或斷代史的研究更需、亟需言論自由以及學術研究自由的陽光。

當然，在任何時期、任何國家，都不可能有絕對的客觀和研究的自由，其中包括研究對象和研究者本身的問題。因此，對從事當代史或近代史研究的人們來說，其目標是盡量斟酌上述兩種局限而自律地來體察及活用上述兩個條件，以達到理想的研究工作。

由此而言，我以為對二二八事件的研究，在當今的台灣已初步具備了上述兩個條件。

第一，事件以後40年的漫長歲月已經沖淡了不少它的「現實性」，這種沉澱歷程已使事件具有某種深沉的歷史內涵，我們比較容易接近或達到「歷史的真實性」。第二，台灣社會近兩年半來的民主化發展進程，加寬了言論自由的尺度，尤其戒嚴令、報禁、黨禁等的解除或寬鬆，給突破二二八事件研究的禁忌提供了極為有利的條件，雖然有關它的「禁區」並沒有完全被開放。

當然，如同一切事物都有正反兩面一樣，時間的推移，造成許多當事人相繼離世，使曖昧的歷史真相得不到確實的證言，給客觀的研究增加許多難度；禁忌的突破，使許多屬於情緒性的流傳得以變成有形的文字，給資料或史料真偽的鑑別帶來不少困難與困擾。

　　不管如何，當我們能夠公開地談論和研究二二八事件這個以前會給人帶來不測之禍的課題時，我們不得不感覺到歷史進展的一種神聖力量和與其俱來的公正。當然，對事件中罹難的冤魂和遺族來說，40年的歲月顯得太漫長且幽暗。更因為如此，把歷史的本來面目還給歷史，從中汲取有益的教訓便是我們同時代人應有的態度。特別是歷史學者應負有整理史料、分析和解釋事件之使命。

　　但史學家與傳記文學家或歷史文學家有異。史學家得受到從「外」可確認其存在的真理和正確性之拘束，另外還得承擔史料之拘束。

　　我的題目是「試論二二八事件研究之視角和方法——兼談日常用語與學術用語之差異和界定」。

兩種用語的混淆

　　為何要選擇這個題目呢？這必須涉及到我一貫所持的立場。自1955年11月21日我從台灣松山機場抵達日本羽田機場之後，三十多年來，我一直告誡自己不作政治的廉價參與或投機，以一介書生的愚直始終堅持學術研究的嚴謹立場；以一個歷史學家的職責，堅持對歷史作冷靜的、客觀的、保持相對距離的科學評述。正因為如此，當前年紀念二二八事件40周年在台灣掀起巨大回響時，我仍克制自己盡量少作不必要的發言。這絕非是逃避責任，而是將自己的思考藉時代的風雲作最堅實的沉澱和凝聚，從而能夠使自己在紛亂的歷史和「現實」的糾葛中找到通向歷史真相的

正確途徑。具有內涵的沉默，有時正代表一股力量噴發的前提。不過這一次的沉默對我而言，是為了要摸索出研究二二八事件的正確觀點和方法必經的醞釀期。

首先應該肯定，台灣經濟的成長帶來了民主化的前提，許多有識之士通過大眾傳播來激勵及促使了言論自由的發展，尤其表現在突破長期以來被視為「禁忌」之中的「禁忌」，即二二八事件的提起。既往的歲月裡，有關二二八事件的問題，人人不敢想亦不敢提。但經過這次突破以來，人人不僅可以想而且可以說出自己的想法，甚至於可以上街頭表示抗議。但是，突破口一旦開啟，站在學術界的立場而言，接下去應該是針對二二八這樣具有重大歷史意義的事件，有組織、有力量、有理性的著手真正的研究才是「健常之道」。我所謂的「健常之道」係具有理念的、歷史哲學的、前瞻性的一個嘗試之作為。其研究該是紮實、有深度、宏觀、具有比較史考察方法的社會科學研究。但令人遺憾的是，近二年半來的民主化腳步依然滯留於陣痛期。感情的激盪當然難免。但有識之士之有關議論仍然未能向縱深發展，表現之一便是常常將不同層次的問題混淆在一起。分析和解釋亦充滿於情緒與平板、極度的單純化之水平。大眾傳播的報導和學術界的討論應該是有不同層次和內涵之區分，但實際上表現在二二八事件有關報導與討論上，大眾傳播之新聞報導性或日常用語式的報導，與學術界不通俗的、嚴謹的、具有特定內涵和限定學術性探討用語之間的劃分，看起來好像是極其不嚴密，甚至是混淆不清的。

在此不容誤解的是，我的意見並非是想把學術界關進「陽春

白雪」的象牙塔裡而保持一種迂腐的清高，所謂的「眾人皆醉我獨醒」，實際上是士大夫逃避現實的藉口。我的努力目標倒是在把「通俗」與學術連起來，甚至於拉在一起，相激互動提升各自的社會功能。也就是說與大眾傳播保持親密關係，使學術界得以藉大眾傳播的刺激而經常提醒學術研究該負起經世致用的使命！使大眾傳播得以利用學術界的成果拓寬和深化大眾傳播界的視野。只有這樣，大眾傳播才能免去輕薄，或浮光掠影式報導的陷阱與墮性。學術界亦藉而可以一掃暮氣。但是，互相拉近、相互刺激絕非等於合二為一，特別是不應該為「和稀泥」式的不分各自角色的敷衍作業。

現代報紙的用語

在此，我們不妨先整理一下大眾傳播之特殊社會角色，也就是功能。大眾傳播中的電視，眾人皆知，它長於「快速報導」和富於「臨場感」。報紙卻是長於紀錄性和提供價值判斷之多方面素材與看法的媒體。非常容易了解，當今世界大部分的報紙除了報導新聞（news）以外，還在表示意見（views）。所以報紙是兼有報導和論評之兩項基本功能的。

一般而言，前資本主義時期或資本主義初期階段的報紙，多少都帶有個人報紙或政黨或幫派機關報的狹窄色彩。但一旦進入資本主義經營下的企業報紙時代，報導新聞不但會走向避免主觀的判斷，並將力求客觀真實的報導為其至上使命。社論亦將邁進採取獨立不羈、不偏袒任何一黨的立場。雖然屬於論評功能的專

欄和社論可具有價值判斷以及主觀的意見，但這個主觀也就是價值判斷，卻要受到大眾輿論的牽制和監督，以及某種程度的制衡。因為資本主義經營下的企業報紙，其性格當然是商業報紙，並且也是大眾報紙。大眾報紙的讀者基礎，基本上在於尚未被政黨性質分化狀態的國民。因而它的發行量是龐大的。日本、台灣已有同樣的傾向。政黨機關報或傾向某一特殊集團具有「偏向」的報紙都不易經營與維持。所以說大眾報紙必然地亦得成為社會公器，既然係「社會」，就不該被某個私人或某個集團為「私」而濫用、摧殘。

下面，就我最為熟悉的日本《朝日新聞》的「社說」（也就是社論）的誕生過程稍作介紹。《朝日新聞》的三十多位「論說委員」，是由各種部門出身的資深記者所組成（其中包括有學界出身的二位日本人教授與一位美國人教授，他們主要的角色並不著重於執筆而在於參加討論）並構成會議。他們通常在每天12點半開始開會。首先從最重要的新聞裡頭選出二個題目（通常每天二題，因一題嫌太冗長，讀者不願細讀故也）。先由擅長該題目的論說委員報告將如何執筆的構想，然後經過自由討論，加以修正及總結而定稿。若討論結果得不出「合議」，即由「論說主幹」（論說委員長，亦即總主筆）來做最後裁定。

在多黨政治與議會民主政治的時代，他們所據的姿勢可以說是「與大眾一起呼吸」、「與大眾一道思考」，「立於大眾的立場來作批判」為準則。他們先將客觀的事實歸納，力求掌握事物的真相，聽取一般社會大眾有關事物的各種正反輿論，然後經過論說委員會議作下謹慎、仔細且自由的討論，最後才作下所謂代

表報社的主張，也就是整個報紙的「主觀價值判斷」。

　　戰後四十多年來，《朝日新聞》尚可站在第三者的立場保持批判精神，力求公正的價值判斷來領導日本輿論的「社風」，可以說廣被日本一般民眾肯定而接受。因而《朝日新聞》的「社說」對日本輿論的形成以及影響，都比其他報紙來得要大。

　　自從1955年底抵日以後，我一貫地閱讀《朝日新聞》，特別細心地詳讀其「社說」。當初主要目的在於學習日文，後來逐漸加重於社說之視角與分析之邏輯。有一天我突然體會到，它雖立足於日本社會日常用語的大眾化感觸及心境，也可以說是初步的民意，但「社說」的深入淺出，表達出來的往往是不庸俗的「學術用語」。

　　一般來說，初步且單純的民意表達，也就是日常用語，是不便直接轉化為學術用語的。因為日常用語往往還只是「多義」的。要昇華成為學術用語還需要經過一種理論，抑或是邏輯的某一種轉化程序，把日常用語建構成為分析工具之概念，也就是把它固定為「一義」，才能當為學術用語來使用。

從「現代」到「真實」

　　近幾年來，我返台參加會議或與朋友討論問題時，常發現一些朋友並沒有注意到日常用語與學術用語的分際與界定，甚至於這兩者之間的有機性關係都甚少被注意到。

　　時而還發現，有些朋友其實可以採自於我們本身社會的日常用語進而提煉出我們自己的學術用語，但他們不屑於如此做，反

而一切借助於外來的用語，活生生地硬套，教我萬分訝異。

　　但另一方面，我亦可發現，一些朋友硬是自囿於只能通用於區區台灣島內，而不具備普遍性質的某種台灣產日常用語而不能自拔。他們往往既不願又不具備橫向比較的視野來看問題、分析問題及解釋問題。

　　在大學裡講授史學概論一課時，我常常提醒同學們，大眾傳播（包括報紙、雜誌、影視）是歷史研究，尤其是當代史研究不可或缺的素材，但值得警惕的是，這些素材並非不用經過加工、提煉便是百分之百可以當為歷史的。若是如此，則歷史未免太厚、太雜，歷史學家則只變成單純的報紙剪貼者了。當代史研究易於陷入輕薄一類境界，與上述陷阱不無相關。與此同理，日常用語需要學界的足夠重視，因為從日常用語中往往可以捕捉到真理的雛型，體察到社會的氛圍，甚至於時代精神的氣息。但是，歷史的研究絕非只停留在日常用語多義之層次，應該將其昇華變成嚴謹一義的、科學的學術用語才對。換句話說，無視日常用語的歷史學家便不能在其研究中注入新鮮氣息，顯現時代精神，其研究會變成無人問津的「木乃伊」。反過來，只一味自囿於日常用語的人們，便會迷失史學研究的真正路徑，雖具有歷史學家之名，其實只不過可算為沉淪於「井底」之徒、低層次境界的庸人而已。我可以坦率地表明：我在日本花了30年的時間蒐集整理有關二二八事件的資料並開始從事研究，主要目的在於追求歷史意義而並不著重於現實的政治意義，更絕不是為了庸俗的、廉價政治目的或報復主義的一種低層次目的。換言之，作為一個生在台灣的中國人、作為一個遭遇了悲劇事件的同時代人，我想對事件

做下綜合研究，從而給歷史留下一個屬於我們這一世代應有的交代。

我在當時和現在都不想只以一個台灣史的專家自居。看過我日文和中文著作的朋友或許會發現，我對台灣史的看法與台灣通俗、大眾傳播一些觀點的認識其實大相逕庭，也和台灣的許多台灣史研究家觀點與認識有所不同。我不但不輕視台灣社會活生生的民眾氣息、大眾訴求以及社會心態，更希望從中汲取並歸納其「現實」，使其昇華為「真實」。但另一方面，我始終力圖將生活、通俗、情緒與學術、理性劃一條極清楚的界線。因為學術如果被生活、情緒所左右、吞沒，非但將導致學術的庸俗化，也是學術對生活、通俗企求提高的一種背棄，等同於學術界放棄了社會所付託之社會功能及使命。

翻案的風潮

最近台灣掀起了一陣翻案風，這是對被掩沒或被歪曲的歷史的必然反動。但是，翻案僅僅停留在某種感情的糾葛與發洩之中，則翻案的意義（指正確的翻案）有被淺薄化而達不到真正平反之疑慮。翻案及平反必須經過調查研究和嚴密的學術檢討做基礎，才能對歷史作出無愧的交代。

恕我直言，沒有經過學術討論而一味地停留在傳聞或浮光掠影式的報導，和政客們通俗且有心的宣傳當為話題，這種狀況在民主化過程雖然是難免但可理解。然而只用百分之百的日常用語來討論二二八事件的氣氛，瀰漫在今日的台灣社會，尤其這種氣

氛若成為風尚且繼續停留並占據台灣社會思潮主流的話，會是令有識之士十分擔憂的現象。

我在國外，不願意也相當慎重地避免與低層次的政治（雖然現代社會不易排脫政治的牽制與干擾）發生任何糾葛，但作為一個客家系台籍中國人，我對台灣局勢的發展、演進是懷著一種誠摯的關注，並力圖以學術的眼光對此加以作批判性的綜合、分析和解釋，希望能在此種學術基礎上作出些個人預見。基於此種認識，我剛出版了岩波新書《台灣》，其暢銷的景況令我吃驚，這不是因為我的學術水平如何精湛，而是台灣本身的發展及其前景受到世界有心人士，特別是日本朋友的關注。今後，我將著力於二二八事件的研究，以此來反饋社會。

在研究二二八事件時，我極不願意受傳統史學的觀點和方法所束縛，把自己關進小小的「文書館」閉門造車。在我看來，雖然文書館的蒐集、整理資料，然後加以批判及鑑別的一系列作業是極為重要，但光靠這個文書館的作業是不能正確把握二二八事件之真相以及全貌，甚至資料或史料本身也並非就能傳達百分之百的正確史實。比如，最近以來，黨外和其他某些政論性雜誌以發掘二二八事件的真相為標榜，東抄一段資料、西拼一段回憶錄，根本沒有以對歷史負責的使命感來對蒐集的資料或史料進行科學的或學術的鑑定。這使人聯想起大陸文化大革命初期，中國完全關閉了國門，為了一知究竟，美國和西方國家盡其所能在香港蒐集有關文革的大字報和傳單類。結果，為了謀求錢財，香港竟然出現了偽造傳單和大字報的地下工廠，以它們來換取美金。這些假的資料非但無助於精確地研究文革，甚至還會把研究引向

歧路，給後人留下迷惑或再次翻案的負擔。可見，資料本身是存在正誤、真偽之問題，不重視這一類陷阱是極度危險的。

　　屬於小文書館的資料、史料蒐集以及鑑定工作，大致上我已完成七至八成。今後本人已準備從文書館的「小世界」向學術的「大世界」邁進。我希望能用批判、理念、哲學、展望的諸般綜合觀點來提煉史實，把個別的史料組織成有機的整體。我們都得確認，所有的學問本質在於其所得出的結論，都可供控制者為必須的前提；反之，其結論若不能控制者，不能算作學問。在此特別要強調的，則是對事件現象背後之精神深層心理要素，將努力做出透徹的觀照和定位。換句話說，便是以超越小文書館的境界為我的努力目標。透過對小文書館的資料作嚴密比較分析的批判鑑定，然後結合學問大世界的方法，唯有此才能達到相對理想的研究境界。不然的話，受資料的拘束及限制，尤其是受不真實資料之影響，將易使研究變成零亂、譁眾取寵一類的產物，這就永遠不能對歷史作出真實、良心的交代。更不可能藉歷史悲劇而轉化變為我們可貴的歷史教訓、把過去的禍轉化為未來之福。

總合性研究

　　以下，我想舉例來敘述我對二二八事件研究之視角與方法。

　　首先該點出的是，甚多台籍人士一直走不出二二八的陰影，雖然事過境遷40年，始終無法克服因二二八而形成之傷痕甚至於憎怨。

　　同時我們亦可發現，迄今我們仍然不能找出夠學術水平的有

關二二八事件之研究。只能勉強地承認，我們依然還在學術研究之門口徘徊，而感到萬分遺憾。

今天我能夠報告的，也只不過係粗枝大葉的構想而已，請多包涵。

第一點，我將努力於把二二八事件敘述的方式提升為總合化敘述。所謂總合化者，不外是把政治、經濟、社會諸側面的分析更有機地連接社會心態的分析，結合並提升為總合分析。有關社會心態之分析方法，我已初步地在〈我觀「中國結」與「台灣結」之爭論──藉心理歷史學視野的幾點剖析」（收載於「中國論壇」創刊周年專輯〔參見《全集》4〕）提出。

我一直追求著的史學研究及其敘述方法，則為具有「現實」且活生生的感觸及意識作為支撐的一種。因而我所劃定的核心視角有二種。

第一，掌握歷史事物時，基本上係從總體的有機關聯來捕捉其原理、結構性的視角來嘗試。這個視角當然將與完成的個例仔細分析、橫向的比較研究，以及其總結相連結，然後編織成為一個整體敘述。

第二，一般而言，通常只把歷史當作過去的事物，但我總認為歷史是動態的，它連結於今天，更將向未來作出種種影響。因而，我力求將「歷史」當作是連結當今及未來的「過去」之巨大潮流來觀察。同時這股巨流將決定未來的走向，所以此研究的歷史意義是重大的。我亦一直以捕捉這個巨大潮流的觀點來當作我的視角來努力。

這兩個視角當然就成為我重視捕捉總體的史眼。不忽略個人

事蹟，但更重視並把焦點放在集團及社會階層、階級的動態。把社會的各種現象就其相互且有機的關聯來掌握、整理、分析、總結，然後作好敘述。

總而言之，我的史眼（視角之總合，但絕不敢當作是史觀）可以用三句話來代替：「總體的觀察與分析」，「就長期動態或波動之中來掌握與定位」，「深掘深層不可視的事物與可視的歷史事物連結起來掌握歷史真相」。即捕捉社會心態之深層及隱藏於冰山下面的歷史事物，並與可視的浮現於資料、史料以及社會現象連結起來建構歷史真貌。

就二二八事件研究的分野來說，連日常用語的表達都在非正常的政治和社會狀況下受到極度之限制。遑論該劃入初步學術用語的當年新聞論評，也在時代的局限性之下，不可能有夠水平之敘述。

因此，我們有必要自島外的大眾傳播裡頭，找出我們所需要的加以添補，不管是屬於日常用語或者是學術用語的。

當前的台灣，因受戒嚴令的解除，日常用語的表達非常活潑，這該是值得我們歡喜的。但，我們社會的生活品質以及教養水平尚待提升。我們仍然喜歡聽小道消息，不負責任的「耳語」、「流言」、「臆測」滿天飛。肆無忌憚的「標籤主義」橫行天下。成熟社會應具有的智性、言行上的生活規範尚未建立，政界、報界與學界的社會功能分際並不甚分明。這些是我們社會病理的一部分。

眾人都可體驗到流行的日常用語，通常是在不被精確的定義下在社會通行的。使用這個流行用語的當事人，卻認為這個流行

語的大概涵義是他熟悉的，而在使用著。

　　我們都知道，任何歷史事件有關的形象都具有多樣且不同層次的看法。看起來，當前台灣的社會風氣，患有人人都有可能陷進片面認識的陷阱而不自覺的慣性。

　　我並不主張迴避因情緒、意識形態的因素，而惹起的偏見或歪曲的各種看法。我倒希望，我們的社會能提供園地與機會讓上述的各種看法和多種異議湧現出來，付諸自由討論。

　　但，學界的有關人士該當仁不讓地將湧現出來的日常用語提煉成為學術用語來加以整理、分析，並做好有關二二八事件的總合性研究。

「七束」

　　最後，我想將貼在我日本工作房壁上的「研究二二八事件免去陷阱七束」的自誡錄披露給與會諸賢，當作今天的報告結語：

　　第一，避免陷入把二二八事件前後對所謂「台灣」屬性之一切絕對化、合理化或正當化之泥淖。只能把它對象化而力求從內面相對化，才能有利於客觀研究。

　　第二，避免「苦難的、被迫害的台灣人」之自戀式心境。台灣人的稱謂，有其能概括的涵義，當為日常用語有其合理存在性。但在學術用語上，尤其當用在社會科學的分析用語時，卻需要慎重使用此詞。台灣人一詞不但是歷史的產物，另還包括文化、歷史、風俗習慣等不同出身背景的閩、客、先住民等之間差異。我們還得留意所謂台灣人一詞內涵裡，因年齡、社會階層、

社會階級而存有的另一層次差異。套流行語的輸家與贏家來比喻：圍繞著二二八事件，「台灣人」裡頭不難找出我們熟悉的大輸家、中輸家、小輸家，或大贏家、中贏家、小贏家。不管是政界、產業界、學界都大有人在。另外我們得留意，所謂外省人士裡頭亦有輸贏家之差異，不過比起台灣人來，比較沒有受到一般社會人士注意而已。

第三，避免純個人層次的感傷、憎怨擴大成社會史解析的精神中心。因為社會科學研究並不等同文學創作。

第四，避免道聽途說氾濫之陷阱。社會科學的研究既需要具體亦需要精確。

第五，避免「拳頭」與「漫罵」一類情緒反應的陷阱。具有理性與科學論據的批判雖然不易建構，但對真正的歷史交代係有力量的。

第六，避免欠缺客觀性的政論、史觀、印象論、隨意想到的「創見」之陷阱，力求撥亂返正。而特別該留意的是，「回顧」之類，往往有些是被「創作」、點化出來的。

第七，避免新的「禁忌」、「禁區」。我們已面臨著：有些人開始在搞「幫風」，他們正在劃出新的「禁忌」與「禁區」。只能照他們的看法來講或解釋，不能稍有異議。因為他們穿著「最最愛台灣」的外衣，別人惹不起他們。在轉型期的社會，易見曇花一現的角色，那些或許可以暫時扮演些「好看的」新星，但是否能站在歷史巨流軌道上持續運行，不致摔下，係值得存疑的。

最後，我要指出，歷史如台灣的濁水溪、淡水河，亦如大陸

的長江、黃河，雖有曲折，畢竟前者是向西流去，後者則向東流。不管細細小流或滾滾洪流都將衝擊著我們這一代的中國人。雖然我們的歷史包袱與汙泥是那麼的重、這般地累積。我們都抱著愚公移山的樂觀精神，期待著那些卑污的渣滓和得志一時的泡沫終將被淘汰。歷史的巨流最終將能走上公正之軌道。

　　希望掩蓋事實真相的泥沙能逐漸地被沖掉，而把歷史本來的面貌呈現於世。

本文原刊於《人間》第42號，1989年4月，頁141～146

台灣新的動向
──明石社區懇談會六月例會演講

◎蔡秀美譯

明石社區懇談會（事務局・神戶新聞明石總局）的六月例會，於22日〔譯註：1990年6月〕在明石市本町二之日新信用金庫本店八樓大廳舉行。熟悉台灣及華僑問題的立教大學文學部教授戴國煇先生（59歲），以「從東亞來看今後台灣的問題」為題發表演講。

演講要旨

過去曾是日本的殖民地、1972年中日恢復邦交以來經濟達到高度成長的台灣，是奇特的存在。其面積雖與九州幾乎相同，但對東亞而言，若其一發炎，則將是恐怖的「盲腸般的存在」。

隨著高度經濟成長，台灣的教育程度亦提升，其國民對社會和政治的參與度升高，在野黨勢力亦漸次增強。可說是近代合理主義者的特別人物李登輝總統，於五月底被迄今仍採行威權獨裁體制之國民黨的「萬年國會」，推選為第八屆總統候選人。他必須改組此一母體的說法是自相矛盾，但是本月28日以迄7月4日由學者、在野黨、宗教界人士等國民出席而舉行的國是會議，是重

要的會議。

　　李總統在先前的就職演說中表示，「條件成熟時，六年內將開放與中國大陸方面交流，有國家統一的準備協議」，這顯示了新的動向。

　　反應東歐情勢為首的世界局勢，以東亞是一個文明圈的立場，若中國大陸能考慮採用「戈巴契夫式」的政黨組織重建模式（多黨制），將可望以台灣的經濟力補救大陸的貧窮，實現非世紀末的、充實且光明的亞洲世界。不遠的將來，這樣的可能性非常高。

本文原刊於《神戶新聞》，1990年6月23日。未載明記錄整理者

撫平歷史傷痕，消弭省籍情結

　　日前首度由國、台語教會合辦「尊重人權，紀念二二八」的平安禮拜，是民間試圖以宗教儀式來化解因二二八事件所引起的省籍矛盾和政治訴求，這是好的開始，但絕非到此為止。政府要負起更多責任，努力撫平二二八事件的歷史傷痕，使台灣社會更臻於安寧平靜。

　　以往政府並非客觀地面對近年來民間針對二二八事件所提出的各項訴求，李總統曾請邱創煥資政研究二二八事件，可視為政府正視此歷史事件的發端，這是個好的開始。此次改用宗教儀式來撫慰二二八事件之冤魂和遺族，雖未明示但其意已明矣。

　　據我所知，周聯華牧師是浙江寧波人，他在參加禮拜前或許受到些壓力，但他願意站出來勇敢地面對此歷史事件，他的作為應給予高度評價。而翁修恭牧師，是一個台灣意識濃厚的牧師，此次願用國語證道來回應周聯華牧師，試圖用宗教儀式努力化解省籍矛盾與二二八事件所引發的政治訴求，他的作為也應給予高度評價。

　　可是證道是宗教的告白，兩位牧師皆不願證道被扭曲為政治秀，這是正確的。但我認為在宗教儀式之後，政府應真正負起道

義上的責任，除客觀調查事件真相，為二二八事件冤魂平反外，並應向遺族道歉及給予賠償。

過去東德以社會主義立國，不願與西德共同負起二次大戰時殺害猶太人的道義責任，如今兩德統一，東德也放棄原先立場，試論德國對不同民族都願負起責任，而我們同是中華民族的一分子，為何不能對此事調查清楚，與負起道義上的責任呢？

這件造成40年來省籍矛盾、衝突根源的「血淚」事件，雖僅是單純的宗教追思儀式，但在出席人士包括行政院長郝柏村、總統府副祕書長邱進益、新聞局長邵玉銘、台北市長黃大洲以及執政黨台北市黨部主委簡漢生等頗具分量的黨政首長參與下，已可看出執政當局有意闢出一條解決之道。

多年來我們可以看到在野人士屢以「二二八」攻擊執政當局，並以此凸顯省籍情結，顯然有分化2,000萬台灣住民團結和諧之嫌，也是諸多泛政治化街頭衝突得以更加激烈之因。

筆者希望朝野人士勿再以「二二八」為對抗藉口，更盼望在野人士由此舉相信執政當局願勇敢且有善意地處理「二二八」「善後」事宜，此次的證道平安禮拜已經跨出了一大步，總統府資政邱創煥承李總統之命廣泛蒐集「二二八」史料，相信不久的將來，會給各界一個交代，我們應靜待這個公布時刻，不願任何所謂「省籍情結」導致衝突再現。

本文原刊於《聯合報》，1990年12月11日，6版，「大家談」專欄

拿出實力，拿出內容

　　台灣第一次在野黨與政府官員在電視上進行政治辯論，章孝嚴次長與謝長廷委員雙方都表現了良好的風度。台灣解除戒嚴四年多之後，這是重要的成就。台視公司第一次安排這種現場節目，分寸把握得很正確，給雙方的待遇也十分公允，三方面的表現，總體顯現出台灣今日民主的現況。

　　這場辯論是由立法委員謝長廷提議，原先社會並未期望外交部會接受，而章次長答應了這場辯論，為政府本身的民主化落實做了良好的示範。

　　原以為謝委員既然下了戰書，一定是有充分、豐富的原理、架構要拿出來，可是情況似乎不是如此。謝長廷委員為反對黨的名嘴，學法律又留日，是民進黨的重要菁英政治人物，社會對他的期待也隨著這些條件而提高，可是看他的辯論內容，就準備工夫而論，與章孝嚴次長有差距。謝委員理應有備而來，可是卻在臨場上讓人感覺準備不充足，也許是與在辯論之前，他長途赴美參加聯合國宣達團太忙有關。

　　謝委員的辯論內容未把民進黨的立場以及他所參加的活動及本身的見識作一融通，以及將民進黨的想法及一貫立場利用此次

電視媒體之力，傳播給社會大眾，是很可惜的事。

　　謝委員在街頭演講上轉戰經年，對於演講的氣氛、氣勢經營有獨到之處，彌補了內容準備不充分的缺點，從這角度看，不也反映著反對運動者的政治訴求的危機？

　　章次長因為「在朝」的關係，說話雖有一定的局限性，可是代表政府觀點的一貫主張，他表達了。其中內容或有爭議，對錯不論，他很稱職地做到了。

　　在朝、在野者同台論政，在朝者總受框架限制，在野者應可奔放；從這個標準來衡量兩人的表現，章次長自然應得到比謝委員更高的分數。

　　章次長最後用閩南話說「要拚才會贏」，足證他相當用心想對廣大民眾加強親和力。

　　此次辯論之後，朝野應該繼續努力的鼓勵電視作為社會教育的公器，提升全民民主化的品質。而在此一過程扮演重要角色的反對黨應好好把握機會，拿出實力，拿出內容。

　　　　　本文原刊於《民眾日報》，1991年10月2日，3版。係戴國煇口述，由記者楊憲宏整理

自四種回憶錄探討有關二二八問題

前言：當為歷史研究分析素材的回憶錄（其可能與局限）

　　二二八學術研究之重要性，已經有共識，不須我在此一再贅述。

　　回憶錄或訪問錄（口述歷史受訪者、歷史工作者合作的產物）寫下或口述並整理出親歷、親見、親聞之有關事情，可當為「活資料」。

　　二二八前後的時代見證人，多已風燭殘年，已面臨「危機」，正需要我們研究工作者作好「搶救」的工作。

　　檔案（殘存者）有時也會有虛構、偽造者。我們常常可以藉當年有關「狀況性資料」以及回憶錄、訪問錄來檢證抑或補正，甚至於可以總合它們來重現歷史，以方便解釋歷史、敘述歷史。

　　我們所期待的回憶錄和訪問錄，當然是真實與真事的紀錄。

　　但是「回憶」或其紀錄往往又是「創作」抑或「被創作」的一種文書。如丘念台述著《嶺海微飆》（1962年，中華日報出版），及《二二八事變始末記──蔣渭川遺稿》（1991年3月，

遺族自主出版）。

　　當事者寫的或口述的「歷史」，不管它是成功抑或挫折、誇張抑或辯解，我們可認為當事者寫出其經驗是個特權亦是責任。當然，我們歷史研究工作者，不能直接地把它當作歷史，它只不過是資料的一部分而已。

　　恕我無禮，面對回憶錄和訪問錄，我們歷史研究工作者，必須用醫師解剖時的敬業精神來對待。我們在鑑別、讀解「紀錄」時，需要把寫下或口述的記錄者當成「死者」對待（雖然今天我們準備探討的四位賢者都還健在，做這樣的比喻還請見諒）。

　　歷史研究工作者面對「死者之紀錄」，你可以聽到「死者」的狂歡之歌、怨懟之呻吟、良知之告白、虛構之辯白等等。在這個情境下，歷史研究者與當事人和有關歷史事件的「隔膜」幾近消失。我們歷史研究工作者熟讀「死者之紀錄」是為了理解「死者」與有關事件以及其相互的有機性關聯。但「理解」不等同於「同意」，更不是「審判」。只不過是，曾經有過其「生」（死的相對語），有過其體驗者、見證者，對當今仍在求「生」的一般老百姓所應該持有的「尺碼」喚起的一種共鳴抑或抗拒罷了。往往共鳴時可能將是「鎮魂」的梵鐘聲般，會響徹「寬容」或「悲情」！

　　然後，「死者」將透過「生者＝歷史工作者」而蘇生。

　　當然，歷史研究工作者能否理解、洞察「紀錄」，還得看歷史研究工作者本身的史識、史才（想像力），加上史德的總合力量。但曲解、忽視、輕視是在所難免，這個時候，「死者」可說是「運氣不佳」，只好等待更能理解它、洞察它的歷史工作者

來訪。

克羅齊（Benedetto Croce, 1866～1952），義大利哲學家、歷史家、政治家（任教育部長，1920～1921、1944年）、反法西斯的思想家，在《歷史學的理論和實際》〔*History-its theory and Practice*〕中說道：「當事者的紀錄將收藏於『蒼白且沉默的死人之家』，等待歷史學家的造訪。」今天，我將嘗試我的一個造訪。

四種回憶錄的簡介

1. 《魏火曜先生訪問紀錄》：1988年11月22日至1989年9月1日訪問，1990年6月出版，中研院近史所。

2. 《林衡道先生訪問紀錄二二八事變的回憶》1990年3月2日訪問，1991年2月1日出版。

3. 嚴演存《早年之台灣》，曾發表於《傳記文學》301, 303, 304, 310, 311, 315, 316，之後結集成書（經過增改），1989年3月，時報文化出版公司。

4. 汪彝定《走過關鍵年代——汪彝定回憶錄》（1991年10月14日，商周文化公司），曾在《商業周刊》及《中國時報‧人間副刊》登載。

回憶者的經歷與事業

魏氏：1908～，東京帝大醫學院畢業，台大醫院及醫學院院

　　長，其妻顏碧霞為顏國年次女（日本女子大學畢業）。

　　林氏：1915～，日本東北帝大經濟學士，光復前之經歷空白，光復後歷任延平學院、台大等教授、副教授，後繼其父林熊祥（1885～1973）之台灣省文獻委員會主任委員等職。其妻為杜聰明之女。

　　嚴氏：1912年～，1945年光復時來台，接收工礦業的重要幹部之一。江蘇吳縣人，舅父為貝淞蓀（祖貽），光復前在重慶任中華化工研究所所長兼遷四川東北大學化學系系主任，來台後初任工礦處技正兼工業科科長（35歲）、台肥公司協理、行政院經濟安定委員會工業委員會委員兼化工組組長，*Economic Data Book* 之原始資料的提供者，及啟發王作榮先生編印此手冊之創議人；台大化工系教授及系主任，書寫此書時似乎在美國斯丹福研究所工作。

　　汪氏：1920年～，南方徽州人，北京長大，然在後方（西南聯大法律系，1942年畢業）讀大學，亦在雲南高等法院擔任實習書記官。1946年初，任職於行政院善後救濟總署台灣分署（職務為視察），時年26歲。二二八後任建設廳長祕書兼礦務科長，1946年任《新生報》主筆。1947年10月25日《公論報》創刊，倪師壇為總主筆，主筆另有汪氏、周一凱（汪之姊夫，後返大陸）、潘志奇、楊選堂。1953年轉入《徵信新聞》（中時）擔任主筆，繼任總主筆。主管貿易20年，曾任經濟部政務次長、台糖董事長。

回憶錄所浮雕的史實和看法

回憶錄的好惡、能否留存，一般來說，決定於它能否超越同時代的回憶錄和公私文書乃至補正其欠缺，特別是超越同時代的常識性見聞、有無歷史哲學層次的洞察力，可以說是基本要素。

撰述者及口述者，居於個人的體驗與歷史的巨流之間，若是只固執於個人的追憶或局限於個人狹窄體驗的話，這一類撰述者和口述者將對歷史關閉了自己的眼睛而不知覺。若能經歷歲月時光之沖洗，把一些「情緒」、「末節」、「私恨」等磨成精粉及昇華，從同時代的一些常識性乃至偏頗性「追憶」把自己解放出來，對有關事項保持一定的距離，把它對象化或客觀化，把自己提升到旁觀者，而能真正當好旁觀者才可邁入「旁觀者清」的境界。

近幾年，台灣的民主化（包括戒嚴令的解除，黨禁、報禁、言論尺度等的解除及放寬等）提供了撰述者及口述者良好的客觀條件。但撰述者及口述者的個人的、主觀的條件是否趕上客觀條件之改善，而有更上一層的提升，值得我們存疑。

眾人皆知，我們的社會，仍然存有「老闆雖換了人，但公司尚未解體及改組」等看法。因而心有餘悸，撰／口述時難免間有掩飾己身之過，或迫於立場，或自囚於視野、認知之狹窄及淺薄之情事，使得論述事實時，不但留下空白，判別事情之得失顯有虛妄不實，矇混真情（有時是故意，有時卻是不自覺）者又不少。

就此脈絡來說，上面所舉四種回憶錄，可以說是難得的「研

究素材」。

　　魏著雖然涉及二二八不多，但提供我們不少信息：第一，新台灣建設會事（頁18〜19）；第二，台大醫學院、醫院重建過程與紛爭；第三，杜聰明的評價；第四，語文問題在台大醫學院與醫學界；第五，二二八事件中之台大（台灣人爭校長）。

　　林衡道一書，提及公署與黨（CC）的對立及光復時台籍大老們的思維與行動（頁215）。陳儀籠絡台灣資產家之舉（頁217）是鮮有人指摘的。有意打破二二八禁忌所帶來的「神話」、虛構值得注目。另外二二八事件有許多不為常人所知的祕密，但大家到現在還不敢說出真相，此事可能石沉海底（頁233〜234），以及警告光是立碑記念二二八事件是無濟於事等，值得肯定。特別是有關「認知差距」的問題及犧牲者，許多人是因為私仇公報和爭權奪位而被人密告陷害的（頁234），其真相和過程，值得繼續探討。

　　嚴著給我們留下外省籍菁英的良心之言，還述及白色恐怖犧牲者的一些內情和看法，是難得的回憶。包括：第一，對陳儀的評價（頁40）；第二，陳儀用「半山」但對台灣紳士不很親近，有違為政不得罪於巨室之旨（頁40）；第三，事變過程中黨部及CC推波助瀾、幸災樂禍之態度（頁39），可藉《國是月報》（台省黨部辦）編輯野僕著《二二八事件的真相——一位目擊者的見證》（明報月刊總259期，1987年7月）來印證。尤其讀及「人心」一項（頁46），真是客觀良心之言，值得肯定。

　　汪著具有多省大陸政、經、社體質的邏輯，值得一讀，但不少部分是屬於形式邏輯層次抑或印象論，甚為可惜。例如：

1. 以民族屬性來解釋中國人不是一個愛乾淨的民族（頁22），這點不甚苟同，為何在外國所住「華僑」個人卻是愛乾淨？2. 光復時台灣社會建設高於大陸大城市以外的任何地區，已可明見（頁28），如何對待經濟發展之「適正規模」課題卻不見詮釋。3.「邊地無良吏」（頁29），這個現象背後的政、經、社結構卻不見有其社會科學性之剖析。4. 台灣與大陸的比較方法偏頗（頁33），欠缺深度的洞察。5. 教育在台灣（日據時代遺產）與經濟發展之相關關係，欠缺具有思想層次的分析。6. 台灣才智之士被限制進入社會科學學系（頁40），這並非不是真實，沒有殖民史與殖民體制之世界共通性之認知。7. 語言問題（頁47）。8. 以琉球為例，提出台灣知識分子之日本化將有相當大比例成為事實（頁61）。9. 霧社事件（頁63）完全錯。10. 對大陸根本早就無認同感情的「外省人」，是真的嗎？認同感之內涵不必去自我探討。

結語

　　期待有更多回憶錄的撰寫及出土，真理愈辯愈明，真相又需要多元冷靜、客觀的探討，更需要學術研究的全面性展開！

1991年11月25日，於政大

本文係為未刊稿

稱慶建國八十年與狂呼獨立建國之間

　　基本上，台獨的種子是由國民黨和國府所埋下的，但是起源可以追溯到1950年韓戰前後，從廖文毅到日本成立亡命政府開始，台獨歷史已幾近四十多年。台獨運動一直在變化，但是在我看來，很難說有具體發展或成果，原因就在於從事台獨運動的人沒有真正地在搞台獨。他們的運動可以說是不具有真正獨立精神的台灣獨立運動。

　　我對台獨運動並沒有偏見，純就客觀事實作觀察和分析。我一直注意台獨運動為何沒有一份真正有可讀性的報紙或雜誌的出現。他們喜歡請外國人吃飯，參加聚會，然後到美國國會裡去當說客，雖然我不能全面地苟同中共或國府執政黨的說法，認為他們只會告洋狀，但是既然要革命，就不能全面性的依靠外力，只熱中於作秀，要有草根性，以台灣百姓為主體，否則即使獲得暫時的成功，也無法持久。東歐和蘇聯的關係是個例子，史達林靠戰車的力量從外且從上搞東歐的社會主義革命，沒有草根力量全面性的支持，終不免失敗。台獨人士的二房東心態一直在作祟，而他們連自覺和自我省察的能力都似乎欠缺甚多，所以始終辦不出一份可讀性高的刊物。

　　作為一個台獨運動的理論家，應該可以好好研究美國歷史，因為美國是以英國和西歐白人移民為主體建立的移民國家，他們當初如何切斷與西歐母國的臍帶關係，此建國歷程可以編進台獨理論裡，能否依樣畫葫蘆則是另當別論，至少形式邏輯上如此相似的例子，台獨陣營中都沒有人認真研究，只專注於國會遊說，所以實在稱不上是真正具有草根性且是獨立自主的台獨運動。

　　然而，往後台獨運動如果繼續擴大發展，主要責任卻在中共。以往台灣民眾對國民黨不滿，主要源於二二八和白色恐怖等所留下的不公平、不公正和不自由所造成的。獨裁威權政治、戒嚴令支配體制下，老百姓政治參與空間及機會被限制、扭曲，而情治機構等犯下的錯誤也累積了不少怨懟，許多問題現在逐一解決了，唯一的難題是如何貫徹民主、擴大社會正義和社會參與空間，等今年國代選舉和明年的立委選舉結束後，國民黨要負的責任就將減輕許多，如果台獨繼續擴大發展，就是中共及中國大陸有沒有魅力的問題了。

　　中共習慣以血緣同胞關係作號召，年輕一代未必能接受。大陸是政治軍事的大國，這是客觀的存在。但經濟上、教育普及上卻未成熟，兩岸關係就像一名粗壯男子要向嬌小的女子求婚，如果男方有魅力、有發展潛力，女方怎會拒絕？求婚當然不能全憑體格粗壯。中共今天如果能夠具體的給台灣百姓提出光明的遠景，台灣人民將不至於把原鄉人拒於千里之外。

　　美國一位社會學家＊提出過劇場國家（theatre state）的觀

＊　即美國人類學家葛茲（Clifford Geertz）。

念，認為劇場本身沒有劇本，一直上演別人的劇本，由別人來演出。日本人學者借用這個觀念來解釋日本歷史，指出日本除了近代一連串的對外侵略，並沒有自己的劇本去影響過別的國家。

現在台灣的情況也是如此，劇本掌控在別人手裡。台獨也好像是在想搞自己的劇本、演自己的戲，所以民進黨黨綱中才要列入台獨綱領。國民黨有辛亥革命及建國80年的歷史，有自己的劇本，在大陸演過一段自己的戲，但是沒有演好，中途讓共產黨搶了去。事實上，共產黨一直都是有意識地奪權，準備以中共黨承擔中國歷史的設計者的角色。當今的東歐和蘇聯，乍看之下是他們的共產黨已被迫或自願地放棄寫劇本及歷史設計。但是中共卻堅持不放。今天，真正為中華民族的全體幸福著想，主張讓中共和平演變的人，就是希望寫劇本時，能擴大參與，讓大家能一起來。

今天，台獨想搶下在台灣設計歷史的角色，有野心和願望，但是能力不足，而且擺脫不掉二房東心態。國民黨則是希望持續扮演其辛亥革命以來的角色，而且自認台灣的經濟成就是一個成功演出的範例。但是能深層反省的人不難發現，台灣經驗不見得完美，付出的代價太大且滿身瘡痍，缺陷不少，大陸同胞未必樂於接受。至於台獨能否說服台灣2,000萬人，成為局限於台灣小格局之歷史的設計者，我看也不容易，老百姓其實並不放心，尤其我回台以來，與許多朋友見面暢談，發覺此地百姓要的還是安定和維持現狀，他們不一定會支持台獨，渴望的仍然是民進黨能健壯起來，扮演制衡及督促國民黨加快改革腳步。

另一方面，平均多數的中上層台籍人士，既恐懼被中共統

一，失去自己的既得權益，又對國民黨製造的二二八和白色恐怖
陰影也餘悸猶存，所以拚命移民，在外置產、拿綠卡，這些人如
果不回台灣，台獨運動究竟要靠誰？

　　國民黨至今內部整合尚未成功，主體具有分歧、不夠硬朗
時，要如何推廣他們認為的成功經驗，老百姓抱著存疑觀望。有
識之士都在希望執政黨內部要好好討論所謂的台灣經驗，至少要
先能說服自己，再談如何把劇本帶進大陸。

　　中共對台灣的呼籲始終是血濃於水和大好河山，其實這兩項
和中共本身根本毫無直接關聯，因為這兩者在中共未成立前已存
在。至於中共提出的一國兩制和具有中國特色的社會主義，都尚
在口號階段，老百姓等著觀察這個劇本是否魅人可行。台獨、國
民黨和中共這三個政治力量都在互相角力，中共力量最大，台灣
在國民黨的掌握中，而台獨也有部分的支持者，我希望他們能和
平競爭，讓不分省籍的台灣全體住民有選擇的餘地。

　　有一個重要的觀念，台獨人士必須注意。日本為何在中國打
了敗仗？美國為何在越南失利？當初日本打敗清朝、俄國、朝
鮮，一帆風順，認為中國根本國不像國，不堪一擊，結果日本一
出兵，就陷入泥濘，無法自拔。今天有些日本人認為自己不是敗
在中國人手裡，而是敗給美國人，忘記了中國像一灘泥水，可以
拖死你。搞台獨運動的人如果看不起中國及大陸百姓，以為可以
依靠美日支持，就是一種錯覺。美國連越共都打不過，有何理由
為你＝台獨自找麻煩，主觀的願望絕不能代替客觀事實，值得政
客們三思之。當中國百姓想統一，台灣主獨的人士要想清楚怎麼
去談。

今天，在台灣的中上層人士間有一個很大的認知鴻溝要消弭；國民黨上層人士自認在台灣演了40年的劇本很成功，當今，我就□□□□〔三民主義〕善政，還想帶回大陸去，但是對台籍上層人士而言，這40年的政治恐怖傷害極大，有錢就想移民，根本不認為這是善政和完美的成就。所以國民黨上層人士認為自己已經盡心盡力，還遭人反對，就把所有台籍反對人士歸為台獨，彼此沒有信賴感。大家現在要認清兩者認知的差距所在，必須勇敢地面對，不要迴避，才能真正整合島內力量，規劃今後的兩岸關係和台灣的未來走向。

本文係為未刊稿，寫於1991年

學者認為政院報告，美中仍有不足

編者按：眾所矚目的「二二八事件」研究報告終於在昨天正式出爐，由於這是第一份由官方主動提出，並由學界人士以學術研究方式完成的報告，其歷史性、學術性，乃至政治性意義都值得肯定，唯此一研究報告畢竟處理的是一高度富爭議性的史實，因此難免仍有諸多待商榷處，本報特別訪問數位參與審閱報告的學者，提出不同角度的評論。

二二八事件的前因後果十分複雜，我個人致力研究三十餘年，仍然有些歷史的結解不開，這份歷時一年多的調查報告，又怎能為二二八事件蓋棺論定？

資料堆砌，輪廓不清

閱讀資料、訪問當事人，不能保證一定能寫出好的學術研究報告，有時候，只是另一種形式的資料陳列和堆砌。探討二二八事件，至少必須了解當年台灣的社會經濟狀況、國民黨內的派系鬥爭、陳儀的治台班底及當時的權力機構，還有大陸政局的變化等等，沒有大的歷史觀照，很難為二二八事件劃出清晰的輪廓，

這些條件在調查報告中，是否都具備了呢？基本上，這份報告的政治交代意味很明顯，若從學術立場來討論，是相當有爭議的。

真相是非，仍難定論

　　二二八事件前後，值得我們思考的問題太多了，例如當年傅斯年來台灣後大力整頓台灣大學，很多外省籍資格不符，甚至帶有政治背景的人都被摒棄在門外，但是台籍教師卻沒有一個人被解聘，其中的含意是什麼？此外，台灣省的菁英大批地消失了，但是一些旅居大陸的台籍人士回台灣後卻升官發財，這中間的玄妙之處，大家又將如何看待？對於彭孟緝的功過，我們暫且不提，他身居要塞司令，如果要塞失守、兵器被搶，將來蔣中正總統要槍斃的人是誰？換成另外一個人，他會怎麼做？

　　因此，這件事情的真相及是非還很複雜，不能妄下結論，一些以二二八事件為政治訴求的人，我希望他們也能認真地提出一套研究報告，再對此事發表意見，缺乏深度的反省，縱使有再多的調查報告和紀念碑，我們也無法向死難者、向歷史，甚至我們自己交代。

本文原刊於《中國時報》，1992年2月23日，3版。由曹郁芬、張明祚、吳鯤魯採訪報導，另採訪李筱峰，僅收錄戴國煇發言的部分

政府應考慮先道歉，再談賠償問題

編者按：行政院「二二八事件」研究報告的公布，除了對既往被淹沒的史實加以還原之外，如何瞻望未來，撫平舊日傷痛，處理善後事宜等，應是今後政府與民間必須共同努力的課題。但這同樣涉及繁複的政策考量與規劃，究應如何進行，本報特別專訪數位參與審閱研究報告的學者提出看法。

無處申冤的人應獲得關懷

個人研究二二八事件三十多年，一直主張政府的態度是該道歉就道歉，該平反就平反，該賠償就賠償。

不過，討論到賠償問題，有兩個前提必須先弄清楚。首先是調查報告對於責任歸屬並沒有交代，賠償的原則要如何確立，其次，今天遺族要求賠償的主要精神是什麼，也要釐清。我們對於死者當然要有嚴肅敬悼的誠意，至於賠償問題，原本可循法律途徑處理，但是當時情勢如此混亂，有人被暗殺，有人藉機公報私仇，有人出門看熱鬧而惹禍上身，這些疑點和責任歸屬在報告中都沒有交代，將來在賠償處理上必然很麻煩，不知基準在哪裡？

而且對被害者是一視同仁地賠償，還是依照各別職業、工作能力作賠償？這些爭議，恐怕還要經過反覆討論才能解決，遺族中的意見想必也會有紛歧。

記取教訓盼歷史勿再重演

今天能對二二八事件發表看法、執筆為文的人，多半是生活條件不差，甚至持美國護照的長期旅美的人，但是當年許多屈死的冤魂是沒有組織出面替他們講話的，許多遺族也長期受到政府監視、社會歧視，甚至就業發生困難，我們談二二八，不能只看到菁英，更該為這些默默垂淚，無處伸冤的人主持正義，政府要給這些人最大的關懷，像嘉義的二二八紀念碑只悼念菁英分子，是胸襟不夠遠大的作法，我們應該顧慮到原住民中也有人為此事喪生。

今天二二八事件賠償的精神是什麼？我認為最重要的是記取歷史悲劇的教訓，希望歷史不要再重演。對於生活有困難的人，政府可考慮給予物質上的賠償；對於生活無慮的遺族，精神上的賠償可能更重要。如果這些遺族能出面呼籲成立基金會，由政府撥款或社會捐款，長期去研究台灣歷史、文化和民主憲政的發展，或許一般民眾會給他們更多的掌聲，一味要求物質賠償，可能反而會傷害遺族的形象。

德國在一次大戰之後，因為負荷不了鉅額賠償，結果出現希特勒，再掀起二次世界大戰。賠償並不是解決問題的法寶，否則二二八之後，「白色恐怖時代」的受害者又該如何賠償，被幽禁

多年的孫立人和張學良又該要求多少賠償？

　　二二八事件的處理，我希望不要太政治化，紀念碑更不要像雨後春筍一樣地氾濫，政客很容易用建碑作政治籌碼，但是氾濫之後，成了圖騰，建立紀念碑就毫無意義。「對事不對人，恨事不恨人，可恕不可忘」，這是我對二二八事件處理態度的期許。

　　本文原刊於《中國時報》，1992年2月23日，3版。由曹郁芬、張明祚、吳鯤魯採訪整理，另採訪許倬雲、張富美、李筱峰，僅收錄戴國輝發言的部分

輯二

時事政論

彭明敏返國，象徵海外台獨結束

　　海外異議人士彭明敏返台，所代表的意義是，將過去所謂白色恐怖、海外台獨的時代劃上句點，開展另一民主憲政的新時代。不過，以台灣目前複雜的政治生態而言，這些異議人士返台後並無太大的政治空間。

　　兩週前，筆者恰好在東京曾會晤彭氏一面，發現他的一些想法正在轉變。雖然，彭氏去國二十餘年，但他對台灣現狀有相當了解，也明白民進黨內部的複雜性。由旁敲側擊，我認為此次彭氏返台的考慮，一方面是年紀大了所以想回來，二是他希望對自己故鄉的民主化有所幫助。可是命運作弄人，彭氏也明瞭，在現況下他不易找出自己在政治中的定位。

　　彭氏返國象徵著海外台獨的結束。過去海外人士屢藉著省籍、二二八事件、黑名單等問題來宣揚台獨，可是現在這些問題差不多都有完善的結局，因此，他們利用被壓抑的情緒來發揚台獨理念也宣告結束。此外，我一直認為台獨是虛構的理念，他們是藉著國民黨的黑箱子（如不讓人們談論省籍、二二八事件）來寄生，現在黑箱子透明了，海外台獨自然找不到著力點。所以海外台獨聯盟近年來積極想返台，可是即使台獨聯盟返回台灣，也

沒有發揮的空間，因為他們過去生存的條件不在了，環境變了，海外台獨在台灣是找不到市場的。

　　由此觀之，彭氏回國也只有數次造勢的機會，此外便難有發展的政治空間，因為台灣正進入一個新的民主憲政時代。在新時代，首先是執政黨本身內部改革是否及時，民進黨是否能推出新的公共政策來爭取選民，而非光喊台獨口號；其次，大陸變化因素，對台灣民主發展也極為重要，如果大陸市場化能取得成績，將對台灣民主進程產生一定壓力。因為如果大陸能漸上軌道，台灣朝野兩黨必須放棄統獨之爭，共同為台灣民主化努力。

　　　　　本文原刊於《聯合報》1992年11月2日，4版，「焦點新聞」欄。係戴
　　　　　國煇口述，由記者徐東海整理。原副題「以目前政治生態，異議人士
　　　　　返台沒有太大的政治空間」

追究被迫近代化的歲月

◎陳仁端譯

　　1945年（8月15日）對日本人來說是戰敗，但對我們台灣出生的中國人來說是光復（復歸於祖國＝中國）的一年。從那個時候以來很快又過了47年的歲月。

　　時至今日，據說日本的年輕人知道有過第二次世界大戰，而對其內容能具體想像的人並不多。在這種狀況之下，不難想像已經幾乎沒有多少日本年輕人知道，日本帝國主義曾經在1895年（明治28年）以來半個世紀之間，對我的故鄉＝台灣實施過殖民地統治的史實。

　　因此，在談及「對我來說的戰後」之前，首先應該提起「對我來說的光復」才好吧。

　　筆者已經在拙著《台灣總體相》裡嘗試素描光復前後台灣社會的各種現象。一言以蔽之，大多數台灣人（在光復前籍貫在台灣的漢族系及少數民族系住民的總稱）在當時知道由於日本帝國的戰敗和無條件投降，已經不再有美軍的空襲以及戰爭的恐怖，更覺得從此獲得自由，也因不再受到日本人諸多殘酷的統治、民族差別與聽聞「喂！清國奴」的罵聲等蔑視而感到放心。

　　大家熱烈歡迎戰爭的結束和光復，沉浸於幸福的氣氛中，沒有深思自己生活在其中的台灣今後將會變成怎麼樣。看起來好像完全相信只要回歸祖國，一切就會幸福的樣子。

　　八一五對日本人是戰敗，對大陸的中國人當中參加抗日戰爭的人們來說則是勝利的日子，這個邏輯是容易理解的。

　　然而，台灣中國人的真實感覺在性質上則稍微不同。老實說，大部分的台灣人以為八一五充其量不過是終戰之日，以極輕鬆的心情來歡迎，這就是當時的狀況。

　　事實上，就因為台灣人在殖民地統治之下，所以打從心底協助日本人從事侵略戰爭的人幾乎沒有。台灣被從中國割斷、處在隔著台灣海峽與大陸隔絕的狀態之下，被日本帝國強制以所謂特殊的分割殖民地統治，這是眾所周知的事實。在處於這樣一種歷史、社會狀況下的台灣人，要配合大陸同胞在實際層面上打同質的抗日戰爭是不容易的。甚至於台灣人想主動地爭取打同質的抗日戰爭的「機會」和「場所」也很困難。因此，大多數的台灣人愈是對自己誠實，在真實感情上也就愈是不會把「八一五」當作敗戰之日，更難於把它當作勝利之日來記憶，這樣說是大致不會錯的。

　　不知是否因為有上述的歷史上的原委，還是由於台灣知識分子缺乏理智以及主體性之確立尚未成熟，尚未聽說過有哪位台灣人前輩在（光復）當初就把對於台灣的終戰明確定位為台灣零年或在1945年的延長線上來思考的。實際上，當時的情況是，在大勢所趨之下，只顧著歡迎國民政府和中央軍（國民黨軍）來到台灣，或者乘機利用他們主導的接收事業，或者絞盡腦汁想盡方法

使自己搭上時代潮流。無須贅言，那只不過是使自己合流於光復＝中華民國34年這樣一種庸俗的潮流而已。

在幸福的氣氛下迎接民國34年的道路不久就碰到死胡同。二二八事件（1947年2月27日傍晚，以查緝黑市香煙為導火線而爆發的全島規模的反政府暴動事件）發生，不少台灣人菁英被暗中處分掉。

能夠逃脫彈壓和暗殺而在政治意識上覺醒的青年學生和左傾知識分子，在中共的地下組織（中國共產黨台灣省工作委員會）指導下開始新的道路。選擇了所謂新的道路，就是指與民國34年的延長線不同的，在中共主導下描繪的1945年附加一些什麼的道路。

在大陸內部激烈展開的國共內戰於1948年底以後，中共一方的優勢開始明朗化。到了1949年8月5日，美國發表可以說是與國府絕交的《中國白皮書》。陷入困境的蔣介石率領國府中央，於同年底避難亡命到台灣。

由於內外情勢的遽變，中共的黨勢在台灣也快速成長。作為殘存作戰的一環，國府當局從1949年春開始實施戒嚴令，同時斷然實行白色恐怖行動。

1949年10月1日，以新中國之成立為契機，台灣獨立運動浮上水面。把終戰之年重新看作台灣零年，想描繪另一種夢的台灣知識分子出現了。

然而，戰後的10年，我在喜悅與恐怖並存的台灣度過。然後於1955年秋離開悲情的美麗島（台灣的暱稱）來到日本。從那以後感覺到「對台灣來說的戰後」同時也聯繫到我個人的戰後，為

了把它從社會科學的角度予以整理，重新追究，為確認其結局而一直不斷地自我鞭策。

　　也許可以說「對我來說的戰後」本身，不外是在自己心裡的深層不斷地追究「對殖民地台灣的『近代』」＝被日本強加的近代化歲月吧。

　　　　　　本文原刊於《思想の科学》第158號，東京：思想の科学社，1992年
　　　　　　11月，頁40～42

贏六成選票，執政黨不應算失敗

這次立法委員選舉結果，我們可以從幾方面來分析。

第一，我們可以說這次選舉，由於言論自由開放，百無禁忌，可以說是真正第一次相當公正的選舉。而這次投票率相當高，雖然與天氣良好有關，不過我認為主要的還是因為選舉競爭相當激烈，使得政治動員程度相當高；或者可以說是選民認為此次立委選舉將影響台灣未來的發展，大家相當關心而使得選民責任心提高，使得投票率提高。

其次，我想在一個民主國家價值多元化條件下，我認為執政黨能獲得選民61%的支持，可以說是相當成功，不應算是失敗。因為，我們不能與過去執政黨想要全面掌握政權相比較。政治本來就是一種妥協，能夠贏得六成選票，是正常的結果。我們應該以這樣一種心胸來看待這次選舉的結果。而這一選舉結果，也顯示選民期待一個健康的在野黨，以制衡監督執政黨。

事實上，和去年國代選舉時不同，這次民進黨不再唱高調，主張急獨，反而採取降溫作法。使得老百姓期待在野黨的健康茁壯。這種結果顯示，台灣政治已經從過去激情時代冷卻下來。這次彭明敏回台、張燦鍙也放出來了、蔡同榮參選也當選了。他們

的作為也非過去激情式，而是訴諸理性，打形象牌。反之，國民黨的王建煊、趙少康等人高票當選。他們在選舉時對於一些敏感問題不但未迴避，而且願意作公開論辯。這些作法顯示未來立院將走上兩黨公開論政型態，而不再是激情式作法，期待以此為基礎能夠將憲政架構制度化。

　　有了前述政治理性的良好基礎，我們認為仍應注意民主政治的潛在隱憂，那就是金牛與黑牛問題。日本自民黨三十餘年的執政，但是有潛在的黑道與右翼勾結問題，以及金牛問題，日前所發生的金丸信事件就是一例。我希望選民能夠提高警覺，以及大眾傳播媒體第四權監督，不要讓金牛與黑牛成為我們的民主政治的包袱。

　　　　本文原刊於《聯合報》，1992年12月20日，11版。係戴國輝口述，由記者鄔篤騏整理。原副題「在民主國家價值多元化條件下，政治本來就是一種妥協」

省籍對立激化令人憂，海外知識分子很關切

　　政爭與省籍對立已相互激化成為目前國內最令人憂心的議題，關心台灣政局發展的海外知識分子，最近也投注高度關切，以下是他們的看法：

　　戴國煇（日本立教大學教授）：國內政局因為省籍因素而引起的動盪，恐怕還需要一段時間才能弭平；畢竟，雖然大家都同意不應該利用省籍因素挑起不安，但許多人都不斷地在利用省籍問題製造爭端。

　　不過，嚴格地說，這應該與大家整個參與動員過程中「搶位子」的心態有關；檯面上作出驚人的主張，檯面下則視情形分食大餅。

　　目前民進黨在這個問題上的公開言論，已經緩和了許多，甚至在台灣優先的意識的前提下，轉而強調兩千萬人命運共同體的理念；至於具有強烈排斥外省籍情結的「台獨法西斯」，只是口頭「喊爽」。

　　但國民黨本身則因為黨中央的威令無法充分下達，對於黨內

流派的整合不力，導致黨內為爭食選票大餅而迭起紛爭，在二屆立委選舉過程中因黃復興票源分配問題而引起的衝突，就是明顯的例子。

在本土化的趨勢下，整個社會情勢已經完全逆轉，有關外省籍朋友的危機意識的問題，應該好好地作個社會科學的調查研究，並嚴肅地對待這個問題。以台灣的內外環境而言，要搞「人種區別主義」，只會使自己的道路愈走愈窄。現在許多人喜愛亂講話，往往不考慮後果問題，因此，這些因為省籍問題而引起的衝突，還會持續一段時間，要鬧到大家都疲倦了，甚至要到鬧到危機的邊緣，船要翻了，才比較有理性論政的可能。

本文原刊於《聯合報》，1993年1月18日，3版，「焦點新聞」欄，另採訪余英時、林毓生，僅節錄戴國煇發言的部分

建構命運共同體共識，台灣最佳選擇

　　眼花撩亂的社會政治現象，甚多係屬於一時性抑或泡沫性的。這些泡沫現象不屬於學術界研討的範疇。學術界該探討的是，社會政治現象深層所潛藏而不易被察覺的社會、歷史脈動。

　　國際大氣候的變化以及台灣正面臨轉型的景況，人人皆可確認。但蔣家威權政治結束後所發生的歷次政爭深層所暗藏的社會、歷史脈動或「時代」性課題卻鮮被提出討論。

　　據我未成熟的思維，大概可以整理出三個綱目來：

　　第一，台灣非殖民地化過程受挫而惹起的「反彈」。眾所皆知，世界性殖民史的一般流程，任何殖民地面臨「解放」時，轉換與光復的主要課題有二：一為政權移轉；二為價值觀念和體系的回復（主體性的回復及新建構）。台、澎被日帝殖民地化的特殊性（請留意中國的部分性「割讓」與韓國整體被吞併的差異）規制了台灣的非殖民地化過程的實況和台民當年的一般性心態。

　　1945年8月15日，當日本戰敗投降時，台民具有三種可能的選擇：一是台灣零年（以台灣為絕對性主體，定好新出發點）；二是1945年（因台、澎的紅色勢力微弱，不成氣候）；三是中華民國34年。當年的大多數台民，選擇的係民國34年。所以有過萬

民歡呼復歸中華民國萬歲，熱烈迎接國府官員與中央軍景況的顯
現。這個「台灣人出頭天」的由來，與韓國的情形值得我人追溯
相比。被殖民地化前的朝鮮半島已存在有李王朝的國家體制。它
具備有本身的軍隊、官僚及政治勢力。換句話說，雖然有雅爾達
體制架構下的南北韓分裂，但它們具有殖民地權力移轉的承擔主
體。

　　反看台灣，雖然存有文化協會到台灣民眾黨等的一小撮台灣
人政治菁英，但力量並不曾凝集。另外尚有一支前往大陸的奮鬥
「同志」，以「半山」的身段衣錦還台，脫胎換骨變為「半敵
對」勢力。在台灣的非殖民地化過程的權力移轉的承擔角色，卻
是由「母家」來人與「半山」的結合勢力來扮演。結果引起了二
二八的民族悲劇。二二八以後的威權政治繼續加深了台民的被迫
害「情結」及「民怨」。台灣人出頭天的口號是有其來由，並具
有其普遍性社會基礎，這是我們面對的現實。因為它可以通到
「當家作主」的普遍渴望，所以人人呼應。主張台獨者希望它能
創造性的轉化為台獨建國。但大多數的老百姓，很可能只是以
「賭爛」激情為基調而響應而已，其實，它的最終去向尚有甚多
「可塑性」並具未可測的變數。這一類草根情結不易被大陸籍朋
友及彼岸的有關幹部們認知及理解，確是可歎！

　　第二，中國革命與現代化領導權爭執的未決所引起的後遺
症。自從中共成立（1921年）後，國民黨所扮演的中國革命及現
代化的設計師及領導角色受到了挑戰。經過15年抗日戰爭及勝利
後國共內戰的曲折，國府中央終於遷台。韓戰爆發，美第七艦隊
的台海介入，阻撓了國共爭執的終結。國共隔海對峙定形下來，

台海便成為亞洲三大火藥庫之一。美中（共）關係的解凍及冷戰結構的崩潰，引發了台海兩岸關係的快速變化。變化促進了因對峙所衍生之後遺症的表面化。戒嚴令的解除，黨、報禁的開放，「萬年國會」的改組，老兵返鄉探親問題等等便是。後遺症部分日愈痊癒及消褪，新的問題又到來，外省朋友有家歸不得或有家不願歸的情況則是一例。外省人的危機意識與「台灣人出頭天」的叫喊成為互動的正比例而逐漸高漲，遂有外省人上街頭之舉。台灣島內社會的「省籍疑慮」不但不見其化解，甚至於有加深、加劇之虞。

第三，威權遺制的揚棄與新出發。人人皆知，國共隔海對峙期間，國府主導了威權政治並促進了經濟發展。老百姓不分其省籍，都付出了頗大的正負面「成本」。一般而言，具有正當性的付出，人人甘願，但欠缺社會正義和正當性，甚至於類似「白色恐怖」等冤案、錯案所累積的「民怨」卻不易被遺忘。遷台初期的國府上層，自保政權已是難題，哪有多餘的精力去考慮並安撫台民的草根情結。雖然力求自上而下的整合，但只見效於部分「台籍新貴」的上級階層，國府主導的「同牀異夢」政局一直不易改善。

二二八、白色恐怖等陰影加上國府中央上層整套架構遷入台灣，政治空間窄小，台籍菁英人士只好向經濟界以及出國謀求發展。

台灣經濟的發展孕育了廣泛的台籍中產階級，因土地改革而失落的舊台籍中小地主階級的子弟們，以留學為主導而在外發展，逐年形成一股新生力量。他們開始驅使美、日現代主義的價

值觀念——民主、自由、平等、人權，向國府挑戰。

晚年的蔣經國有過「我也是台灣人」的發言以及本土化為基調之新政的推展，方便了政權的和平移轉，但蔣家威權遺制的揚棄卻不能一竿見影方式地奏效。民進黨的部分人士，主唱一中一台，我們可以解釋為，第三勢力出現於台灣。它雖然企圖承擔歷史設計師和推動現代化的領導角色。但迄今為止，他們自限其舞台為台、澎。

上述三種歷史因素抑或歷史性課題，錯綜複雜，纏結為一，才造成了當今難以收場，幾乎連釐清都有困難的社會政治困境。「同牀異夢」之正當、好歹與否暫時勿論，當前，不分省籍的我們全體住民都得確認，急獨、急統都無其可能。毋庸諱言，既往的威權式整合已無效，看來自於它的「同牀異夢」只好揚棄。

近年來一度高漲的「台獨建國」激情已轉趨冷靜。截至目前為止，台獨運動的主張既見變化，又易見欠缺能力來主導台灣地區的全盤性整合。若只能看到的是另一種，「同牀異夢」亦何苦而求。

時移勢轉，台灣地區住民全般性參與追求「同牀同夢」的課題，已呈現於我們眼前。

我們的最佳選擇可能是，力求化解社會性疑慮，並建構台灣地區的「命運共同體」的共識，齊心追求民主憲政的落實在先。繼而建構出兩岸雙方都自立（既非分離又非獨立）但又共生的良性關係。國際大氣候的良性變化及日、美經濟不景氣的深刻化，與兩岸經濟相互依存關係的迅速開展，將是我們全體中華民族的大機會。

　　我們升斗小民，當然不願看見兩岸人民再一次的流血，更不願貿然當起「冤大頭」的悲劇角色。

　　　　　　本文原刊於《聯合報》，1993年3月1日，4版，「焦點新聞」欄

動起來的台灣

◎陳仁端譯

　　台灣早就以亞洲四小龍（Asia NIEs）的優等生而引人注目。最近又以台灣海峽兩岸（台灣vs.大陸）關係的加速發展使人不能忽略。

　　資本主義的經濟發展培育市民社會，市民階層的擴大和成熟從內部促進政治的民主化。此外，良好的國際環境是第三世界民主化的前提條件。始於1972年的中美接近，美國總統尼克森的中國訪問、中日恢復邦交等緩和了亞洲三大火藥庫之一的台灣海峽形勢。表面上看來台灣是被中美兩國拋棄了。可是事實上還有一個側面。中美之間的緊張緩和，以及有史以來首次形成的美・日・中三者之間的蜜月氛圍，對民主化來說是很寶貴的。人們判斷不再會有中美戰爭了。台灣社會得以安定，這加速了經濟成長。

　　先總統蔣介石去世後，掌握政權的兒子前總統蔣經國被上述諸形勢所迫，主動地積極活用這些條件。他提拔本省人（戰爭結束以前就定居在台灣的人）菁英推進新政策。舉其要者，有默認在野黨＝民主進步黨（民進黨）的結黨，解除世界上維持最長的

戒嚴令，開放中國大陸探親及「報禁」（限制報紙的創刊和增加張數，這個起了非常巧妙的做為言論統制裝置的作用）的解除等。蔣前總統在改革途中的1988年1月13日去世。具有特務領導經歷的他在背後被人憎恨和畏懼。然而，死後受相當部分的本省人哀悼。這真使我吃驚。

不管怎樣，蔣前總統晚年的政治實績加上經濟發展，起了消除充滿怨恨「毒氣」的政局之作用。現在受到使政權和平轉移的評價。

根據《憲法》，李登輝副總統繼承了總統的職位。這是歷史上第一個台灣出身的總統的登台。在制度上，李氏雖然繼承了，但是其權力基礎很脆弱。因為學術界出身而廉潔的李氏跟支持蔣家統治的黨、軍、警察、特務機關都沒有什麼關係。

當後繼任期即將結束的時候，李氏各個擊破了那些想繼承蔣家統治衣缽和既得權益的蔣家親信保守派政客們的企圖。他選擇外省人（戰後從大陸移居過來的人）李元簇（法律學者，歷任政治大學校長、教育部長）為副總統候選人，贏得總統選舉。可以說第一次抓住了創造自己政權的契機。1990年5月21日，李氏在就職典禮上講演說：「讓我們開創中華民族的新時代。」從那以後更進一步推進「萬年國會」（大陸時代以來不經改選而延長的中央民意代表機關）的全面改選，《動員戡亂（主要是指中國共產黨）時期臨時條款》的廢止，回歸憲政的政黨政治體制的確立等民主化政策。表面上李氏斷然實行獨裁政治中「負面遺產」的大清掃，起了擴大和起用台灣出身者的政治參與的作用。同時，「萬年議員」的全面改選帶來了占台灣地區（台灣、澎湖島、金

門、馬祖）住民人口的大多數本省人當選的結果。在民主化過程中，被允許回台的黑名單多數是台灣獨立運動者。實際上，居住大陸和海外的台灣系中國人左派以及統一論者也回台了。對這種現象，反對者批判譴責李總統有台獨或「獨台」（國民黨主導的獨立）的傾向。知情的有識者認為這只是在找碴。因為台獨運動的動員力正在日漸衰退才是事實。

今年（1993）2月，繼新內閣的開始，李總統任命其親近的外省人幹部邱進益（總統府副祕書長兼發言人）為海峽交流基金會祕書長、焦仁和（總統府機要室主任）為內閣大陸委員會副主任委員（副大臣），準備已經進入倒數計時階段的與大陸的正式會談。在世界同時不景氣當中，中、台的經濟相互依存正在深化，人們的交流也頻繁化。接受和支持情勢變化的勢力，和緊緊抱著既得權益抵抗變化的勢力，這兩個勢力的均衡點正日益向時代的潮流一邊移動，持這樣看法的應該不只筆者一個人吧。

本文原刊於《山陽新聞》，1993年3月25日

我在台灣的「佛教體驗」

◎李毓昭譯

（一）殖民地台灣時代的回憶

許多人說，人是看著父母親（尤其是母親）的背影長大的。

1. 現世利益與混淆宗教（以龍山寺為例，供奉儒、佛、道）。

2. 多元的禮拜與對供品的疑問。

在「不許葷酒入山門」的禪寺山門中樹立的石柱。

葷酒（五辛＝蔥、韭、蕎、蒜、興渠）

3. 觀世音菩薩像與十八羅漢的雕像

（佛教的慈悲精神）＋對眾生七難的救濟能力＝觀音娘或觀音媽（媽祖信仰），十六羅漢＋《法住記》的作者「慶友」、譯者「玄奘」。

4. 皇民化運動（《寺廟神之昇天》〔《寺廟神の昇天》〕宮崎直勝著，1942）與國家神道。

（二）庶民對佛教的接納

與宗教典範無關的一般庶民、呻吟祈求生活平安的眾生。

佛教信徒擴張的意義「希望工程、文盲救濟」。

與民俗宗教的結合，與資本主義之成熟的對比。素食（健康）、捐獻。只是打坐。

（三）從「放下屠刀，立地成佛」而想到的

勸告獨裁者與呼籲救濟。

（四）結語：佛教的弘法與世界和平

台灣、大陸的佛教情況與「殊途同歸」。

1. 富裕中的佛教（世俗社會的苦痛、現代人失去社群的不安）。

2. 長老教會與民進黨（由內在的自我發起的反體制運動及其思想化）。

3. 貧困中的佛教（世俗「社會主義社會」的苦痛；文革、鬥爭中對人的不信任）。

4. 中國統一運動與文化（宗教交流）（毛澤東、中國共產黨的威信後退與欲望盛開，金錢、出國旅行發展為新的迷信）。

5. 舊有（在地的）的魔術式信仰——會走向一種新的自發性

信仰嗎？

6. 多種宗教並存的社會與價值多元化vs.中國人社會裡的近代
價值本質的變化（與世俗化、個人化、宗教的內心倫理化
有關的困境）。

7. 確保11億2,000萬人平安的生活，以及亞洲與世界的和平。
「希望工程＝文盲救濟運動」的展開與佛教的弘法。

本文係爲未刊稿，於第一屆與亞洲近鄰諸國相互理解論壇之發表要
旨，1993年4月12日

存在和全民自由意志的民主社會

　　許多人注意到李總統在很多談話中，常引用「存在」和「全民自由意志的民主社會」等概念。這些概念用來說明當前中華民國的事實存在，與所處的新的歷史開端的地位，別具意義。

　　「全民自由意志的民主社會」源自於黑格爾「歷史哲學」的第三階段。歷史演變的三個階段，從個人認同開始發展到全體認同的社會而建立「生命共同體」，這個歷史發展的過程，正可以說明李總統從事政治改革的歷史意義，而這個全民自由意志的民主社會也正是他所說的新的中國歷史的開端。

　　另外，更重要的是海德格（Martin Heidegger）的著作《存在與時間》中關於「存在」的概念；因為只有正視自己實體存在，才能爭取其他國家對我國的實體存在的承認，在國際上才能有所主張，也才能爭取發言權。這對於正極力爭取國際承認，特別是爭取中共對我國政府實際地位的承認，其意義更為重大。

　　雖然，由於海德格與黑格爾著作的翻譯本早期在國內並不普及，因此年輕一輩熟悉者不多，但在日據時代，念高等學校文科的學生，海德格與黑格爾的著作則是必讀的。因此，來自那個年代的李總統，喜歡讀黑格爾與海德格的著作，甚至在某種程度上

受其思想的影響，並不令人訝異；而李總統的治國理念，亦在此
浮現。

本文原刊於《聯合報》，1993年5月21日，11版。以筆名「戴桑」發
表

台灣總督府

◎謝明如譯

　　台灣總督府係日本為台灣的殖民地統治在台北所設置之官廳。最初是根據《台灣總督府條例》（1896年）所設的軍政機構，其首長的總督人選以陸、海軍大將、中將為限，乃民政、軍政、軍令的綜合機關。1919年（大正8年）在世界民主化的潮流之下廢止武官總督制，另設台灣軍司令官作為軍令機關，唯有陸軍武官總督兼任台灣軍司令官。日本統治台灣較統治朝鮮早14年。儘管如此，由於大體架構上仍有形式與實質內涵之差異，故總督的等級、總督府的政策等亦可見微妙的差異。台灣是「割讓」清朝統治下的部分中國邊境；朝鮮是整個國家被「合併」而施行殖民地統治。以日俄戰爭的勝利、日韓合併為契機，北進政策明確化並向前推進，成為雙方差異的大前提。差異的部分是朝鮮總督大多係由具總理大臣、大臣等經驗者就任，台灣總督則遑論總理大臣，連具備大臣經驗者亦相當稀少。象徵統治「總守護神」的朝鮮神宮（1925年由朝鮮神社升格）與台灣神宮（1944年由台灣神社升格）之創建、祭神、社格等均顯著不同。志願兵制度（朝鮮自1938年1月開始；台灣陸、海軍分別自1942年4

月、1943年7月開始）與徵兵制（朝鮮自1942年、台灣自1944年開始）的實施期、創氏改名（朝鮮）與改姓名（台灣）的實施內容，以及華族之有無（朝鮮有李姓王朝家族，台灣則無）等面向之差別亦歷然可見。

　　總督為天皇親任，在中央政府監督下設置民政部門的首腦（民政局長官1895年5月21日～1896年4月1日→民政局長1896年4月1日～1898年6月20日→民政長官1898年6月20日～1919年8月20日→總務長官1919年8月20日～1945年10月25日），輔佐總督。台灣總督府作為總督、總務長官、台灣軍司令官（與中央統率權直接連結）所謂「三位一體」（只有陸軍武官總督兼任軍司令官時為二位一體）的強大官廳，統治台灣50年。總督除掌握警察權力外，亦擁有出兵請求權、帝國議會所賦予、幾近自由地制定以「律令」為名之「法律」的權力，以及仰賴由特別會計、事業公債、專賣（以鴉片、鹽、樟腦、煙草、酒、火柴等為中心）與廣泛的官營事業（以鐵路、港灣、林業為中心）所產生的豐富財源施行強權政治。50年間共歷經19任總督，其中，最初7任與最後3任為武官，計約33年；中間9任為文官，約17年。至第四任兒玉總督期為止，已壓制了漢人的反日游擊隊，確立漢人社會的統治秩序。第五任佐久間總督利用在任九年間全面彈壓原住民，企圖使山地、林野國有化，以及在原住民社會樹立開發秩序。文官總督期間，著力點移轉至保持及強化殖民地秩序，且總督人事受中央政局所連動，執政黨取得決定總督人事之利權。「滿洲事變」以降，基於對大陸對岸和東南亞的軍事顧慮，以及強化、維持島內治安之必要而恢復武官總督；在島內，因應戰時體制的皇民化

運動持續至終戰。

本文原刊於《日本史大事典》第4卷，東京：平凡社，1993年8月18日

戴國煇：盼台灣其他多數族群
多關懷少數民族權益

　　在事隔40年後，泰雅族原住民昨日才首次舉行有關白色恐怖事件的紀念追悼會。受難者之一的林昭明，與昨日千里迢迢從日本趕來台灣與會的歷史學者戴國煇是中學同學，兩人之間既是研究者與被研究者的關係，又有更多的私人情誼。戴國煇昨日重遊角板山，台灣近幾年來快速的變化令他吃驚，但是多年來台灣漠視原住民的心態更令他汗顏。戴國煇昨日有感而發地說，對於原住民，他有漢人深深的原罪感，希望台灣居多數的其他族群應多關懷少數民族的權益。

　　在日本定居多年的歷史學者戴國煇，去國多年後即不斷從事有關二二八事件、原住民霧社事件等之研究。在他有關二二八的著作中便已提到樂信・瓦旦的事蹟，但是，文章只有兩頁而已。戴國煇說，台灣這幾年變化太大，再早幾年之前，大家根本不太敢提這些事，這些受難者家屬甚至到今天還不太敢完全放心地談論此事。

　　而受難者之一的林昭明，是樂信・瓦旦的姪子，也因同樣的匪諜案被關15年之久。戴國煇一方面因為研究所需必須了解這一段歷史經過，但另一方面更因林昭明是他建國中學的同學，認識

已有40年之久。他的原住民好友在台灣這種政治背景下受難，更是令他由衷地感受到原住民在複雜政治背景下深沉的悲哀。

　　戴國煇昨日指出，住在霧社以北的泰雅族，因為族群所在地有茶葉、樟腦、煤碳和鹿皮，因此一直受漢人覬覦。而原住民幾百年來受到不同政府的統治，如何爭取族群權益一直是原住民在思考的問題，但是在1940年代的白色恐怖時期中，卻仍難免成為事件的受難者。而現在從台灣的地圖上，可以很清楚地看到最多數的河洛人住在土地最肥沃的西部，客家人則是居中住在土地品質較差的地區。到了東部，土地最貧瘠的部分就是原住民為多。從歷史上可以知道，漢人侵略原住民的土地，但又在政治事件中殺害原住民菁英，這些歷史，令漢人感到汗顏。

　　談到1940年代的白色恐怖事件，戴國煇指出，目前看這段時間的事件不可全當錯案、或是冤案來處理，必須要先了解當時中共的地下黨檔案，以及國民黨特務的處理態度。而這些檔案多在大陸，只有待檔案公開後才能做更進一步的研究。

　　同時，現在台灣在統獨辯論上出現很大的爭議，但在問到「台灣是誰的」時，有誰關心過原住民的處境？戴國煇表示，他是客家人，現在有一些人會談到台灣認同的問題，然而誰真正關心過人數最少的原住民？目前的情況是漢人多數、原住民少數，是否正義的一方一定屬於多數？但正義應有草根性，大家應幫助原住民恢復語言、文化，並且要關懷他們、支持他們，這樣民主主義才能真正落實。

　　戴國煇將搭今天下午的飛機回日本，身為漢人目睹原住民的困境，他表示心中實在有一股漢人對原住民的原罪感。白色恐怖

受難好友林昭明與他喝酒乾杯，但林昭明憶及往事內心行動時，
必須用日語表達，還須靠戴國煇為他翻譯，這段40年的友誼中間
夾雜殘酷的政治歷史，更令這對老友感觸良多。

本文原刊於《中國時報》，1993年10月4日，4版。由記者林照眞報導

《理蕃之友》復刻誌喜

◎蔡秀美譯

　　台灣原住民的研究中，《理蕃之友》是不可或缺的資料，乃是眾所皆知。然而，幾乎沒有人知道該誌全卷是否仍留存及其所在，則是不難想像。

　　蓋就該誌的發行冊數觀之，數量甚少。若我記憶無誤，除了相關機關之外，當年的個人購買者係被強制或半強制。日本戰敗後，當然該誌在台灣大部分均面臨廢棄的命運。

　　此次，由於綠蔭書房和相關人士盡心竭力，該誌第一次的復刻版得以公諸於世，誠然是應該歡迎的事。至於我個人則是滿懷感激之情。

　　原住民沒有固有的文字。如同《理蕃之友》的誌名所巧妙地呈現的，該誌乃是官方雜誌。儘管如此，該誌所記錄的諸多情事之中，應該作為「瑰寶」的對象實在不少。由於此一「瑰寶」化的素材業已付梓，令人越發深刻地體悟：研究者的社會責任將更加重要。

本文原刊於《理蕃の友》，東京：綠蔭書房，1993年10月

霧社事件

◎謝明如譯

　　霧社事件係發生於1930年（昭和5年）10月27日、台灣霧社原住民族的抗日蜂起事件。一般認為其遠因是原住民對長年持續、充滿權謀之術與欺瞞的「理蕃政策」之總反抗；近因是當局對部落居民過度的強制勞動，以及對領導者莫那・魯道一族的凌辱等累積而形成導火線。蜂起的原住民有計畫地一起襲擊日本官民，犧牲者含男女老幼多達134人。霧社（今南投縣仁愛鄉）是「蕃界」中向來被認定為最開化且教育水準相當高的部落。尤其是作為以特殊的警察行政為中心的理蕃事業之模範生、由當局提供學費、結婚費用等所培育但非兄弟的花岡一郎（本名達吉士斯・諾賓）乙種巡查（日本人為甲種巡查，乙種巡查位居其下，此為差別待遇）和花岡二郎（本名達吉士・那武義）警手（巡查的助手）兩人，亦與領導者莫那・魯道一同蜂起，使當局非常驚訝。日本方面深怕影響其他原住民部落，乃使用飛機等近代武器加以鎮壓。結束之際，二百餘名蜂起的原住民，不分男女老幼均集體自殺，以抗議日本苛政，加上事後被判處死刑者和警察所演出的報復事件（第二次霧社事件）的被害者，則犧牲者約達1000

名，殘存者僅剩15歲以下的男孩和婦女約230名。

　　參考資料：戴國煇《台湾霧社蜂起事件》（社會思想社，1981年）。

本文原刊於《日本史大事典》第6卷，東京：平凡社，1994年2月18日

由細川下台，反思台灣政壇

　　中日政壇人士同樣是在法律邊緣求取政治生活，但結局卻迥然不同。日本首相細川護熙是近來日本政壇連續五位首相中，第四位因涉弊案而辭職下台，反思台灣政壇在與官僚體系嚴密結合下，已喪失責任政治。

　　細川護熙因傳出向佐川急便公司與一家證券公司貸款涉及政治醜聞，而被在野的自民黨窮追猛打，雖然至今未能證明細川涉及不法，但顯已打擊其上台時的清廉形象與首相的道德地位。

　　中日政壇許多現象是差不多，但中日政壇的負責任態度卻不盡然相同。

　　當1980代日本進入世界經濟大國後，執政的自民黨與占國會多數的社會黨形成共犯結構，利益輸送、賄選、工程建設而生的醜聞不斷。雖然弊案多，但政客們從企業界分贓獲取政治獻金（賄款）後，並不會影響到民生或工程品質，也就是說日本的官僚體系仍然效率高、清廉，並不致與政客共生合作謀利。加上媒體強力監督政壇弊案與日本法務大臣的絕對清廉（日本法務大臣任期結束後參選國會議員幾乎皆落選，因其任內無法搞錢），迫使涉及弊案的政壇人士不得不小心翼翼。

　　而台灣這幾年來，經濟發展快速，各地大興土木，也是弊案連連，但工程品質卻不佳（如捷運工程？），原因即在於官僚體系主導者、政客與企業界的利益相結合，政客與企業界一旦掌握官僚體系，土地名目可以變更、炒作，各地工程款扣除賄款後只得偷工減料。也就是說官僚體系已隨政壇同流合污，就算弊案爆發，政界亦有官僚體系可作掩護，致使台灣的政壇幾乎沒有責任可言。

　　整體而言，台灣政壇未確立責任制，屬結構性問題，雖然此番台灣正全力掃蕩賄選，但我擔心，在官僚體系未能配合全力掃蕩貪瀆，在野黨愈來愈國民黨化之時，人民恐怕將對政治徹底失望，問題仍未解決。

　　　　本文原刊於《聯合報》，1994年4月9日，3版。係戴國煇口述，由記
　　　　者蘇位榮整理

兩岸關係往何處去？
──對台獨運動的新視角

　　今天是我第八次在台灣研究所演講。這次我選的題目是「兩岸關係往何處去」，副題為「對台獨運動的新視角」。為什麼選這個題目？是因為我不願意太公開地把它的一些不成熟想法向外披露。

　　我們都知道兩岸關係將來會怎樣發展，這跟台獨運動的未來發展具有密切的關係。我這次報告還是跟過去一樣，想提一些大陸朋友不太注意的看法。由於多年來我一直在作學術性的思考，所以希望不是談現象，而是站在宏觀的立場，談一些原理性的東西。今天主要講的是決定兩岸關係的三大力量跟國際因素。什麼叫作決定兩岸關係的三大力量呢？我們可以做如下的整理：

決定兩岸關係的第一種力量：中國大陸的力量

　　今天我在中國大陸向大陸的朋友做報告，分析有關大陸的力量，對我而言可能是多此一舉。但我想我在日本待了39年，一直從外面看中國、看兩岸關係。雖然我沒有在大陸生活過，但是旅遊了幾次，也讀過不少有關大陸的著作。儘管我的大陸經驗還很

薄弱，對大陸的了解也不夠深刻、全面，但還是牛刀小試，向諸位請教。

有關大陸的力量，我們可以指出（point out）的第一點，是能否發展出具有中國特色的社會主義，這一點非常重要。雖然鄧小平先生提出要發展出具有中國特色的社會主義，是比蘇聯的崩潰跟東歐社會主義體制的解體來得早，但這個課題仍然存在。特別是現在，全世界社會主義思潮可說是在褪色。蘇聯搞了70多年，東歐搞了40多年，最後居然在一個以歐洲為中心的人類史的一種非常大的試驗中遭到挫折，現在可以說是一種失敗了。所以它給了人類一種挑戰。雖然中國國土大、人口多，但如何面對這個挑戰，從而能夠成功、有效地提出中華民族如何應戰這個課題，我想是值得我們全球，包括海峽兩岸，除了不思考問題的人之外的所有中國人必須思考的一個重要課題。這也就是彭明敏所提的Challenge and Dispose（挑戰與應戰）。也就是說，能否利用這幾年對中華民族非常好的機會，讓大陸目前正在展開的改革與開放走上軌道，這對兩岸關係的未來發展及中華民族的未來發展都是很重要的。當然我們知道，先是經濟，同時社會、政治等各個層面都會有一些新的問題出現。我很早以前寫文章、演講都曾提過。我們不限於中國人，不限於在中國，我認為人類不要怕問題的產生，需要提防的是怕每一個社會、每一個國家、每一個民族內部缺乏解決問題的能力，這才是最可怕的。因為中國人傳統上有一句話，叫作：「少作少犯錯，不作不犯錯。」這種看法是應該改變的。

下面我要說明一下，我認為的大機會是什麼。所謂先進的資

本主義國家，他們的經濟成長已經到了谷底，開始空洞化、不景氣。就拿我目前長期居住的日本為例。日本現在所建立起來的總生產力非常龐大，是人人誇獎的經濟大國。雖然是那麼一個小小的東方島嶼國家，只有1億2,000萬人口，缺乏資源，卻能躍居世界經濟大國之前列。很多人讚美它的經濟成就，但並沒有真正從世界經濟的立場來看其局限性。我的意思是說，它的生產力那麼大，必然需要有大格局的市場，能夠讓它的生產力得以發揮，能夠使其生產的產品銷售出去。過去美國的大市場給它機會，還有東南亞的一部分市場及歐洲也給它機會。但目前，除了歐洲新興國家這一個活潑的市場以外，可以說其他的國家都缺乏活力，唯有中國大陸的市場能給日本人機會。美國也一樣，它在經濟上把日本打得死死的，並且一天到晚在鬧情緒。包括前總統布希在卸任之前，帶了一批人到日本來，向當時的日本首相宮澤提出，要求日本人買美國人的車子。布希講這話時，我恰好在台灣政治大學當客座教授。我以此為話題，在課堂上向研究院的學生講，這是一大笑話。我並不是要誇獎日本朋友，而是美國人常常認為他的資本主義是最優越的，他們的資本主義是完全自由精神、最完美的。然而一個美國總統都沒有能力要求他們的國民購買美國汽車公司製造出來的汽車，怎麼能夠要求日本首相幫他們遊說，讓日本人購買美國的車子呢？這表明美國總統已經沒有辦法採取一種更理智的發言。雖然因攻打伊拉克得到了人民的鼓掌，同時卻由於發動戰爭以及其他失敗，使得他未能連任，而換上了柯林頓。

　　還有，我們知道兩德統一後，科爾已經到中國大陸來了。他

們一方面想要把歐洲之家不僅從經濟,而且從政治上也能夠統合起來。結果,科爾為減少他對東德統合後的財政負擔,或者說經濟衰退後的財政負擔,開始向中國大陸尋求發展以彌補其負荷。那麼,中國大陸假如能夠真正利用上這一點的話,我想是互補的。我們中國大陸如何才能夠把外資,或者是隨著外資進來的技術中國化,或者如最近台灣所提的,大陸朋友可能不愛聽的本土化,真正地上軌道的話,我想是非常重要的。

有關大陸力量的第二點是,新的國際形勢為我們帶來一個相對平穩的國際環境。正如眾所周知的,蘇聯解體、東歐崩潰,帶來了全世界追求世界新秩序的動盪局面。表現在意識形態上,則可說是意識形態之爭暫時後退,浮上來的是經濟上的競爭。可以說我們中國大陸不要、也沒有必要太掛念邊疆的國防。雖然我對政治方面不很清楚,但我總以為目前雖然俄羅斯的核武依然存在,核彈的威脅並沒有根本解除。但是,他們內部那麼亂,有能力再像過去那樣圍堵中國大陸嗎?我想是不可能的。另外,從美國方面來看,蘇聯解體後,美國表面看來好像是一國獨霸,實際上在海灣戰爭中,假如美國真的認為蘇聯解體後它就可以獨霸的話,就不需要這麼花工夫聯合聯合國,利用其名義出兵,還要日本拿出130億美金打那場戰爭了。

總之,意識形態的褪色,表明過去東西方對立的抗爭減緩。但這種減緩所引起的新抗爭是什麼?可以說是原本性的一種民族抗爭。南斯拉夫、解體後的舊蘇聯中央、亞洲少數民族的抗爭,或自我主張已經發生了新的問題。在這一點上對中國來說,從秦始皇以來的中國歷史可以說都是經歷過的。我們都知道,雖然中

國的歷史主要是以漢民族作為主導的力量，但是我們同時可以發現中原中國有過不少次是由邊疆攻進中原中國的少數民族統治的，包括蒙古族、滿族等，但後來他們都被容納在中華大帝國裡頭了。現在雖然我們不能說大中華民族或中華民族這個概念已經十分成熟，但比起既往的蘇聯民族問題，我認為是有所差異的。在這裡我想講一些理論性的、我的未成熟看法。我認為有幾個格局跟中華民族或者是中國具有類似之處。一個是蘇聯。蘇聯可以說是借列寧、史達林的影響，是從上面來想要創造出蘇聯人這一新的概念，希望它能落實。對於其經過在此就不詳述了。蘇聯革命一直被認為是從下而上的革命，實際上其具體的過程卻是從上而下的，這種過程是非常勉強的，因而蘇聯人現在也不能繼續存在，將來能否重新出現我不敢說。

　　另外一個例子是美國人。我們知道沒有美國民族，但是有美國人。美國這個國家的形成已有二百多年了，美國人這一概念的形成也是慢慢地隨著歷史而發展的。目前雖然是以WASP，即以白種的盎格魯・薩克遜人新教徒為主導力量，切斷了跟歐洲的臍帶，而形成自己的聯邦，即美利堅合眾國。這一過程一方面也是從上而下的，甚至把印地安人（Native American）踩在腳下，然後再利用黑奴、華工、日裔等各種外來勞動力，建立出一個美國20世紀的黃金時代。美國為什麼沒有像前蘇聯那樣崩掉？首先，它是靠一點一滴累積下來的。而最重要的一點是，它代表了全世界一種進步的價值導向。你不管對美國的物質文明、機械文明或者美國的物質文化都可以有所批判。但我們可以舉一個例子。例如夏威夷本來是一個完整的國家，有自己的女王，但他們基本上

沒有過獨立運動。這就意味著美國的主導力量能夠吸收、融化其他少數民族的訴求，同時它所代表的是一種世界性的、具有前瞻性的價值導向，所以沒有崩潰。但以後是否仍舊能夠像現在這樣下去呢？我是有所懷疑的。因為越戰過程中美國黑人的民權運動，還有美國印地安人的覺悟運動，這種種跡象告訴我們，美國也不能像過去一樣地來運用WASP的優勢繼續發展，特別是它的經濟等方面已有跡象顯示出這一點。所以現在他們到處向外販賣美國式的人權、民主，這將來很可能在美國社會內部遇到挑戰，這一點是非常重要的。

第三個就是歐洲，他們現在要建立歐洲之家。我們對歐洲歷史稍作回顧就可發現，從法國革命前後，歐洲就已經徹底分裂。一個民族一個民族地發展他們的Nation State（國民國家），現在這個已經到了極限，因此他們又想突破過去的民族主義國家，聯合起來搞歐洲之家，雖然問題重重，但對其提出的一些理念我們應從人類史的立場來好好研究，並給予定位。

而非洲現在雖有理念，但實際上其統合非常不易，而且生產力發展階段也較為落後，因此非洲與拉丁美洲我們暫且不談。

現在我們再回過頭來談中國的問題。剛才我已經說過了，我們的民族問題不是今天、昨天的問題。雖然漢族有濃厚的大漢族沙文主義的歷史痕跡，但新中國成立之後，是利用馬克思主義的民族政策。雖然問題仍然存在，但比起蘇聯等其他地方的民族問題，其程度相對而言較不嚴重。但問題不嚴重不等於沒有問題，我想從這些方面我們應給予充分的注意。全球意識形態的褪色，對我們中國人是一個好機會。同時，假如我們對於少數民族，

包括我以後要補充的ethnicity（族群）的屬性、訴求多多給予關懷，便不會給我們的社會帶來新的不安。只有充分地關心、包容少數民族以及一些弱勢族群的訴求，多給他們關懷，這樣才能使我們過去比較成功的少數民族政策，具有更富於前瞻性的新成功。

所以，有關中國大陸力量最重要的是什麼，我想當然是大陸上的11億人民。我們回過頭來看當年中共在延安，只有很微弱的力量，但為什麼能夠把國民黨的勢力打敗，迫使國民黨逃到台灣去？當年一般人看不出來，認為美國人給支援，又有飛機、坦克，穿草鞋、扛步槍的八路軍怎麼能打倒國民黨呢？這也就是說，當年在延安的以中國共產黨為主的主導力量提出的是一種代表時代精神、具有前瞻性的價值導向，因而能把所有大陸的老百姓整合，才能打敗表面上遠遠比己方具有優勢的國民黨。反之，國民黨軍雖然穿得好看，人數多，還有外部的支持，但實際上力量卻等於零，這是我們一定要注意的一點。

決定兩岸關係的第二種力量：台灣的力量

現在我再來講有關台灣的力量。我們知道，台灣表面上看起來經濟不錯，國民所得超過了1萬美金，外匯儲備超過了900億，占世界第二位。但我們看到台灣的社會，包括其政局一直在動盪，就是大家所說的主流和反主流之爭。而民進黨內部又有美麗島系、新潮流系，還有從美國回來的台獨聯盟等。

現在首先來看一下被台灣眾媒體所稱的國民黨主流派。李登

輝所主導的主流派現在正在整合，希望能按照他們的方式及冀圖
來整合，這就是所謂國民黨的台灣化，這個問題他們自有一套解
釋。但在我看來，這實際上是搬到台灣去的國民黨，過去四十幾
年來的一種分贓方式，不管是在經濟利益、政治資源方面都已經
沒有辦法維持原來的機制（system）來進行分贓。主要是台灣近
十五至十六年間的經濟發展，促進了一些台灣財團的力量出現，
加上中產階級的發展，這一部分人他們想參與政治、參與社會，
更想要把國民黨政治、經濟資源這一塊大餅的傳統分配方式有所
修正。所以所謂的主流與反主流之爭，它的根本問題不是在統獨
之爭。統獨之爭只是噱頭。實際上我可以斷言，反主流人士中，
沒有人真正想在有生之年來大陸定居、跟大陸統一的。李登輝所
代表的，是過去四十幾年被壓抑的力量要衝出來的部分，所以他
們說台灣人要出頭天。但是李登輝不方便講明，因而只好提出
「全民意志」的體現。「全民意志」是什麼呢？就是能夠參與。
實際上大多數是台灣人。最近他也提出了「外省朋友也沒關係，
願意來的就跟我來，不願意來的，你可以不算我們這個全民意志
的一部分」。我想對這方面的問題，我們應該這樣地做出解釋。
目前來看，李登輝為首的主流派勢頭非常凶猛，但這其中是否有
陷阱呢？我認為是有的。因為大家表面上來看主流派搞總統直
選，勢頭那麼凶猛、那麼占絕對優勢，我看不一定。因為直選將
使得台灣的整個政治勢力處於重編的過程，其主要政治力量是處
於整合之中。雖然國民黨的主流派從權力結構來看的話，是李登
輝整合的占優勢；但從整個政治勢力來看，包括軍隊的整合並沒
有完成。從這裡就可以知道，他們在整合的過程中，一定會失去

既往的倫理、價值觀念。因此，李登輝講錯話，或是他有什麼小錯誤，老百姓都能原諒。因為過去老百姓受國民黨的壓迫，幾十年來一直沒有機會講話。現在李登輝能夠把黑名單取消，能夠讓海外的異議分子，包括逃到大陸從事革命的台共分子及過去因二二八逃到大陸去的所謂造反人士，都讓他們回台。所以老百姓都鬆了一口氣。在這個層面上現在大家都支持李登輝，這是沒有問題的。問題是到了他直選的時候。因為台灣地方小，看起來似乎人人都想冒出來。台灣現在不能任意逮捕、槍斃人，也沒有戒嚴令。因此你李登輝可以出來選總統，我林洋港為什麼不可以出來選？我吳伯雄為什麼不可以出來選？那麼施明德、許信良也可以出來選，彭明敏也可以出來選。所以，我認為表面上看起來李登輝的權力整合，即所謂民主化的成就、功業大家都肯定，但最後假如直選時，會不會變成他的陷阱，使他自己掉下來，這是很值得我們大家注意的。

當然，李現正在努力做族群整合，他需要把二二八安撫下來，把肯定他、支持他的外省籍人士收納進來，然後再把反對他的人切開。這次他支持宋楚瑜選省主席，而把吳伯雄擠掉。這表明從另一個角度來考慮的話，假如他成功的話，他會說：「我對外省朋友不錯啊。」此外，大陸朋友可能沒有注意到，台籍人士中沒有人認為連戰是台灣人的，他是半山，包括他的夫人也一樣。這也可以說李是在做族群整合。我們若從細節上來看的話，李登輝所用之人沒有一個是經過民意選舉的。他所排擠掉的林洋港、吳伯雄、高育仁等人都是經過民意洗禮的。他個人的好惡、喜歡與不喜歡在此我不再細談。所以對李登輝的了解，我們應該

是可以批判他，但也應該做好總體的研究。他在族群整合方面的努力，儘管你可以罵他是作政治秀，或政治上的障眼法，如同蔣經國當年下鄉抱台灣農民的孩子，吃台灣小吃店的小點心，表面看來是想深入台灣人民當中，實際上都是情治人員事先安排好了的。實際上我們還因此對其進行社會科學的分析、研究。

台灣要對大陸能夠占優勢，或者保持目前的優勢，最重要的是不能亂，因而一定要把國民黨台灣化，然後把社會穩定下來，作族群整合。在經濟上李登輝並沒有講明，實際上台灣的經濟近年來一直在通過香港來利用大陸市場，以彌補台灣經濟由於美國、日本經濟不景氣所產生的負面部分。這種填補主要靠大陸的市場。關於這一點，我兩三年之前即已分析過，這裡就不再細談。

此外，有關國民黨的黨產問題也請大陸朋友注意。最近傳出國民黨賣香港的黨產，引起了一些風波。李登輝派劉泰英去整理國民黨的黨產。劉面臨著如何把國民黨的黨產整理好，使其合理化或將其企業經營現代化的問題。除了李登輝要掌握之外，為了應付將來台灣多黨政治的競爭局面，對這個黨產也不能採取既往蔣家父子的那種方式來控制，否則不足以應付局面，這一點還是希望大陸朋友多注意。這次中央銀行的總裁謝森中下來了，由梁國樹接替。謝我也認得，李登輝在農復會時，謝是其上司，他們一個懂英文、一個懂日文，互相配合一起作研究。因為有這層關係，梁國樹也可以說是他的學生，謝任期到了之後由梁國樹掌握。中央銀行是管外匯的，這個一定要搞清楚。既往是由宋美齡系統的所謂官邸派掌握一切。然而台灣銀行卻是台灣的發幣銀

行，這裡邊有台灣特殊的歷史原因，因為二二八以前台灣銀行就是台灣的發幣銀行。現在民進黨在鬧，即要將新台幣變成他們未來的國幣。現在台灣銀行的董事長由許遠東控制。許是與李登輝一起在台大搞過學生運動。從上面這些分析我們可以看出，在金融方面主流派除要真正控制以外，還要把其合理化、企業化，即他們所講的自由化跟國際化。台灣李登輝要做的務實外交都是與這些聯繫在一起的。甚至於只有控制好金融，才能夠控制大陸政策，特別是有關台資對大陸的投資。除了江丙坤控制的經濟部外，財政部還是主要的金融機構，還有其他銀行，我在這裡就不再細說了。

現在我們再來看看台灣的第二個力量：民進黨。民進黨的動態值得我們好好分析。張燦鍙與蔡同榮本來是一起搞台獨聯盟的，後來他們分裂了。這次民進黨黨主席的選舉中，蔡同榮失敗了，然後張燦鍙也下去了。許信良本來是想控制局面的，但後來施明德聯合起民進黨其他小黨派來對付最大的派系美麗島，結果施明德上去了。這是一個應當引起注意的現象。諸位要知道，美麗島系、新潮流系、海外反體制勢力，這些勢力究竟往後會怎樣發展？過去因台灣的國民黨有戒嚴，常常出事情，結果反而鼓勵了海外的反體制勢力。其實，海外的華僑、華人，特別是台籍的人士，他們給台獨聯盟、世界台灣同鄉會（世台會）、台灣人公共事務協會（FAPA），以及台灣國民黨也好，或者是從個人來講，如史明、彭明敏這些人的支持，我希望大陸朋友絕不能把其當作台籍人士是贊成他們的理念、贊成他們台獨建國的一個政治目的。實際上不是這樣的。我有很多的親戚、朋友，他

們現在在美國，拿了美國護照，生活安定之後，對台灣問題開始能夠關心，就覺得國民黨做得太過分了。出現中壢事件之後，又是美麗島事件，一會兒又有陳文成事件、江南事件、林家滅門血案等等。他們反對蔣家父子的法西斯統治，但他們找不到足以代表他們的力量。而比較有影響的是世台會、同鄉會。台獨聯盟他們不便公開支持，因此支持世台會、同鄉會。台獨聯盟是利用世台會、同鄉會，但他們也不能完全控制。因為有限的資源，他們只好到處搞組織。所以表面上看起來，大家認為海外的反體制力量、反國民黨的勢力好像很厲害。在美國，台灣一出事情他們就拚命地叫。這幾年讓他們回去以後，你們可以好好做調查，台獨的有關刊物在台灣有沒有銷路。

　　張燦鍙也學列寧、史達林，甚至毛澤東，出了他的厚厚的言論集，但有銷路嗎？過去有很多學生看史明的《台灣人四百年史》，現在史明回到台灣了，能聽到他的聲音嗎？彭明敏和他的回憶錄好像很有效，但彭明敏成立了基金會，大家老朋友捐了錢，據我所知有4,000萬新台幣，其中的1,000萬是不能動的。剩下的3,000萬本來準備辦雜誌，結果到現在好像還不敢動，因為怕虧本。甚至最近自立報系因為經營不好而改組。自立報系的所謂台灣人屬性、台灣人出頭天的一系列主張，假如真正能得到一般台灣老百姓的認同的話，我相信自立報系就不至於會那麼慘了。這一點我希望大陸的朋友應多觀察、研究一下。應該了解《聯合報》、《中國時報》兩大報系在台灣的定位，及自立報系、《民眾日報》、《自由時報》這些報紙的發展趨勢。從這裡面我們可以看出很多徵兆。現在我們也知道，從美國衝回去的只有過去的

台獨聯盟主席、後當台灣人公共事務會主席的陳唐山是一個成功例子。他選上了台南縣長。但因我最近多看北部版的報紙，很少有機會看到他的消息。

總之，我想要指出的是，他們過去所提出的台獨理念，或者所搞的台獨運動，都是對抗國民黨的。但很麻煩的一點就是，他們把國民黨當作外省人，再當作大陸人，把國民黨、外省人、中國大陸人整個聯繫起來思考問題，因而對大陸產生一種抗拒感。對這一點，我希望大陸的朋友不僅僅從台灣這方面來分析，同時也要注意自己內部存在的問題。為什麼會讓海外，甚至台灣島內的一些朋友對大陸有一種抗拒感。對這一點，我以為也應該好好地做分析。

下面我們再從宗教方面來分析一下台灣的力量。台灣的長老教會一般來說是支持台獨，不管是思潮還是運動的一股勢力。這些人都是跟英、美、加的教會有聯繫的。但我們應該注意，他們內部有兩派，一派是在搞政治，一派是反對宗教人士走進現實政治的，這一點也應該分開。認為長老教會裡所有的人都在搞台獨，這種看法是不對的。我們知道，根據台灣的統計數字，台灣的長老教會教徒最多有50萬，還有天主教及其他宗派的力量，因此可以跟外國互相呼應，可以用英文發表宣言。此外，他們現在正在努力把過去美國教會為對抗中共，在原住民中培植親他們的宗教力量這一作法承接下來。這部分原住民神父在他們當中相當有戰鬥力，但他們是否能真正在原住民中發揮其領導的主體力量是值得質疑的。

我們都知道，中國人，特別是漢族，經過一千多年的時間，

把起源於印度的佛教基本上中國化了。我記得小時候我父母從來不認為佛教是印度的，總以為這是漢民族自己的東西。這也就說明佛教在中國的落實是相當深的。而基督教自16世紀以來在中國一直很難落實成中國一般老百姓都能接受的宗教。這不一定是因為以漢族為主體的中華民族對外來文化有抗拒，可能是基督教教義與中國傳統的祭拜祖宗、儒家的傳統概念有所衝突，所以沒有被普遍接受。在這種情況下，隨著台灣經濟的發展，慈濟功德會、佛光山這些佛教組織的力量都相當強大。還有台灣本土信仰媽祖的宗教力量。信仰媽祖雖然跟馬克思的唯物史觀相衝突，但是事實上在國民黨尚未開放大陸探親政策以前，宜蘭的媽祖信徒已衝破封鎖到福建的湄州去。所以我認為將來的局面可能會發生基督教跟中國人傳統宗教的衝突。這方面應如何考慮，也當引起我們的重視。

所以，一旦對國民黨的怨氣、憤懣能夠慢慢地克服，省籍矛盾也能慢慢克服之後，新的社會力的對抗可能會有所變化。現在的長老教會也好，包括一些台籍朋友在美國，甚至一些外省籍第二、三代，也起來組織台獨支持會，這後面所附帶的一些價值觀念，是否也值得我們考慮。即所謂的現代主義（Modernism）這種價值體系內，觀念的疑惑、陰影，是值得台研所的朋友做研究的課題的。因為基督徒本身反共，認為馬克思把宗教當鴉片。此外，他們認可西歐的生產方式，以及資本主義社會產生出來的，以西歐的民主法制為中心的現代主義、現代性價值體系，仍然為其所迷惑。特別是蘇聯、東歐的解體，再加上大陸文革所帶來的災難，使他們一直迷戀歐美的現代主義、現代性還可以繼續發展

下去。所以，在這方面我們需要有一種批判性的研究。

最後，我還要提到的一點是，有關台獨運動的興起與衰退。剛才我講過，有關台獨運動之書現在銷不出去，在台灣、日本都一樣。但是他們很愛熱鬧。過去他們常常上街頭，國大選舉時他們把台獨口號喊得太響，因而遭到失敗，所以在立法委員選舉時就把台獨的口號拿了下來。從這裡我們可以看到，他們在作政治秀方面，比真正為台灣獨立建國的理念而做紮實的運動要來得多。他們的毛病與一般的政客一樣。所以最近他們當中的良心分子提出，對民進黨的國民黨化應有所批判，包括最近縣議會的賄選問題。所以台獨運動能否思想化（兩三年前我就談到了這個問題），這是非常重要的一點。假如台獨運動能真正思想化，變成一種血肉、思想的時候，那才是真正可怕的。但目前來講，思想化的可能性不高。即過去國民黨犯罪，還有中國大陸的改革與開放沒有很順利地上軌道，給了他們造成一種作秀的活動空間。所以在這一點上，我認為國民黨的台灣化不是很重要，問題是國民黨要重新作人，重新把他們的黨建立起來，變成一個有朝氣的黨。所以李登輝在縣議員選舉時，提到「百年老店，重新開張」。能否作到是另外一回事，其實李登輝已經發現了一些問題，這是對的。同樣，中國大陸的改革與開放，這四、五年間不能出亂子，要上軌道，只有這樣才能把台獨勢力壓下去。國民黨與共產黨這兩個中國傳統的黨假如不能真正重生，進而有自我改革的成就的話，我想台獨運動是會有所發揮的。

決定兩岸關係的第三種力量：海外華僑、華人的力量

　　主張台獨運動者不講華僑，而是講台灣人、台灣民族。但此局面所形成的缺陷現在已經慢慢能夠彌補了。隨著島內政治的開放、黑名單取消、兩岸關係緩和，現在大家漸漸地能夠回台灣，也能夠到大陸來了。而國民黨的僑委會能否把他們的工作做好，並發展下去，以及大陸的華僑政策如何，這兩點都很重要。首先，對華人、華僑問題，一定要考慮兩個方面的內容：一個是民族大利，一個是民族大義，即海外的華人、華僑，雖已拿到居住國的護照，但是還是希望中華民族能夠翻身。同時，他們也希望對大陸投資，或者能對大陸有所貢獻。所以這就是把民族大利與民族大義如何聯繫起來，絕不能犯過去的錯誤，把華僑、華人當作手段、工具，想怎麼做就怎麼做，把他們當作宰割的對象。

　　其次，在海外的華僑、華人，不管是台籍、大陸籍，像我這個年齡的人，很快就要退休了。現在大家都想衝回台灣去。台灣的博士、碩士太多了。但是美國經濟不景氣，美金貶值，再加上退休以後沒有事情做，所以他們認為拿了退休金以後，若是還可以再有拿年金的職位，還是希望有一個第二春的計畫。這也是中國大陸的機會。這些人你只要能尊重他們，不一定要給很多的薪水，但一定要保持他們的尊嚴，保障他們能夠自由出入，這樣的話，就可以把這樣一大批的力量結合起來。那時候像我們這些1950年代出去的知識分子，只要有保障，我想他們都會願意有一個以大陸為主要對象的第二春計畫。這一點也希望大陸的朋友多多考慮。台聯會、僑聯會應該對這個問題多加研究。

中華民族的翻身與兩岸關係的未來發展

我今天帶到大陸來的幾本書，請你們注意書中有關台灣人出頭天與中華民族翻身的問題，是紀念一個朋友的。有台灣的年輕朋友看了這本書之後對我說：「戴教授，您的邏輯我們都能接受，因為您一直是主張台灣人出頭天的，您沒有否定過，但是您批判台獨。台灣很多人認為，台灣人的出頭天與中華民族的翻身是無有機性的關聯的。您的邏輯不一定有很多人能接受。」我聽了之後，只能回答：「對於將來的方向，希望看到台灣人的出頭天與中華民族的翻身會有所關聯。」

現在我們以客觀的立場來討論中華民族的真正翻身在哪一種條件下才有可能。我要借我在這本新書中談到的Pax Sinica與Pax Britannica及Pax Americana的關聯來整理。我在書中已經說得很清楚，日本明治維新後的興起，加上很多華僑不得不在外面流亡，以及鴉片戰爭以後我們近百年所受到的歐、美、日帝國主義侵略的因果關係。大家通常都只知道甲午戰爭是日本帝國主義侵略中國，鴉片戰爭是大英帝國侵略中國。其實最重要的我還是認為如何使自然科學跟技術在中國能夠生根，並讓它發展的問題。這意思就是說，我們本來與歐洲、西歐是平起平坐的，甚至於中世紀時我們提供了不少自然科學技術方面的知識，這在劍橋大學李約瑟（Joseph Needham）博士＊所編的《中國科學技術史》

＊ 李約瑟（1900～1995）：英國的生化學者、自然科學史家。著有《中國之科學及文明》，證明中國有很多的發明和發現比西洋先進，對於將中國科學的存在，告訴對中國知性科學的傳統一無所知的西洋人，頗有貢獻。

〔*Science and Civilization in China*〕一書中都有記載。但是在中華大帝國處於最高峰的清康熙、乾隆期間,我們非但沒有發展出資本主義的生產方式,也沒有讓自然科學得到發展,更沒有把本來的技術繼續發揚光大。因而後來被西歐,主要是英國給打敗了。

現在我們再來看看西歐國家。他們從文藝復興、宗教改革、產業革命一直進行下來形成的一個自然科學跟技術的聯結,發展出了一個新的力量來壓制,不只是中國,非西歐世界都是在這個方面受到他們的挑戰,我們只能應戰。所以從鴉片戰爭到現在為止,我們的應戰還沒有完,即大陸現在雖然有原子彈、氫彈,但是自然科學技術或現代技術的發展程度,還沒有能夠真正對抗歐美。所以說我們把日本人打敗,或者是歐美帝國主義的代表蔣介石政權被趕到台灣,實際上靠的都是民間的民意,也可以說是人海戰術。

現在碰上了台灣海峽的問題。假如大陸要冒險,當然可以用武力打。但是,打完了又會怎麼樣呢?沒有什麼好結果。所以需要和平解決。但是現在和平解決牽涉到兩個國際因素:一個是美國,一個是日本。日本是比較好應付的。就是最新的社會黨委員長當首相後,認為自衛隊是合乎憲法的存在,這是否會把日本重新推上軍國主義化的舊路上去,我現在不敢講,但是我認為中國大陸如果不犯錯的話,對付日本並不難。至於美國的國際因素,我相信世界上沒有任何一個國家會希望中國強大,也沒有任何一個國家希望中國統一。他們雖然不希望中國強大,但也不願意看到中國流出上千萬的難民。他們希望中國老百姓能吃得飽、過

得好，但是不希望中國重新稱霸，不希望中國重新構成New Pax Sinica，即新中華民族的霸權來維持世界秩序。所以，我認為最後的問題還是在中國人的身上。外面的因素可以來考慮，他可以繼續跟我們討價還價。但若是我們本身有籌碼時，還怕討價還價嗎？所以我還是最後一句話：台獨的問題不在台灣，雖然要考慮台灣的因素；台獨的問題也不在國際，雖然我們需要考慮以美、日為中心的國際因素，甚至於其他種種干預；實際上只要中華民族能夠重新站立起來，能夠體現時代精神，能夠做出具有前瞻性、能貢獻於人類新未來的一些新事物之時，兩岸關係是能夠和平解決的。

1994年7月於北京社科院・台灣研究所

本文係為未刊講稿，由雷玉虹記錄整理

經濟發展與傳統文化
──從中國（大陸‧台灣）之旅談起

◎蔣智揚譯

　　這次我受亞洲21各位委託，要談一談有關中國的經濟發展與傳統精神的關係。但是這個主題是我以留學生的身分從台灣來日至今40年間，還在繼續思考並繼續煩惱的問題之一，因此今天會在談論中穿插我自研究所學習時期以來所煩惱的事情，這樣可能比較容易切入主題，也能夠與各位一起思考。以這樣的意圖，我想請您們將此作為我的思考歷程的期中報告，來接納我今天的演講。

我的研究指向

　　首先，我在大學部最初的論文是以「從台灣稻米的脫穀與調製看農業機械化」為題*1。能解決農業問題就能救中國──我從那時候就持有這樣的意識，所以選了此題目。

────────────

*1 請參見《全集》10。戴國煇的碩士論文題目為「中國農村社會的『家』與『家族』」。

　　在碩士論文中，曾想以經營學的、社會學的研究來理解作為
中國農村發展障礙的原因──家族主義[*2]。

　　之後，我的博士論文題目為「中國甘蔗糖業之發展」[*3]。我
會選擇此題目，是因為雖然自古砂糖就是中國貴重的貿易產品，
而中國和印度都是在世界上以甘蔗製作砂糖的先進國家，但結果
卻不能從內部產生機械工業化的砂糖精製模式。我想將其做整
理，以解明中國為何不能產生出與歐洲近代相對應的資本主義生
產模式。

　　把這樣的論文彙總後，進入亞洲經濟研究所，擔任台灣經濟
和台灣農業的研究，同時也進行寫作以台灣史為中心的歷史學著
作。

　　當時的恩師經濟學者東畑精一先生告訴我說：「戴君，不要
忘記初衷。你最初所思考、煩惱的事可能一生跟著你打轉。」我
所持續思考的是關於近代的問題，亦即被西歐的近代化捲入之
後，19至20世紀我們非西歐世界的問題，亞洲對付西歐近代的挑
戰之作法，不同的對應所帶來的是什麼等等問題。明確地說，印
度是全面屈服於西歐，中國是半屈服，近代的中國如孫文所說，
是被西歐半殖民地化。

　　另一方面，日本躲過劫數而實現福澤諭吉所說的「脫亞入
歐」，使明治維新成功而達成日本的近代化。日本近代歷史的步
調是否正確另當別論，以今日的經濟大國姿態，可當作一個過程

＊2、3 請參見《全集》10。戴國煇的碩士論文題目為「中國農村社會的『家』與『家
　　族』」。

來掌握。我們中國對西歐近代的挑戰，應戰還沒有結束，其痛苦
的呈現應該就是目前面臨的開放和改革的問題。我懷著這樣的意
識，從1991年開始每年都訪問中國。

改變一下話題。1995年是甲午戰爭後，台灣被日本殖民地化
之後的第100年關鍵年。然而，甲午戰爭或日俄戰爭往往被認為
是兩國間的戰爭，如果僅是這樣認為就不能抓到實際狀態。

閱讀中國歷史同時，思考的是Pax Sinica之概念。Pax是和
平，Sinica是中國的意思，因此是與Pax Romana、Pax Britanica並
行的概念。有關這一點，在此稍作說明：

清朝的最盛期，從1661至1795年的康熙[1]、雍正[2]、乾隆[3]時代
可說在整個中國歷史上是中國帝國的黃金時代。此黃金時代之後
趨向解體，最後引起鴉片戰爭[4]。與此同時，新興勢力的明治日
本正在抬頭，而中國人因為清朝解體開始大量往國外流出，華僑
社會正式地開始形成。

在此開始登場的是英國。正如各位所知：Pax Sinica的對等概
念就是Pax Britanica。的確，Pax Sinica迎接黃金期的時候，正是

---

1 康熙帝（1655～1722）：奠定清朝繁榮的基礎，於海內外展示中國文化的優秀性，同
　時積極引進西洋學術。
2 雍正帝（1678～1735）：世宗。康熙皇帝的第四子。清朝第五世。鎮壓青海、西藏、
　雲南等地後，致力於內政，為清朝的最高峰期。
3 乾隆帝（1711～1799）：高宗。世宗的第四子。清朝第六世。將緬甸、安南（越南）、
　暹羅（泰國）、新疆等作為屬國，並竭力振興文化和文學、藝術。為清朝的成熟期。
　自此以後，清朝就逐漸趨向衰退。
4 鴉片戰爭（1840～1842）：英國以鴉片之走私問題，藉機強迫中國開埠而開啟戰爭。
　中國敗給以英國為中心之殖民主義列強諸國，而成為反半殖民地化的出發點。

Pax Britanica的生成期。所謂Pax Britanica就是大英帝國霸業所保持的和平。而此英國霸業之擴張，其本身是由於自16世紀民間資本的儲蓄引起產業革命而促成世界霸業的。的確，此霸業本身就是把非西歐世界捲入西歐近代的過程，可以說是延續至20世紀世界史的狀況。

　　那麼在對應此Pax Britanica的Pax Sinica時代裡，成就大文明的中國為何未從自己的胎內產生出自然哲學、自然科學、近代技術呢？為何不能發展出資本主義的生產方式呢？思考這點時，在閱讀孟德森（Kurt Mendelssohn, 1906～1980）之《科學與西洋的世界稱霸》〔*Science and western domination*〕及福澤諭吉的《福翁百話》中的《物理學之要用》〔《物理学の要用》〕等參考文獻時，受到很大的啟發。尤其對於福澤諭吉早在當時有所描述而感到非常驚訝，該描述為：「日本人不擅於邏輯的或縝密的思考，因此若不專心研究自然科學最基礎之物理學，將不能達成近代化。」這種對日本人的警告，作為對中國人的警告，我想更需要加以重視來接受之。又有關李約瑟在他的大作《中國之科學及文明》中提起的問題，由於時間的關係，今天只好割愛。

　　卻說對於非西歐的所謂經濟發展，一言以蔽之，可說是接受西歐近代帶來的大量生產、大量消費的社會體制，以及對應這些的生活方式的過程。當然對於西歐近代，從第一次世界大戰前後斯賓格勒（Oswald Spengler）、湯恩比、梵樂希等人就發出警告。亞洲方面也從第二次世界大戰前或戰爭中，就開始在進行所謂西歐「近代的超越」思想課題的討論，此爭論還沒有結束。

那是在問：西歐近代之局限是什麼？以及「要超越之」是什麼意思？

共產主義曾被認為是超越西歐近代的一種方法，但今天這種幻想已消失了。西歐近代資本主義與馬克思主義、共產主義都只是從猶太、基督教文明圈產生的同卵雙胞胎。至少，自俄國革命開始的蘇聯的共產主義，此一嘗試並未超越西歐近代。

剛才舉了三個案例說明亞洲曾經如何對應近代。印度屈服了，而中國是被半殖民地化。另一方面，日本輕鬆地對應，並改變方向，積極地達成明治維新。朝鮮也因「東學」[5]引發被日本攻擊的煩惱，此時的日本已經化身為西歐的模仿者。日本的近代已成為西歐近代的一部分，我想這樣加以定位比較容易了解。

中國、朝鮮失敗了，而日本成功了，各個近代對應要如何加以思考呢？為達成近代化，必須有承擔者，而且為了近代化，也需要有從內部整頓新秩序的社會能量。

探索亞洲的近代化

在思考此問題時，我要參酌馬克斯・韋伯《新教倫理與資本主義精神》〔*The protestant ethic and the spirit of capitalism*〕來考量日本、中國，考慮為了擺脫商業資本主義以確立產業資本主義

---

5 「東學」：19世紀中在朝鮮興起的宗教思想。相對於基督教（西學），以民族的信仰為基礎之宗教。「東學黨」為抗李朝末期的暴政，允許日清兩國以鎮壓為藉口侵入朝鮮，而造成日本帝國將朝鮮殖民地化。「東學」之後成為天道教而生存下來，並積極參與1919年的三一獨立運動。

而需要什麼條件。

　　在《新教》裡所說的：「職業是神賦予的天職。天職並不是為了自己，而是為了神必須做最合理的遂行。這種信仰者的倫理無他，乃成為資本主義的精神基礎。」這就是馬克斯‧韋伯所說，從此被引出自主獨立與抑制怠惰、浪費、私利私欲的倫理。這是為了追求近代資本主義的合理主義，而創造出認真努力的經營者。同時也創造出勞動者勤勉地遂行各個職種或職場所賦予工作的精神狀況；亦即創造大量的經營者和勞動者，他們都是具有資本主義精神的產業人。根據馬克斯‧韋伯的敘述，這是產生近代資本主義的機制，也是內在原理。這是某種永續革命的合理主義、批判的合理主義，他為了印證、對比，舉出中國的儒教及道教為例。

　　現在話題跳開一下，我認為中國的共產主義革命是基於延安時代毛澤東的高度倫理性訴求而成功。但是到現代是如何呢？此倫理可能還未被昇華到馬克斯‧韋伯所說的近代的倫理吧。

　　如果出現了近代的共產主義倫理這樣東西的話，我認為或可作為整頓社會內部的能量而發揮作用，但看到舊蘇聯的崩潰，就知道沒有可能性。戈巴契夫曾經嘗試制度改革，但支撐其制度的承擔者並不存在。具有馬克斯‧韋伯所說的那種倫理觀的共產黨幹部並沒有大量出現，又如何有效且合理地營運那個社會？我認為並不存在這樣的精神。

　　今日的中國正在引進市場原理，而且釋放出民族的能量。但目前的狀況並不能把放出的強大能量轉換為「整頓秩序的能量」。搞不好，在產生近代的產業資本主義之前，可能就不得不

停留在到處可見的怠惰、欺詐，及利用公權力橫行不正的行為等類似這樣無秩序的商業資本主義。又「歷史的重演」是否也持續發生呢？共產黨在內部必須產生處理這個的能力，我認為共產黨若無這種能力，就只有往回走。

資本主義市場經濟可以從外部引進，不過支持此近代資本主義的精神結構應該在內部被形成。但是，如今共產制度還是依舊留存著，這種精神在中國的社會會從內部培育出來嗎？要如何解決其中的矛盾呢？關於這一點，我不認為有那麼樂觀。

為了更容易了解中國的狀況，我想舉承擔日本近代化的基本精神結構為例。

明治國家＝儒教國民國家

一是石田梅岩的「石門心學」。石田梅岩是從1685至1764年，亦即在江戶時代中期，以大阪、京都為中心之活躍者。他在日本的士農工商身分制度之中，以易懂的庶民哲學建立了商人的自覺及作為商人的自尊心，而獲得庶民的共鳴。成為其根基的是神道、儒學及佛教。石門心學使我感動的是：雖然在中國一直認為「無商不奸」，但在日本則說商人道，商人也被認為應該持有哲學，也就是說不同於儒學在中國陷入虛學之狀況，在德川時代超越理論之學，接納實學之面並強化之，而應用於庶民的教育。此中心人物就是石田梅岩。這就是我被石門心學吸引之處，對此感觸日本與中國的不同為何，並重新加以思考。

　　日本人對所有事情都設定「道」的概念。日本所謂的「道」，包含哲學和禮儀而被整理整頓成為綜合性精神之應有狀態。作為「商人道」，石田梅岩將其生活哲學普及化。

　　其次是澀澤榮一[6]。他的生涯歷經了明治、大正與昭和，是被稱為日本資本主義之父的財界重要人物，著有《論語與算盤》。

　　中國人無法想像這兩者並立之事。「算盤」是在商場欺騙對方的道具，《論語》是以人際關係應有的五個規範為中心。

　　不過澀澤榮一在此著作中所述「義利兩善」之概念，有什麼背景呢？澀澤所說的是，在明治維新以後的近代資本主義之下，賄賂的生意手法、與利權掛勾的特權商人是行不通的。改正商人詐騙的商業習慣，貫徹一物一價，在資本主義的市場經濟中，商品以等價交換。澀澤真正地把對應於馬克斯‧韋伯所說新教經濟倫理的儒學倫理，完美地與近代資本主義的合理精神做結合，當作自己的理念推廣出去。

　　澀澤榮一振興了銀行及大部分的產業，但沒有像其他人成為財閥。他當然有那樣的機會、條件和能力，不過我想他的目標是在於排除往昔資本主義中的貪婪掠奪，徹底依照價值法則來執行公正的交易，以確立這樣的經濟倫理。而就他的情形來講，其經濟倫理是靠什麼來補強的呢？那就是儒教倫理。

---

6 澀澤榮一（1840～1931）：參加明治維新運動，當過明治政府的大藏大丞（大藏大臣）〔譯註：即財政部長〕（1872），致力於創設租稅、貨幣、銀行等制度。其後開始設立日本銀行、第一銀行，打造日本金融制度的基礎。又創立王子製紙、東京鐵路、日本郵船等五百家以上的公司。

　　我在中國的大學也一直在演講介紹澀澤的理念，但美中不足的是它不能被理解。也許在唯物史觀環境下長大的人，要習慣從精神面思考或做學問，還需要一點時間。

　　在台灣，澀澤的理念最初也是完全不被理解。到了1980年代，我的論文被翻譯，《論語與算盤》也被翻譯成中文。

　　在此，對於支撐日本式近代化的精神基礎，我想要更深入思考。若閱讀澀澤的《論語與算盤》，並思考「義利同善」，就可相當合理地以馬克思‧韋伯的邏輯做說明。讓我們以明治國家的體制做為其中的一項思考看看。

　　明治維新達成之後，元勳們為了確立明治天皇的權威，制定並頒布教育敕語。我奉勸大家一定要閱讀此教育敕語，若詳細閱讀，則可發現其中已巧妙地摻入儒教的精神和歐洲近代的思想。雖然在日本也有進步的老師們否定教育敕語，但對於透過教育敕語所實施國民教育，培養了馬克斯‧韋伯所述：「對於某目標，認真合理的勞動精神」，我認為這點值得注意。在明治時期，此教育敕語曾受到庶民的支持，瞬間普及全國國民，而且《論語與算盤》所呈現的思想，亦即推進近代化的合理精神和倫理，迅速地被接納，對此我感到很驚訝。在其背景中，剛才所介紹石田梅岩的「石門心學」所代表精神，在江戶後期已經擴展到全國，這點不可忽略。

　　再者，在明治維新值得注意的是：與法國革命、俄國革命等不同，沒有君主的斷頭台，又60％至70％的江戶幕府的官吏們再被明治政府延用。此時，朱子學已成為顯學，以其為中心之儒學，可以說是採取武士道之形式而被繼承著。一說到武士道，否

定的人很多，若閱讀新渡戶稻造[7]所著《武士道》等，則我們有
必要更冷靜地重新認識。關於明治維新也是一樣，如果思考其所
帶來事物，雖然不能全部都肯定地來看，但從此處所述觀點來
看，也有很多應該更冷靜地加以檢討之處，這是我想要說的。

　　那麼，如果與法國革命以後的國民國家的形成比較，是否可
以認為日本的明治國家是卓越地利用儒學原理而虛擬的儒教國民
國家？這是我最近達成的見解。因為是虛擬的儒教國民國家，所
以必須呼籲對明治天皇的「忠」——忠誠，此呼籲帶來了《論
語》或儒教倫理之擴充及普遍化。其後就成為國家的目標，而為
國民所接納。

　　對於這個見解，當然會出現「這不是庶民對天皇制的屈服
嗎？」的反駁，但無論國家怎樣呼籲，如果在庶民之中沒有呼應
的精神準備，就不會接納。從內部來看，我想國家與大多數的庶
民之間基本上是一致的，也就是「只要認真幹就不會吃虧；配合
國家步調去做，就可生存下去」這樣的共識。

　　像這樣，所謂明治維新以後的近代化也可從馬克斯‧韋伯的
理論做合理的說明。

　　這麼一來，就會出現一個問題：日本人思想中的儒教是什
麼？台灣中國人和大陸中國人，都說日本古時候的思想無論什麼
都是中國傳過去的。問題是日本人並不是一知半解地直接攝取外
來的思想，而是在做「不同的解讀」，我們可能看漏了其中「解

---

7 新渡戶稻造（1862～1933）：教育家、農學家。曾歷任國際聯盟事務局次長（1920）
　等，致力於國際親善、日本的海外介紹。同時在日本教育界的近代化留下許多足跡。
　著有《植民地政策講習論文集》、《武士道》、《農業本論》等。

讀」的意義。澀澤榮一的資本主義式經營思想，我想其形成就是個典型的例子。

在此，我要思考的是「中國能夠克服外華內貧的的陋習嗎？」之課題。中國外表模樣非常好看，但內部卻是貧乏的。

我最近到中國大陸旅遊有所感觸。他們投入龐大的資金，建造了大旅館，在旅館外面立起「熱烈歡迎」的招牌，掛起橫布幕，真是壯觀。但服務或維修卻極差，並沒有發揮一流旅館的功能。因為維修不好，雖然是一流旅館，聽說也維持不到七、八年，說來可惜。但是他們不自覺那是浪費，因為他們深浸在「老闆五星紅旗」〔譯註：即指「國有企業（國企）」〕的溫水中。

總而言之，共產主義的倫理作為革命的倫理，發揮了很大的力量，但不能作為維持旅館的倫理。即使有制度地實施今日的改革和開放，但是進行維持的承擔者精神培養了嗎？總不會買下沒有軟體的電腦，或者都不會操作與維修，就買下大型電腦吧？不知應該如何克服像這種外表華麗而內部貧乏的傳統弊害？

最後的問題，是要思考看看中國內部的新道德觀要如何形成。

如果再次思考日本的「和魂漢才」、「和魂洋才」，我認為此「和魂」一詞就是表示日本從中國文化、朝鮮文化追求自主、自立的意志。此自主、自立的能量甚至浸透到庶民之中。換言之，日本對於自外進來的思想經常能夠掌握「解讀的主體性」。

相對於此，近代中國在從共產黨的革命倫理轉換為建立新中國的建國、建設的倫理過程中，未充分體會什麼是新的倫理，總是以權力鎮壓言論，並要求人民絕對地忠誠，但是人民並未真正

相信權力，此差距變得大的不容易跨越。

　　要如何建立新的倫理，建立具有新中國特色社會主義之精神基礎、倫理，以及為使日常生活與此倫理一致，大家要如何建立其「機制」，中國的未來可說繫於此問題。

　　趙紫陽在失勢之前，把中國的狀況定為社會主義的初期階段，並嘗試政策之展開。但是中國在此二、三年是亞當‧史密斯的階段，也就是從商業的資本主義移轉到近代的資本主義的階段，這是我所理解的。在此階段有驚人的活力，僅看到此活力的人才說中國會成為不得了的經濟大國。但是看到其內部的欺詐、貪瀆、弊端的人會說中國已經沒有未來。實際上如馬克斯‧韋伯所說，英國在亞當‧斯密斯的階段也發生過同樣的事。在此階段，到處都有混亂或不法。重點是，要在什麼階段如何做整頓？或做整頓了沒？也就是說，在何處能產生並展開合理或批判的精神？或者已經產生並展開了嗎？

　　以美國為例，美國並沒有所謂的「美國民族」。但「美國人」的概念卻很堅固。這麼說是因為來自各國的移民在逐漸建構、獨立的過程中，慢慢鞏固起來，直到取得20世紀世界領導權期間，席捲大多數的庶民，形成了美國的時代精神。因此所謂「美國人」的概念到現在還持續著，即使庶民內心多少有矛盾，也一直想跟著「美國」走。

　　還有就是有趣的「歐洲之家」。如各位所知，歐洲是經過四分五裂的民族戰爭、宗教戰爭的歷史，最後才停止戰爭而出現統合。

　　只有中國是特別的國家，自從秦始皇以後就重複著分裂打

鬥、爭奪權力的戲碼，但總是以一個國家繼續存在。即使是少數民族所建立的王朝，最後也融入漢民族之中。

雖然也有人說此漢民族的概念是虛構的，但總是有中國人或中華民族類似的概念。

結語：朝亞洲聯合以超越歐洲邁進

今天我們一起思考的是：中國或亞洲如何一邊聯合而超越歐洲近代的這個大主題之一端。在考量此主題時，我要介紹東京經濟大學教授今村仁司先生的著作《以中國來考量》〔《中国で考える》〕，在參考文獻中也記載了，他是社會哲學、社會思想的研究家。我想他持有與我一直在煩惱搏鬥的相同問題意識。

這種所謂亞洲近代化，為何其比較研究很重要呢？在此彙總如下。

首先可以預見朝鮮半島的和解將開始進展，而且中國與台灣也必須到談判桌就座。在東亞持續發生著這種新狀況的今日，東亞要如何相互合作與東南亞聯手走向共生之道？這課題不單是亞洲要超越歐洲近代，其實也是將希望給予世界全體。因此並不是被統計數字擺弄而發出「亞洲的經濟不久將……」等之世間一般表面議論，而是必須依循歷史進行認真考量。此外，冷靜地檢討評估日本近代化的正面、負面也很重要。

又，共產主義的倫理在中國革命之際發揮了作用，但目前已經失去早期的效果。

在台灣或在中國內部都沒有取代共產黨力量的狀況下，共產

主義只在擴大我所說的共產主義的負面倫理。有人質詢：在此現狀下中國共產黨要如何或能否在共產黨內部產生中共本身的自我改革，以新中國的建國為目標建立倫理、道德、精神的世界？

　　今天我說了一些沒有頭緒的話，最後想要向各位中國留學生奉勸一言：「請努力從內部凝視事物，盼各位不要只從外部做比較，而滿足於形式的議論。」

　　謝謝各位！

　　　　本文原刊於《結》：アジア21フォーラム講演要約手冊「宗教と社会の対話第四回」，頁1～7。演講日期為1994年10月22日

寄託改革於李登輝

◎陳仁端譯

　　國民黨候選人當選台灣省長和高雄市長，從這一件事看起來可以說是台灣的住民委託李登輝總統繼續推行改革吧。

　　台北市長是民進黨候選人當選了，這是事實。但是，這表示了對反對改革的國民黨內的保守派起著制約與平衡（check and balance）的作用，並不意味著不支持李登輝總統。

　　民進黨的省長候選人落選了，這是選民的一種判斷，認為如果連省長的位置都交給民進黨的話，將招致中國方面壓力的加強吧。

　　這大致上是維持現狀的選舉結果，所以，台灣在政治上發生混亂的可能性可以說已經沒有了。中國也鬆了一口氣，這樣一來中台關係就不至於發生很大的混亂。

　　國民黨使外省人的宋楚瑜當選為省長的意義值得注目。李登輝之所以推薦宋先生為省長候選人，是意在確立超越本省人的外省人新的台灣認同吧。這證明了他是不忽視外省人的。

　　由於李總統推薦的宋先生當選，李總統的領導力得以加強，將於1996年舉行的總統直接選舉時，李總統出馬的條件可以說已

經具備了。

本文原刊於《讀賣新聞》，1994年12月4日

須自二分法的台灣認識中蛻變

◎陳仁端譯

　　報導台灣選舉結果的四日各報刊早報，除了《每日》、《讀賣》以外都以「獨立派當選台北市長」的大字標題予以報導。關於台灣的情報在日本本來就很少。再者，這樣的標題很可能會誤導讀者。

　　當選台北市長的陳水扁是民進黨員，但不是中央常務委員。同時，民進黨的綱領裡有「台灣獨立」一項，但是不能因此就說民進黨就是台獨黨，陳氏就是台獨基本教義派。因為民進黨的內情是相當寬鬆的多戶雜居體。

　　在選舉運動中，陳氏遭到國民黨的候選人黃大洲（現職）和一年多以前從國民黨分離出來的新黨候選人趙少康的夾擊，被迫表明對台獨問題的態度。陳先生避開統一還是獨立的「統獨論爭」，把坐在輪椅上的夫人推出前面呼籲「舒適而有希望」的市政的實現而當選。正如陳61萬票，趙42萬票，黃36萬票這個得票內容所示，應該說是由於趙候選人擠進第二位而陳先生得到漁翁之利才是。

　　新市長馬上宣言支持現在國家體制，起用外省人（大陸籍）

的陳師孟（已故蔣介石的親信陳布雷的孫子）為第一副市長、台
北市財務局長廖正井（國民黨菁英，新任總統府祕書長吳伯雄的
黨羽，客家系台灣人）為祕書長等，不拘泥於黨派、省籍的人事
安排使人們大吃一驚。

在首次的台灣省長選舉中，民進黨想以「變天（體制變
革）」、「台灣人選台灣人」等口號來挖掘和發揚台獨意識。可
以說這是想訴諸於四十多年來被蔣父子壓制住的本省人的欲求不
滿和激情，把國民黨而又是外省人的宋楚瑜候選人拉下來的戰
術，可是結果以150萬票的差距而大敗。這是由於在對大陸關係
上既不是統一又不是獨立，而是要求自立的、維持現狀的有權者
的理性起了作用的結果。

新黨在台北市善戰，能動員大量年輕人於支持新黨的遊行，
這一點也備受注目。受了這個影響，在民進黨內部也有了重新評
估「台獨綱領」的議論。也有人發出不是議論政策，而是依賴怨
恨的發散來獲取民意的過去那種手法已經過時的聲音。

總之，這次選舉表示民主憲政的充實，以及構築包括金門、
馬祖在內的台灣地區的新認同這一李登輝總統的路線得到信任。
台獨vs.統一、本省人vs.外省人這種二分法不再有效。不是表層而
是把深層的變化放在歷史的脈絡裡來解讀已經成為必要了。

本文原刊於《每日新聞》，1994年12月20日

我對台灣政情的一些看法

一、如何看待蔣經國晚年的一連續政策

1. 開放觀光；2. 讓民進黨成立（1986年9月28日）；3. 解除戒嚴和外匯管制（1987年7月15日）；4. 蔣經國之「台灣人」自我宣明（同年7月27日）；5. 開放大陸探親（同年11月1日）；6. 報禁解除（1988年1月1日）等一系列的動作及政策可視同為「提前開瓦斯栓」。為的是減低來自於民間各方面的「怨氣」及反叛能量的「壓力」。

蔣眼看中壢事件（1977年11月19日）、美麗島事件（1979年12月10日）、林家（義雄）滅門事件（1980年2月28日）、陳文成怪死事件（1981年7月30日）、江南暗殺事件（1984年10月15日）等的發生及民情之所趨，已不能完全依靠軍隊及情治機構來壓制，非網開一面盡量減壓以防萬一也。

二、圍繞接班人而惹起的一些事件

1. 自中壢事件發生前後以來，我們可以推測國府內部為了接

班而有三大勢力在較勁：(1)黨由李煥為首；(2)情治機構（政工）由王昇率領；(3)軍隊（表面上標榜中立，由郝柏村為首）；(4)技術官僚集團（孫運璿、李國鼎、蔣彥士等人，實際被看好者係孫一個人）；(5)不易被察覺的台籍人士的民意逐漸因黨外運動的開展而成形並成勢。

眾人皆知，李煥最先被藉中壢事件而拉下來。不多久，王昇亦因鋒芒過露又被打倒。遂成為蔣經國用心治病，提拔孫運璿組閣，郝柏村主軍，先藉謝東閔（第一位台籍副總統，但此人因半山並不易得人心）後藉李登輝（第二位台籍副總統）來安撫台籍人士之不滿及怨氣，藉而維持政情之穩定。

但不久，孫運璿中風病倒，只好找俞國華來代打（組閣）。繼而蔣彥士又因十信洪小姐事被罷免中央黨部祕書長，改派無派閥抑或班底的馬樹禮接祕書長。

本來蔣自中壢事件發生以來，並不信任李煥，但俞國華無能，眼看學運及大專院校自由派學人窺機欲動，只好自向蔣經國訴求，讓李煥復出任教育部長企求學園的安定。因李多年搞救國團及組織故也。

俟解除戒嚴時，馬樹禮自認無能為力承擔過渡大任，自請退任。俞國華再一次向蔣經國申訴由李煥主黨配合他的行政來維持局面。蔣經國本來警戒李煥弄權，但局勢緊迫只好派上宋楚瑜任副祕書長而加以監視。

最近俞國華自己透露這一段經緯，還說只怪自己看錯了人，沒有意料到，後來李煥一看蔣經國死亡，動用了立法委員及新聞記者，借用緋聞案糗化俞並大行其倒閣之陰謀。

李煥在「國葬」蔣經國時，力阻王昇返台奔葬，理由甚為簡單，深怕王返來攪局並報復也。李認為只要能組閣可把李登輝架空，把李登輝變成嚴家淦型的「總統」。

政界人士，斯時普遍地認為李登輝無班底，與黨、政、軍、特都無太多關係，看起來李登輝與林洋港性格上差異甚大，基本上不敢「大膽」地真玩起「總統」大權，只好甘心屈就「嚴家淦型總統」自享「名譽」之福。這些政界人士大概忽視了：(1)李登輝的「陰工夫」及「使命觀」；(2)輕視了台籍人士的具有「怨氣」的民意；(3)外省籍人士中有甚多人士與李煥具有矛盾，需要倒靠李登輝陣營來維持自己的既得抑或未得的權益；(4)忽視了政客的本性（他們企圖倒靠最高掌權者來保持自己權位係他們難改的本性），眼看大陸短期間不可能發動武力解放台灣之攻勢，和非依靠台灣的新興中產階級之社會政治經濟力量來維持國府繼續在台掌政之局面，沒有一個既成政治勢力能夠把李登輝拉下來，除了發動軍事政變或暗殺之舉之外。

三、統獨爭議與省籍矛盾

本來，被割讓給日帝而受殖民地統治的台灣，應該自光復開始的接收回歸過程，逐漸被匯合於中華民族的歷史大潮流中。但國府接收當局之無能，中央軍之軍閥作風及傳統政治作崇遂惹發二二八留下「深痕」。不但無法整合台灣的潛在勢力於國府體制內，還強行白色恐怖政策捕殺左翼人士以防中共生根於台灣成為其掘墓人。這些都是光復至1950年代初的狀況。在此，我們

不能忽視的卻是，與國府中央一起入台的軍官民之200萬人口。斯時台灣之總人口只有570萬。來自大陸的新增人口幾乎達到其35％。這些人口的基本糧食如何確保是蔣幫的緊急課題。國府只好選擇向大中小地主（這些，全係台籍人士）擠出其「乳」並實施他們的土改。這些台籍地主除了一小部分被收編於台灣水泥公司等股東而逐漸變為國府之新貴者外，當然深怨國民黨。因中上國府官僚層都由「外省籍」占據，台籍人士無法參與外，國府的傳統政治文化之一的「關說，走後門」之風，台籍甚少人有門路外，眼看「外省籍」靠同鄉、同學關係門路大開、暢通無阻，當然眼紅累積其怨恨與不信感。

這些強化了本來就存在之省籍矛盾（中國幅員過大，國民經濟未成熟，交流網尚未建構無法交通，普通教育、國語【或普通話】教育一直無法普及，省籍矛盾、同鄉意識都甚難克服），並因二二八及白色恐怖而埋下的怨氣擴大化。

國府，當然不是袖手旁觀，只看情勢的惡化。蔣經國透過反共救國團來控制學生，大專畢業生又藉軍訓，除了控制還加以過濾，拔擢菁英勸進入黨，有「問題」者加以監視或逮捕，盡其所能把有可能反叛國府的「能量」加以管制。在地方選舉網開一面讓台籍人士紛紛加入撿「雞骨頭」的派閥爭鬥，互相抵消「精力」方便國府控制。

然在地方政治競爭場裡占上風者，因得經濟成長的餘蔭，他們藉「開發」、發工程、都市計畫等堂皇理由大揩油水。因而人人爭入國民黨以期被提名競選省縣議員及縣市鎮鄉長。因為他們可以利用審查預算以及行使實施預算而獲利。黨卻可利用提名權

來謀「回報」，一方面豐富黨庫來安排台籍國民黨人的職位。

在此過程，不屈服者當然受到壓迫以及入獄，如高玉樹、余登發者是例。

自1960年代前半期後，台籍中上層人士之後裔往歐美留學者漸眾。他們得到學位除了可謀職糊口外，諸外國的居留權逐見開放，反國府亦可保安無慮地居留。因人數漸多後，在台家族又難於施行，藉父母親情遙控在外兒女之反國府行動及言論。

在中共在外交戰場的優勢，在外台籍政治勢力（除統派勢力外）一方面擔心中共合併台灣，另一方面卻可藉「中共牌」來威脅國府退讓，他們找出最好的藉口便是省籍矛盾和二二八。因而，在台灣的所有政爭逐漸被掛上省籍矛盾而被運作，在媒體亦被一而再地炒作。因為易懂，亦可當為障眼法來利用故也。

這幾年，「激情」逐漸消褪後，台獨、二二八、省籍矛盾都甚難派上「政治秀」的舞台而運作。

國大代表選舉已表現清楚。自美返台的台獨人士已受排斥，民進黨人要的是選票而不是什麼台獨主張或台獨意識形態。

如此下去，在不久的時間裡，國府內之政爭又無法藉省籍矛盾來障眼。

李登輝能否借用並動員宋楚瑜、錢復、邱進益等第二代外省菁英，一方面作好革新並配合蕭萬長、連戰、吳伯雄等台籍精神之精力，達成建構並整合台灣的新興政治勢力，值得我人留意觀察。

本文係為未刊稿，約寫於1994～1996

如何促進兩岸文教交流，增進人民相互了解

　　張處長從行政實務上觀點介紹兩岸交流的現況，本文從社會分工的立場來論述。

　　本人從無行政經驗，對兩岸關係事務只是曾來台參加會議，以及最近幾年較有機會到大陸參加國際會議。本人在日本生活四十幾年，既非親日派，亦非仇日派，而是知日派，所以有時亦受邀於日本當局，聘任為文化交流的顧問性委員會當委員。這些經驗使我有一些看法，我們中國成為東洋有文字而最古老的國家，因此中國不免承擔歷史包袱。由於文字實在太美了，因此常常玩弄文字來唬老百姓。到大陸各處賓館都可見拉白布條用文字表示熱烈歡迎，但表現出的服務態度就是一副不歡迎。就好像我們常常談人民，但人民何在？人民是什麼？從來很少人過問。日本文教機關請我擔任諮詢委員時，他們問到大陸所提的市民交流、民間交流、民際交流等，卻發現不知道對方的市民在哪裡？對方的民間在哪裡？剛才張處長所講的，我們的民間有主體性存在，但大陸名稱是民間，其實質卻非如此。市民社會（civil society）是資本主義生產方式所產生的概念，市民在台灣已逐漸成熟，但對岸是否有市民存在，目前我不敢講，但逐漸看到影子。日本人欲

透過民間與第三世界進行往來，特別是東南亞，但是會發生找第三世界哪些人進行交流才能對等互惠的問題。

最後還可以談到族際交流，就是民族對民族間的交流。民族這一概念日本人在戰後甚為畏懼它，因為其原來的民族概念是對抗西歐的，但等學到西歐的東西再回歸亞洲時，民族主義變成軍國主義，就是負面的民族主義。所以戰後一些日本人，特別是有良心者，覺得其應該能夠克服民族主義，我勸他們：克服是對的，但民族主義不全是壞的。

在我論文中長篇大論地論述人民的概念，這裡我所談的是實然的人民與應然的人民，毛澤東曾講「人多好辦事」，但若人後天素質太差，就只是飯桶。由於我是學農業經濟，因此與農復會有點關係，當年蔣夢麟提到在台灣應節制人口，但先總統蔣公就發怒，節制人口後如何反攻大陸？如何保持政權？蔣夢麟利用美國的力量說服蔣公進行人口節制。所以今天台灣的人口問題比大陸要輕微的多。在質的方面當年推行九年國民義務教育，現在李院長遠哲一直推行教育改革，識字率比法國還高，文盲率比法國還低，因此我們有此本錢。在大陸公開的文獻都說明有2億5,000萬人不懂文字，還有其他很多的問題。因此，在我們談到人民的時候，不要藐視我們的大陸同胞，而要正視他們後天的人民素質。

接著，我要批判毛澤東以及我們當前台灣的一些思考。民粹主義常堂皇地認為人民創造歷史、人民是進步的，並因此成為一種信念，然後用一種如大躍進等強制性的運動，使實然的人民變成應然的人民。在這種情形之下，老百姓是被逼迫的，所以實然

的人民不等於應然的人民，而當前台灣的社會也有一部分人喊獨立建國，獨立建國是期待台籍的人民、實然的人民應該變成他們所認為的應然的人民，就是說他們心目中應然的人民一定是期待走台獨路線、走建國路線的。我們這些從事社會科學研究的人認為這樣搬弄實然與應然的人民概念會為老百姓引起大禍，就如同毛澤東使中國的老百姓不能吃飯，一樣的情形同樣會發生。所以我們一定要分清楚實然的人民與應然的人民是有所區別的，不能只喊口號，尤其有些知識分子套用西方的概念，最後吃虧的一定是老百姓，因為許多人可以利用外國國籍逃跑，但台灣老百姓仍要在台灣求生活。

最後我要談到的一點是，「成熟的人民」是什麼？市民社會出現後，老百姓真正能夠自覺地、有主體性地，能夠將自我的能力提升，能夠完全燃燒，社會也提供這樣的一個條件，人民本身亦有這樣的覺悟，這樣才是理想成熟的人民。我們希望這樣成熟的人民在兩岸都能成長，現在我們領先一步，我們期待大陸的朋友也能跟上來，也等待他來、刺激他來，然後我們才能真正達到兩岸交流的目的。

我回來以前在日本的報紙寫了兩篇文章，談到台灣百年世界史的背景。另外，《中國時報》的抗戰勝利50周年紀念七七專刊也登了我的一篇文章，談到我們的歷史意識應該如何共有化，目前台灣內部對於七七抗戰的歷史意識沒有共有概念，是分裂的，如何挽救與建構，應該好好檢討一下，否則談族群和諧是空洞的、是為了選票的，與我們真正想問題的人是不同的。我們與大陸分開了50年，這之間有許多歷史意識無法建構，因為過去兩岸

是對立的、作戰的，現在好不容易達到共存的狀態，這時我們應透過文化交流及學術交流一起互相建構，並超越中華民族所共有的歷史意識，然後描繪我們未來的vision以及paradigm（典範）。談到vision以及paradigm，從本質性和學術性立場來說，我們不願意追求泡沫現象，我們追求的是本質性的意義，黑格爾的歷史哲學，以及馬克思、列寧及韋伯等都談到東亞或中國，他們所寫的東西一直影響了西方的知識分子以及我們的學人，但是他們諸位從未到過中國，也不懂中文，為什麼我們從未思考他們所用的原始資料是什麼？對原始資料的使用是否恰當？學者們到處抄襲，並自詡為韋伯、黑格爾學的專家，這點頗值得我們反省。因此我希望陸委會、海基會能撥一批預算，泡沫的、政治及行政的部分固須追求，但本質性的，如我們中華民族如何真正站起來，對21世紀的人類有所貢獻，這些課題亦應該考慮。

　　以上是我未成熟的意見，謝謝！

本文原收錄於行政院大陸委員會編印，《八十四年國家建設研究會兩岸關係分組研討會議紀錄》，1995年9月，頁2～5。係為戴國煇的論文報告內容，朱鎮明記錄整理。會議時間為1995年7月19日。此書頁5～11，為沈清松針對張良任、戴國煇發言的評述報告

政府在「九七」、「九九」前後港澳政策應掌握的方向

　　本來想來學習，不發言就走，後來一想可能只有我一人，或許只有我一人已經參加過國建會三次，因此，我雖然在台灣有納稅，有資格享受稅收的回饋，所以還想做一些衛生署的意見表達，一直諸位的討論裡頭，唯一只有徐律師談到農業的問題，但也是占的比例不大，我本來是學農業經濟的，後來轉到現在的歷史，所以我還想談一些這個問題。從三次的國建會參加的觀感來看，坦白講這次的水平最高，並不是諸位在這裡，我在捧，實在是這次能夠參加這個組，我非常滿意。我1985年以後才能回台灣來，這十年有機會受邀請回來參加會議，第一次到大陸是1988年，陪我們校長，是日本的大學的校長和南開大學簽姊妹學校的合同，因為我是學校國際關係中心的所長〔國際中心長〕，那時我有親戚是國民黨的高層，不方便到大陸去，不是討厭大陸或親大陸，是怕影響到自己的親戚在台灣的政治活動，但我們校長說，你是我們學校唯一的中國人教授。我在日本40年遭受過國民黨吊我的護照，但我始終沒有要求這本護照，現在國民政府進步了，護照也給我了，也讓我來參加，但是始終我還是在付稅。今天蘇起副主委在這裡，我下面要講的和蘇博士有點關係，我記得

我回來不多久，《聯合報》在南園開會邀請我回來，那時我就提到台灣假如要在亞洲四小龍（Asia Nies）繼續保持優勢的話，將來一定要考慮如何利用大陸的市場的問題，因為新加坡、韓國、香港，香港本來就靠大陸賺錢的，那時候韓國都邀請我為他們講解大陸的情形，其實我研究大陸從來就沒有發表過文章，只是關心。那時新加坡已開始有動作，我們知道李光耀是非常怕共產黨，後來有一年，李炯才是我很要好的駐日大使，他告訴我，他陪李光耀去，李光耀開始不肯去，後來去了以後，中共沒什麼可怕，然後他就開始回來見蔣經國總統。這以後的事情我想大家都知道，李光耀他的一些言論的發展或演變。所以那時候就說，將來台灣的經濟是貿易出口導向的，但是說老實話，我們的出口導向，當然我們台灣的商人是值得我們欽佩，其實我們真正了解它的結構的話，65%是利用日本的半製品、加工賺工錢而已，所以我們莊〔國欽〕先生說我們有那麼多的本事嗎？我們現在還沒有一個品牌，這是我們非常大的弱點。日本跟美國的貿易逆差相當厲害，趙耀東先生曾經講過，我們台灣完全是代日本揹黑鍋，我們當然賺了一部分錢，大賺錢是日本人，因為日本假如繼續利用日本產地向美國出口的話，逆差更大，我們揹了一部分，以後的發展我們都知道。我在南園會議的時候說，雖然我們現在中華民國在台灣，李總統非常合理的一種新的稱呼出現，那時候是用跨過島國經濟的局限性，島國經濟在某一個發展的過程中一定會碰到瓶頸。我們的國內市場（domestic market）太小，日本戰後從戰爭的一些技術轉變成民生技術，但其國內市場從戰後的8,000多萬到現在的1億2,000萬了，能夠靠他的國內市場後來發展的一些

包括照相機等，有今天的成就，所以當年的王永慶，台灣plastic要去大陸投資，引起很大的轟動，大家開始談根的問題。我那時候好像在《聯合報》或《中國時報》提到根，意思是說，我們的民族主義，現在中共提的民族主義我們有一點抗拒，因為他的民族主義是站在他的政治立場的民族主義來強調，假如你把民族主義移轉到經濟來講，根，不是到大陸去投資就會失去了根，反而大陸的根可能變成我們民間經濟的根，我的意思就是中共當權派能夠了解經濟學的話，我們一起能夠合作，我們可以建立本身的品牌，因為他們有充分的domestic market來支持我們開發的cost，不然我們2,000萬的人口，怎麼支持開發的成本，至多是二房東，利用日本。

我們多少留學生到美國、大陸去求生的結果，真沒想到因為大家要生活，所以走上電腦，電腦才能容許生活，現在回來，我們竟然能在新竹搞那樣的規模，這是個歷史的果然，所以我當然是主張根從經濟學來解釋，一定要讓在大陸投資的根正常發展，這才能真正變成我們的根，大陸的根，但是有個條件，如何說服大陸不要把台灣吃過去，所以這就要談到我們蘇〔起〕博士。我當年在華視演講時有提到「睪丸理論」，今天有女士在這裡非常不禮貌、不文雅，但是「睪丸理論」不是在台灣提到，是在日本，亞航的董事長是我的老學長。亞航諸位都知道，是日航跟大陸通航以後，和我們的關係沒有辦法，所以來個子公司，但子公司很賺錢，亞航就想繼續發展，想要搞他們的台獨，意即亞航獨立，所以他就想如何與台灣做基地（basement）想用華南來發展。他請我去演講說海峽兩岸關係究竟將來會怎樣發展，所以那

時我就第一次在日本公開地談「睪丸理論」來解釋兩岸三地的關係，意思是指香港、台灣和大陸，就是大陸，最好的例子是山東大漢，非常大的體格，兩個睪丸一個是港澳，一個是台灣，但是當年台灣的朋友，偷偷做生意都知道大陸的重要，一般老百姓還不知道大陸的市場將來對台灣的經濟有什麼關係都沒有發覺，所以我提出來的時候，大家都不以為然。我說一定要說服大陸讓他知道，不要把港澳、台灣吞進去，吞進去對大陸沒有好處，對我們也沒有好處，因為睪丸一定要放在外面，但是不能切斷，在外面精子才會繼續生殖，不然進去的話就沒有創造能力，死了以後卵子也完了。所以我另外有個理論就是說，大陸怎麼看，就是chaos，渾沌，但與彭明敏先生現在開展的理論不同，因為吸進去就完了，所以我要再見告別中國，但我的意思是說chaos是有可能性，現在自然科學的chaos理論都是風行世界，意思是說chaos渾沌裡頭或許可去追求，但持續需要非常大的能量才能持續。

　　我大概是1991年第一次到華南看農村，回來在報紙沒有寫大陸的，然後謝森中先生在中央銀行當總裁，因為我雖沒有聽過他的課，但他在亞洲開發銀行的時候，常常到東京開會，會找我幫他翻譯或做其他的，他找我到中央銀行吃飯，找了幾位農業經濟專家，問我大陸看得怎樣，我說大陸的問題最重要是農業問題，因為總人口的80%還在農村，農村問題不能解決，教育問題不能解決，文化、生態一直在破壞，因為窮。黃河不但不能治，長江可能會變成第二個黃河，但是現在有可能，因為過去誰都沒有看過真正的黃河，瞎子摸象，在黃河頭認為這個是黃河，在黃河下游認為這個是黃河，現在有可能新造象，還有現代土木工程，有

大型電腦，只要能把那三條河治好，並且能讓農民自發生產的話，大陸才有希望。但大陸很糟糕，現在他們選大學的志願，農業擺在第十幾個，這是不對的，看看台灣，李登輝總統當年也是選農業經濟，我是除外，意思是說不要老是找作商的。今天我聽到大家發言都是談台商問題，其實真正對台灣海峽安全保障，是如何提升大陸八億農村人民的生活水平及農業生產，才能夠解決問題。所以這一部分合起來就認為兩岸三地有機性關聯，一定要我們能夠注意一起思考，但是我不太贊成，大家認為大陸沒有希望，或大陸共產黨沒有希望，我們現在在這裡講，我從來沒想到我今天能夠在這裡發言，我相信李總統從來也沒想過他自己會當中華民國的總統，這就是變化。國民黨在變，誰能預言蘇聯在七十幾年後會崩潰，所以今天中國大陸我們要抱著信心，對老百姓要抱持信心，雖還是chaos，但還是有希望，我們仍要繼續努力。

綜合討論會

這兩天經過學習發現，談經貿的朋友談到應從全世界的經濟來定位兩岸的經貿問題。除了表面的政治變化外，兩德的問題最重要的是世界史，1991年我第一次去歐洲返國後赴北京，他們希望我在台灣研究所演講，特別想了解為什麼台籍人士要恨大陸人，二二八的恨為何那麼重，我提了一個條件：先讓我講兩德問題，他們以為台灣希望交叉承認進聯合國。我演講時又提出問題：也許我們對共產主義不能接受，但搞東德的那一批人是明確的和法西斯奮鬥的，這一部分雖然有史達林的戰車支持，最後完

全被吞進去。我警告他們不要以為中共大就能把台灣吃進去，這就是徐〔小波〕律師所講的以小搏大，從我們負面的、不夠的要如何變成正面的、優勢的來思考問題。東德的問題是共產主義制度的問題，另外一個是人類的高度道德行為，如果得到政權時自己沒有反省能力，一樣會垮掉。

我們從鴉片戰爭挨打到今天，但是我們始終以西歐的模式國民國家（Nation State）來思考問題，最後的目標是一人一票的民主。現在全世界面臨中國大陸12億人的一人一票民主，這是第一次的實驗，不是台灣的一套搬過去就好。美國的聯邦可靠嗎？現在他們開始把英文定為國語，夏威夷開始有獨立運動了。這是從全世界的歷史來看人類的實驗在哪裡，所以我們不能以為將台灣的制度搬過去大陸就可以。這種非常形式主義的比較，不是學習社會科學的態度。

台灣內部有國家認同的差異，但是我們沒有說國家未來統一的模式是什麼。我不相信中共很想把台灣吃過去，我認為他如果讓台灣獨立的話，新疆、西藏、蒙古馬上就出問題，他對其內部的恐懼更勝於台灣走台獨的路線。所以討論兩岸關係一定要有一個vision。為什麼毛澤東沒有國家理論？當然他們共產主義國家說國家終究要消滅。李總統訪美回來後常提到的一點，就是後冷戰時期究竟國際法還是傳統的嗎？國家要統一，但是什麼樣的國家？中國人對國家的概念與西歐不一樣，而是勉強適合西歐的政治思想，所以我們未來追求國家的vision是應該討論的。

我們當然罵中共腐敗，但鄧小平做對了一件事，過去我們養了一隻雞，生了三個雞蛋，拿出去賣是犯法的，現在是自由市

場，開放讓人追求基本欲望，用經濟史的概念來說是正常的。大陸6,000萬黨員懂得經濟的沒有幾個，這方面我們是應該多討論的，然後給他們幫助。現代化是需要多種的人才，這點是要多討論的，馬上建議陸委會應該怎麼做，是下一階段的事。

本文原收錄於行政院大陸委員會編印，《八十四年國家建設研究會兩岸關係分組研討會紀錄》，1995年9月，頁166～170、頁207～209。會議舉行時間為1995年7月20日

圍繞台灣海峽兩岸三地的現狀與展望
——第49屆現代亞洲研究會

◎蔣智揚譯

兩岸三地的相互依賴關係與連動性

由於冷戰結構的瓦解、蘇聯的解體、東歐的民主革命等等，世界正在急速變化之中，如今就種種意義而言，可說尚在陣痛期。

在東亞，由於台灣的民主化、中國的改革開放，加上在東亞日美中緊張關係的趨緩，台灣海峽乃急速穩定下來。此外，1997年香港將回歸中國。

在這樣的狀況中，值得注意的是，台灣海峽兩岸三地（台灣、中國大陸、香港、澳門）已經急速並明確地在經濟面開始連動起來了。

台灣與中國大陸之間，即使是非正式地，人的往來與投資正在急速增加中，又台灣與香港之間去年的貿易額達到200億美元，台灣與中國透過香港的貿易額也攀升到170億美元。現在所謂華南經濟圈或中華經濟圈，之所以受到注目就是基於這種現狀。

亞洲的發展與華僑、華人社會

亞洲地區在第二次世界大戰後，區域內包含南北越、南北韓、台灣海峽三個火藥庫，經常面臨著戰爭的危機。

但是由於越戰的結束等等，這些火種雖然還引發著種種問題，但在大方向而論，可認為正在走往緩和之途。

在如此狀況中，扮演著東南亞之經濟中心角色的華僑、華人（具有居住地國籍的原華僑），以香港為中心而與中國保持密切的聯繫，其所進行活動相當活躍。他們的聯繫方式希望不會損及印尼、菲律賓等自己居住國之經濟，並期望隨著中國大陸之經濟發展一起促進東南亞整體的活性化。如此所呈現的狀況就是亞洲四小龍（Asian NIEs）或東南亞國協（ASEAN）之經濟榮景。

就此種意義而言，21世紀的亞太地區可能成為世界經濟之領先區域，隨著具體事實的進行，出現了這種動向的共識。

香港的立法評議會選舉與台灣的總統選舉

在僅剩兩年就要歸還中國的香港，英國於本年九月強加推行了立法評議會選舉；對此中國批評為「急就章的民主化」，中英因而對立。結果英國確立了反中國派的優勢，同時凸顯香港居民對中國根深柢固的不信任感。

在台灣，預定本年12月要進行的立法院選舉，以及來年（1996）3月初由公民投票的總統選舉，受到注目。

對於李總統的訪美，中國進行了「四評六彈」（新華社等之

四項批評與對台六發飛彈的試射）。此舉不僅是對台灣的警告，也可視為對美、日的警訊。

同時李總統一連串的務實外交與朝向民主化的行動（尤其是總統的直接選舉），給予中國很大的不安，這也是事實。

中國似乎認為，台灣基於民意而脫離中國的分裂現狀固定化，可能牽涉中國統一性的喪失。

大膽推測的話，甚至可以認為中國可能為了解決台灣問題，必須維持現在的內戰狀態，亦即要避開視內戰已結束因而可以以台灣海峽為界視台灣獨立為既成事實。

另一方面，李總統認為把台灣做成小規模的民主化體制，如果成功的話可提供中國良好的模範。

將住在台灣的2,100萬人不分本省人、外省人、少數民族而加以團結，並消除蔣介石、經國政權之後遺症，這種作法大概已經成功了。

進一步，由公民直接投票的總統選舉，他也親自出馬參選，確實推行民主化的程序，以台灣的教育水準與經濟力為背景，想要在冷戰後世界局勢渾沌的狀態中有所成就。

此等動向並非就是要進行台灣獨立。為什麼？因為自1949年以來台灣即保有獨自的政治實體，事實上即為獨立狀態，而且台灣大多數的人們也希望維持現狀。

再者，美國不期望台灣與中國成為一體，也不期望與中國對決而使台灣建國，其本意應該是希望維持台灣之現狀而作為與中國談判的籌碼。

但是，此等朝民主化的動向，中國卻視之為台灣獨立的企

圖，並擔心自己被「和平演變」，雙方就此問題似乎產生極大的意識落差。

21世紀為亞洲、太平洋時代

毋庸置疑，21世紀會是亞洲、太平洋的時代。作為世界經濟之領先區域，又藉由自然科學的發展，作為新的資源寶庫，太平洋本身應該會以海洋資源的型態而受到矚目吧！

在如此展望之下，亞洲兩千數百萬華僑、華人們要如何達成共生，應該是今後的課題。

正如1895年法國詩人梵樂希所預言，亞洲在經濟上與所謂近代的生活模式中，將由美、日來領導，此種架構至今未變。

亞洲在21世紀為了達成真正的發展，不是要與美、日競爭，而是要吸收美、日的長處，避免第三次世界大戰，在發展本國經濟的同時也要貢獻於亞太的發展，這才是重要的。

本文原刊於《九経連月報あすの九州・山口》第412號，福岡市：社団法人九州・山口経済連合会，1995年11月，頁38～39，由國際部德永記錄整理。係山口經濟聯合會與福岡UNESCO協會共同主辦演講會的演講要旨，地點在福岡市天神大廈，1995年9月29日

輯三

日本・台灣近百年史

台灣近百年與日本
——從我的體驗來探討

◎林彩美譯

　　主持人（檜田）＊：今年〔1995〕我們以「戰爭與教育——戰後50年」為題舉行兩次演講，今天請立教大學文學部史學科戴國煇教授來談「台灣近百年與日本——從我的體驗來探討」。首先我想先簡單介紹戴老師的經歷。

　　戴老師生於台灣，在台灣省立農學院農業經濟學系畢業後便留學日本，在東京大學大學院取得農業經濟學領域的碩士、博士學位，之後進入亞洲經濟研究所，1976年就任立教大學史學科教授，擔任史學科與立教大學多項職務，現在也極為活躍於立教大學史學會會長職務。戴老師的專攻是東洋史的近現代領域。

　　以下就請戴老師多多指教。

前言

　　戴國煇（以下簡稱戴）：諸位晚安，在這麼嚴肅的地方〔禮

＊　主持人為檜田光太郎，立教大學理學部教授、校牧室委員會委員。

拜堂〕演講，是我從沒想過的事。速水老師（現任校牧長）和我都是吃台灣米長大的，速水老師回到立教大學任教，命令我：「戴啊，有時間的話要出來講話！」既然前輩說話了，我不好逃避，今天就勉為其難地到這裡演講。

　　昨晚我搭最後一班飛機從台北回來。在台北時，我厚顏地以「〈出埃及記〉與台灣民主化之我見」為題，在國際學術研討會中做了報告，在台灣大概是首次有人提出這個問題。所以我是被媒體——特別是電視——追著逃回日本的，所以現在感覺像是來這教會尋求庇護一般。

　　這些暫時擱下。今天的主題「台灣近百年與日本——從我的體驗來探討」，是因為速水老師打電話給我，我便想從自身的經驗來做演講。

　　我的演講大綱中附了〈台灣的百年（上、下）〉，這是我寫的隨筆，今年7月12、13日刊登在《東京新聞》晚報〔參見《全集5‧第一章　近百年基軸之探索〕。

　　這七、八年來，我覺得很空虛，因此幾乎謝絕上電視或為雜誌、報紙執筆的邀約。不過我發現今年是一個很大的轉折點，所以接受主編採訪。我想，如果是這樣的主題，來寫寫文章不也挺好？於是接受邀稿。想不到的是這篇小論文引發了種種話題。大致說來，我在這篇文章的構思與目前流行的看法相當不同。

　　為什麼會有不同，我想在今天的報告中提出說明。我已在岩波新書《台灣總體相》中述及台灣的狀況，書裡描寫至1988年為止的台灣，本來我想增補修訂，但因為直到今天書還是很暢銷，而無法出增補版。這本書已經出了19刷，賣了超過10萬本。

　　由於現在中英兩國已正式決定於1997年7月1日把香港歸還中國，而在此期間，台灣民主化的內容和走向也會相當明朗化。如果可能的話，我考慮重寫新書或出版上述書籍的增補本。

　　我省思自己在《台灣總體相》中提出的問題，認為只有一個地方和我預期的不一樣：台灣現在的總統、最高政治領導人李登輝先生，或許將會以集體領導方式，進行台灣的民主化。

　　李登輝先生是我個人也知之甚詳的前輩，他本來是我的同行。他曾就讀京都大學農林經濟學科；而我則就讀於東京大學，但令人感興趣的是李先生在京都大學並不是農業經濟學科，而是農林經濟學科。無論如何，他是在學問上和我有共通話題的前輩。這位前輩正拚命終結台灣政治過去曾有的悲哀，也為改正過去依賴戒嚴的政治運作方式奮鬥著。

　　他本來並不是國民黨黨員，而是從學界被提拔進用，於1972年中（大陸）日建交前後從政。基於這樣的經歷，他無法在政權核心培養自己的人脈，也沒有支持他的勢力，因此我預估他除了與既有的山頭妥協以進行民主化外，沒有其他作法。

　　再者，在《台灣總體相》中，我也預言：李登輝先生並不一定需要別人，可是以台灣的情形來說，台灣的民眾卻很需要他。他曾留學日本及美國，又愛讀書，人品好、清廉，應該會把台灣經營得好。

　　此外，《台灣總體相》也大致預見到台灣海峽的情勢將平靜化，台灣獨立運動或許會逐漸喪失支持的勢力。雖然我所預估的事幾乎都不差，不過李先生今天的領導型態，以及他個人的積極發揮，則是我所未能預見的事。

　　其實從1972至1985年，我們並沒有見面。坦白說，我被列入黑名單，無法返台。這段期間他進入政界，打滾成長為政治家，因此我們沒見面。1985年濱田前總長擔任棒球部部長，我以棒球部遠征台灣顧問的名義隨同濱田部長返台，因為這個契機，我才見到久違了的李先生，當時他已是副總統。也因為如此，我對踏入政壇後的他並不了解，所以我的預想會有點誤差。

　　為什麼我先向各位提及這些事？總之，現代世界史的狀況非常撲朔迷離，在渾沌不明中，對於自己、自己的社會、民族、國家的未來走向不錯估，是作為歷史家的使命。

　　可是歷史研究者往往很懶，只是羅列史料，就可簡單完成著作，也能應付對學生授課，我認為，如果這樣即使可稱為研究者，也不能被視為史學家。如果不能在過去的歷史脈絡中把握住現在，在這個基礎上預見未來的方向，不能持有這種歷史哲學觀的話，大概不能說是真正的史學家吧。僅僅羅列文獻的話，我認為只是歷史匠而已。

從「馬關條約100年，告別中國大遊行」說起

　　遺憾的是，今年4月16日台北有一個「馬關條約100年，告別中國大遊行」。所謂告別，中文裡是再見的意思。下關似乎也有一樣的遊行，但因我幾乎不看電視，所以並不知道。《朝日新聞》福岡支局打電話給我，要我談談對此的看法並做評論，我才知道這件事。這個遊行規模並不大，其真正的問題在於「馬關條約100年，告別中國大遊行」這個標題。

其實一部分日本人對這些字句感到高興，我在這個現象中，看到日本今天顯現的狀況。由於日本的知性和理性都已解體，我和諸位有心的日本人共同產生嚴重的危機感。但是對日本人而言，這個大遊行的訴求卻很吸引人。

為何如此？所謂《馬關條約》，就是《下關條約》。1895年4月17日台灣被編入日本的領土，日本開始殖民台灣。戰後台灣再度回到中國，今年是戰後50年，從《馬關條約》至今則有百年，因此有今天的台灣可說是託日本的福，即是託被納為日本殖民地的福。可以向中國告別之意，其實就是託《馬關條約》的福。

當然會參加遊行的人，主要是訴求台灣獨立建國的人。基本上我認為，台灣獨立運動並不能有效解決台灣問題，或有助於台灣海峽的和平。台獨並不能解決問題，我一貫都是這麼批評。

當前台灣的住民有2,100萬人。日本人所知道的台灣，是殖民地時期的台灣，只是台灣本島、澎湖及其鄰近島嶼。但是戰後國共內戰，也就是中國國民黨和中國共產黨發生內戰，金門、馬祖作為中國革命未完成的部分，和台灣本島、澎湖島都沒有被中共解放，到今天依然都如此。

雖然在歷史裡「假如」是沒有意義的，可是1950年6月發生韓戰，美國介入亞洲事務，第七艦隊巡防台灣海峽；隨著韓戰的展開，亞洲——尤其是東亞，冷戰結構固定化了。可說，如果沒有美國第七艦隊的介入，台灣不會有今天的情況。我並非想界定這是好事還是壞事，而是想強調此事可視為歷史變化的一項因素。

　　1954年的砲擊事件〔譯註：指1954年發生於金門的九三砲戰〕規模較小，但大家大概都記得1958年中國共產黨對金門的砲擊戰〔譯註：指1958年發生於金門的八二三砲戰〕，包含金門、馬祖，即今日台灣的領域。事實上，位於台北的中華民國政府、由李登輝總統領導的政府，實際有效管轄的領土、行政區域，是包括台、澎、金、馬。

　　在座的諸位日本人不太會知道這類事，一般民眾是沒必要想得太深入。普通日本人所關心台灣的事是：到台灣旅遊時，高高興興去參觀故宮博物院，吃吃中華料理，或者有機會去打打便宜的高爾夫球，然後回日本。

　　今年四月台灣的遊行中提出「告別中國」、與中國說再見的話，再見和逃離是同義語，這究竟是什麼一回事？所謂台灣獨立建國，是非常具有創意的挑戰，應是創造性的政治行動。但所謂「告別」，則是逃避、逃脫的意思。我對這個運動的批判是，這種沒有出息的獨立運動將伊於胡底。

　　假如2,100萬台灣全體住民，包括金門、馬祖在內，65％以上的人都以獨立建國為目標，那我一個人是阻擋不了的；在這種情況下，即使中國共產黨動用武力，恐怕也壓抑不了獨立運動。然而，以留學生為主──固著於美國式的近代或日本式的近代價值觀的人舉辦了這次的遊行。

　　到底台灣如何從中國逃離？與中國對決、戰鬥後，台灣始可獨立，然而逃離後要去哪裡？是要到新高山〔指玉山〕或富士山、洛磯山？這實在是令人難過、悲哀的事啊，遊行主辦者的無主體性令人掩目不想正視。

略談司馬遼太郎的《台灣紀行》

司馬遼太郎之著作「街道漫步系列」中的《台灣紀行》，似乎很暢銷。我和司馬先生其實有一面之緣，也曾經一起參加演講。他是很有名的傳記、歷史文學作家。但是，想到他這本書對未來日本和台灣的關係，或是日本和中國的關係，如何影響、如何投下一些餘波，很令人擔心。我會這麼說，是因為這本書很易讀，畢竟司馬先生是名家，文章寫得很好。

各位如果讀了這本書，會發現我的名字也在其中出現過幾次，但是並不是把我當成台灣史的專家來看待。另外，也可以說，他利用的材料，有相當部分是從我的書中發掘出來的。

乃木大將的故事就是個例子。乃木希典起初是以司令官的身分到台灣，之後才成為台灣總督。他和吉田松陰是同鄉，相互景仰。用中國話來說，他是了不起的儒將，是有學問的軍人。在日本人所寫的漢詩中，他作了名為「山川草木」的詩，受到中國一流詩人的讚譽，這很不容易。這與日本的學者研究莎士比亞卓有成就，並獲出版其成果一般，他的詩至今也還受中國人敬佩，是漢學素養很豐富的人。

我無意中發現乃木大將在台灣寫的信。他怎麼說呢？他說日本人是乞丐，這乞丐取走台灣這匹馬，卻不會騎（有如乞丐獲得贈馬，既無法飼養，亦不會騎乘）。他在信裡寫的這些內容，我認為很重要，於是率先在日本引用在論文裡。如果沒讀到我的書，像司馬先生這種大忙人，應該不會發現這封信。

我們歷史研究者寫論文時，如果沒有仔細作註，或許會被說

成剽竊。但是小說家不這麼作就沒有關係，不尊重著作的優先權也無妨，儘管全部拿來引用，甚至完全不用中文文獻，只引用日文資料，司馬由於都不說任何人的壞話，只是對所有的人感謝又感謝，因此沒有人有怨言。

我的朋友們讀了司馬先生的書後，打電話或寫信給我，告訴我：「戴老師了不起喔，司馬遼太郎給了你那麼高的評價……」但是我卻心有戚戚焉，有心疼的感覺。

這些事都無所謂，問題在於這本書會對日本人產生什麼影響。

林房雄寫《大東亞戰爭肯定論》〔《大東亜戦争肯定論》〕時，他的共犯並不在日本之外。我這麼說，意思是：當時中國大陸自信滿滿，東南亞也自信滿滿，韓國當然也自信十足，直到今天，韓國人都還依然如此。

今天的狀況是，日本發展為經濟大國，其實是以台灣為開端，許多亞洲人藉著與日本的商社、資本、工廠的關係賺錢，因而提出相關批評的人很少，沒有人認真地提出批判。

正如我前面所說，日本的狀況很渾沌不明。雖然我們無法贊成史達林式的社會主義，而社會主義所提出的理想、理念，今天卻已成為垃圾般的東西。見風轉舵的大師們、評論者以及偽知識分子，仍挺起胸膛，不知羞恥地說：「看到了吧？」我對這種現象實在無話可說。

基於這種狀況，司馬先生的書可能會產生負面影響，逐漸讓日本人對台灣人和台灣有錯誤的看法，甚至也誤解中國人或中國大陸的狀況，對日本社會和日本人來說，這豈不是會造成很嚴重

的負面效果？

我想到戰時德富蘇峰的事。當時是殖民地時期，因為我的哥哥們正在日本留學之故，我家有許多書，託這個福，我雖然偶爾也有錯誤的發音，但是現在可以在這裡比較合宜地向各位報告：我認為德富蘇峰這個人的一生十分值得研究，但在面對戰爭時的情勢非常恐怖，因為法西斯主義在不知不覺間會撲過來。

我認識司馬先生，我們又曾一起演講。雖然如此，仍希望在座各位在讀他這本書時，要非常小心。

終戰、敗戰與勝利、光復之間

對日本來說，1945年可說是「終戰」，也可說是「敗戰」，之後已經過了50年。今年9月11到13日，我到香港參加國際會議，會議名稱是「紀念抗戰勝利50周年國際學術研討會」，在香港是用「勝利」兩字的。

在台灣，則是今年10月25日舉行紀念光復50周年活動，雖然有紀念活動，但是我不能常常向立教大學請假，因而不準備出席——在台灣是說「光復」的。韓國也使用同樣的文字，回到原來的光明；雖然一度陷入逆境，但是又再度回到順境——也就是從殖民體制的桎梏，回到自由的狀態。

我們可以把「終戰」、「敗戰」、「勝利」、「光復」這四個名詞放在一起思考是耐人尋味的。在日本，當然也是很混亂的狀態，這是因為民主主義的關係，可以有種種仁智之見。但是如果堅持反戰、貫徹和平主義的話，我還是期待日本人應以「敗

戰」來為自己定位。

　　我在香港的學術研討會中，曾提出嚴肅的批判。雖然中國說「勝利」、「戰勝」了，但到底是戰勝了誰？從中國人的立場來說，我們從來沒有登陸過日本哪一處地方，所謂勝利是贏了什麼？會場鴉雀無言。所謂中國的勝利，大家都有誤解。用英文來說，中國是「bitter victory」，只是「慘勝」而已，僅僅是形式上的勝利。

　　戰爭結束後，中國立刻陷入國共內戰，蔣介石擁有美國的近代化武器，得到巧克力、軍服等等，每天在重慶開派對。重慶附近，也就是中國西南方，幾乎都是國民黨軍重要部隊所駐。

　　另一方面，中國共產黨以延安窰洞為基地，人人穿涼鞋、草鞋，一副破落模樣。但是這種軍隊翻山越嶺，向華北推進，然後徒步走到滿洲地區，展開游擊戰，終於稱霸全中國。

　　當時蔣介石的軍隊等待的則是美國的飛機和登陸用的舟艇，靠別人來運諭。軍隊的將官每天跳舞度日，說著：「啊！勝利了、勝利了！」等他們注意到情勢改變時已經太遲了，終於失去大陸江山，落荒逃到台灣以延續政權，又因韓戰發生，再次得仰賴美國協助防守，而延續其生存，才有今天台灣的繁榮。

　　究竟台灣的繁榮何以致之？今天因為時間所限，無法向各位報告。

　　我在香港的學術研討會中也看到來自大陸的學者，當時我嚴肅地向大家提問，到底是誰贏了誰？並提出批判，最後對未來應如何展望此課題再次發言，拋出嚴肅內省的問題。

　　再者，我也針對光復50年，在台北以「〈出埃及記〉與台灣

民主化私論」為題提出報告〔參見《全集5・第五章　試論〈出埃及記〉及台灣民主化》〕。台灣的各家電視台和報社，要製作10月25日光復的專輯，蜂擁到我下榻旅館的房間來，這如我所料，因為無法到東京採訪我，一旦發現戴某人正在台北，就一直追著我跑。

　　我在台北提出了應再次確認「光復」的問題。所謂光復是指什麼？當然在今天台灣對此問題眾說紛紜，對於前述參與遊行的台灣人來說，所謂的光復只是一半而已，光復的目的並不等於只是回到中國。

　　1945年8月15日，日本接受《波茨坦宣言》，我們把1945年當成是戰爭結束的一年。從孫文發起辛亥革命，建立中華民國的那一年，也就是與大正元年同年的民國元年來算，1945年是民國34年。而如果是如台灣獨立運動者所主張的，從1945年開始存在所謂台灣人政治勢力或政治主體，那麼這一年不正是台灣元年或台灣零年？

　　但是原本並沒有這種想法，現在也沒有這等議論，三、四年前當我提出來時，誰也不了解這層意義。可是近來開始產生這種議論，當然大家都不會說是由我最早提出，因為我對獨立運動一直採取批判的立場。

　　我想說的課題，是應該如何把握台灣人精神史的起跑點。但是台獨運動卻沒有台灣元年、台灣零年這類的主張，以這樣低層次的思考，可說台獨建國是非常不可行的。

　　直到戰爭結束這一年，曾到美國留學的台灣人，都還只限於幾個教會的人，或是有錢人的孩子，可能還不到十人吧。他們的

名字我幾乎都知道，但是坦白說，台灣要怎麼思考和美國的關
係，光復之初並沒有這個想法。

台日關係的虛實

至於台灣和日本的關係又如何？現在有人為《馬關條約》已
100年高興著，或者對日本有所期待。不過戰爭結束那年，日本
人本身對日本並沒有期待，國家吃了兩顆原子彈，東京和大阪、
神戶都已形同廢墟，人人處在一片飢餓中。

最近台灣的老鄉開始出版回憶錄，大言不慚地在書中說當年
自己在日本有多麼崇高的地位，有如何優渥的薪水，即使是那
樣，仍然心向著台灣而返鄉。

我想指出，這是謊言。50年後的日本現況，就算當時的日本
人也無法預料。日本人只是有熱情，想努力拚命以重建祖國，但
當然也有滿懷的不安，覺得戰後的復興可能要花上50年甚或百年
吧，我的前輩們是不可能預見今天日本的狀況。此外，甚且出現
有些人在戰爭結束時，說不想回歸中國，要圖謀台灣獨立。

在回憶錄裡混雜了創作，這是很普通的事。人們如果不能忘
記不愉快的事，必定會神經衰弱，因此大概都只剩好的回憶部
分。

事實上，雖然台灣比朝鮮半島早了14年被日本殖民地化，戰
爭結束時，台灣人卻不像朝鮮人般，有位居高位者，雖有台灣人
出身一高、東大，但是卻沒人當到局長，在台灣總督府也不過當
到課長而已。

　　台北帝國大學中，只有一位台灣人教授，也就是之前立教大學理學部所邀請的、我的前輩杜祖健先生之父，這教授是所謂的花瓶，他研究蛇毒和鴉片，在京都大學取得學位，是在後藤新平所創立台北醫學校就讀的我叔叔的同輩。說起來很難聽，可是事實上與其說他是教授，不如說他是裝飾品。只有這樣一位而已。

　　如果說是平等待遇，如此就無法實行殖民統治。我今天會在這裡，當然是要感謝立教大學的各位老師，但這是另一回事。戰前的東大，只有兩名台灣人當上助教授、一人擔任講師。到戰爭中期以至於末期，由於日本人的老師被徵召參戰，而不得不開始錄用台灣人，因此醫學部有兩名台灣助教，經濟學部有一名台灣講師，三人都是我所認識的。

　　講到這裡，所謂殖民統治，不只是日本才有而已。在世界近代史上，殖民統治大致被視為是歐洲近代必經之路，也因而被日本效法引入近代殖民統治。我們沒必要認為只有日本人作了這種惡事，我是從比較史的角度上理解這點的。不過，我同時希望日本人能確知，他們同胞在殖民統治上曾作了很過分的事。

　　很遺憾的是，對我來說，和朝鮮半島的人相比，台灣人是很狡獪的，不說實話，對日本人只講好話。

　　或許中國人原本就是這樣，很柔軟。朝鮮半島的人就很強悍敢說，因此有趣的是，雖然日本人在朝鮮半島往往被數落，但是到台灣來時，到處聽台灣人說「日本時代很好」，像司馬遼太郎先生之類的人，聽到心情當然很好。

　　同一個明治政府，在朝鮮時作惡，在台灣會行善嗎？如果這樣不是很奇怪嗎？所以事實並不是如此。日本人對台灣的特殊情

況沒有好好研究，台灣人只是給個口惠而已，日本人卻當真接受了。

霧社事件（1930年發生的泰雅族抗日事件）的結果怎樣？是到使用毒瓦斯的手段。1915年西來庵事件中，漢族全村被殺害，是殺掉整個村子的人！

日本人都是從廣大的中國大陸開始做中國研究，而不太做台灣研究。開始研究台灣，也只出現一些挺台灣獨立的研究，這樣會使一般的日本人判斷錯誤。

我這次回台灣前，曾請教木田老師。日本殖民時期朝鮮半島教會的人曾深讀〈出埃及記〉以及摩西，來作為理論武裝，以和日本殖民統治相抗爭。我聽了之後深受感動。然而，我們台灣的教會又如何呢？因為我沒有調查，所以沒有發言資格；作為歷史家，還是想等到仔細調查後再發言。

如各位所知，台灣有50萬基督徒，僅占全亞洲5％，因此在台灣講〈出埃及記〉以及摩西的故事，大多數人並不知道，只是看了電影《十誡》，以及把舊約《聖經》當成故事來接受。我尚未深入調查，不過台灣似乎並沒有像立教大學的教授般，認真研究《聖經》的人，台灣基督教大學的老師們，似乎只把《聖經》單純當作信仰之書來教學應用。

再問日本的近代與西洋近代

要了解日本的近代，就非了解歐洲的近代不可；而欲了解歐洲的近代，則非進入《聖經》的世界，了解歐洲的文化不可。我

因為要讀馬克斯‧韋伯的書，而曾與他的作品惡戰苦鬥。慚愧的是，我並沒有勇氣寫這一類論文，僅僅是認真拚命研讀。我想用馬克斯‧韋伯宗教社會學的形式，以世界性的比較宗教學為基礎，來思考中國社會的近代化問題。

在這個研讀過程中，我逐漸有所發現。因為當時我還年輕，我先讀馬克思，而馬克斯‧韋伯，再回到黑格爾，也讀托洛斯基、列寧和史達林，突然有一天我有所發現。

中國實在太大了，因為非常大，所以18至20世紀歐洲的思想家、哲學家或革命者所寫的作品中，無論其意好或壞，一定都有中國論。但事實上，這些人卻一個也沒到過中國、讀過中文。

我們中國人前輩，利用這些大學者的說法充分賺取稿費和演講費，講些好聽的話。可是他們有探討黑格爾是基於什麼來議論中國嗎？馬克斯‧韋伯又是基於什麼來議論儒教與道教？都沒有一個人做過評論。

我因此在今年七月出席台灣會議時，提出這個問題。

如今中國大陸和台灣要改善政治關係並不容易。當然，關於經濟，由於中國人很擅長運用金錢，而能高度發展貿易，經由香港的貿易額已達200億，而學界也想認真進行文化交流。

戰後50年裡，台灣不知有多少人到美國和日本拿博士。中國大陸雖然一直被共產主義體制壓著，但是近年來也開始出國，以前的老留學生，也在讀古典哲學了。

在此趨勢下，台灣與大陸兩方都有懂德語的人，也有相當多人懂英語，懂日語的也不少。所以應不要只會引用、翻譯大學教授的作品而追隨其說，以混口飯吃而已，應將之作為文化交流的

一項，來重新思考根本問題為何？

　　我在會中提出以上問題。可惜對於我所說的，別人似乎只以「戴老師依然在講些很得體的話」看待，慶幸的是，也幾個人有非反省不可的反應。

　　接著再用前面供各位參考的《東京新聞》報導，來說明我所提出的問題。1895年，梵樂希就曾經以甲午戰爭為背景寫了名為「鴨綠江」的文章，他也留下1898年美西戰爭相關小論文。

　　恐怕今天與會的各位會想：戴某人這個學農業經濟的，和梵樂希有什麼關係？這其實是我在研究的某個階段注意到的。即使是研究社會科學，直覺也很重要；最好從詩人的作品得到直覺，這是很有效的。筑摩書房剛出了《梵樂希全集》〔《ヴァレリー全集》〕，並且陸續出版他的《札記》〔*Cahiers*〕，我拿來一讀，覺得很了不起。這是百年前寫的關於甲午戰爭的文章，簡略地引用其描述，他如此寫道：

> 前者（指甲午戰爭）是被改造成歐式的、裝備的亞洲國民（日本人）首度展現實力的行為；後者（指美西戰爭）則是從歐洲脫離發展的國民（美國人）第一次展現實力的行為。（引自筑摩書房，《梵樂希全集》第12卷）

　　我們經常會說「歐美」一詞，把它作為一個整體來表現，但是當年法國人卻不是這麼認為。美國並不屬於歐洲，被看成是野蠻邊陲。總而言之，梵樂希是站在歐洲中原的立場來看美國和日本。明治日本打敗了大清帝國，歐洲人到美洲大陸，美國重組變

成歐洲體系後，打敗西班牙這個歐洲大帝國。

　　美國人不久來到菲律賓。台灣與菲律賓只隔著巴士海峽，如果解讀當時的日美關係，我想各位會很清楚，在心照不宣之下，日本與美國隔著巴士海峽，日本占領北方，美國占領南方，兩國各自實行殖民統治。美國終於成為太平洋國家，日本與美國二者以新興資本主義國家，在世界史上同時登上亞洲的舞台。百年前梵樂希就預見了這些。

　　回顧近代日美關係，到日俄戰爭為止，兩國都以新興資本主義國家，彼此保有很好的夥伴關係：1874年（明治7年）日本出兵台灣，美國人扮演顧問的角色，借軍艦給日本。日本對華外交中，背後一定有美國的參與。日本也是美國南北戰爭（1861～1865年）時剩下武器的最大買主。如果讀讀日美雙方的歷史年表，就可以了解雙方的「近代化」進展過程是平行的。到日俄戰爭為止，美國在亞洲與日本採取某種合作政策。後來因為環繞著滿鐵問題而衝突，最後因為中國問題爆發珍珠港事件，兩國關係才走上惡化之途。

　　經過戰後50年，今年11月將在大阪召開亞太經合會議。我們亞洲太平洋圈國家在21世紀要如何延續下去？現在的三大國：美國、日本和中國，周邊則是東南亞國協國家、朝鮮半島和俄羅斯，在這種情勢中，如何才能開創共生之道？

　　日本是要和美國合作壓制中國？還是要和中國攜手排除美國？我們都知道，美國很害怕日本和中國攜手合作。

　　蘇聯解體了，史達林的社會主義、東歐既存的體制也崩解，許多人因此很樂觀認為，21世紀會成為人類幸福的世紀。雖然不

能說這是作夢，或許只是某種幻想，因為大家都知道，世界各地
仍有宗教與民族的抗爭。我們現在面對的是異常混亂不明的狀
況，知性與理性都解體了，民族宗教問題已經顯露出來。

在此情況中，百年前梵樂希提過日本與美國「近代」的興
起，此後在亞洲將扮演什麼角色？他再度提出這個問題。

但這當中有了變數。中國雖然還是有貪污等問題，但是和百
年前清末的中國人已經大不相同；韓國雖也留著北方的問題，但
是也和百年前的朝鮮大不相同；印尼人也和百年前不一樣。那
麼，日本人要如何與他們交往呢？

在此，我想以應如何展望真正的勝利，來結束我的話題。

總之，一般百姓說1945年時日本人敗了、中國人勝了；即使
中國人僅是慘勝，今天仍然是用勝利50周年的形式來誇大慶祝。
可是一部分台灣人卻不認為是光復50周年的光復是回到中國，他
們說應向中國告別。台灣住民對此意見還未一致，不過我們已逐
漸走上相互依存的關係。換句話說，也就是不能不共生的狀況。
不論是核子問題、人口問題、公害問題，任何一個問題，都已不
是一國、一民族的問題而已。

中國開始進行改革開放時，我曾匿名撰文提出問題，認為有
必要去思考：如果中國沿襲日本式的近代化將會如何？中國有10
億人口，國土面積相當於整個歐洲的大半，如果也推行日本式的
「近代化」，會變成如何？

前面報告過我在香港會議中的發言。中國說要「和平演
變」，也就是和平地改正社會主義，走向國際化，外人對此有所
期待。如果中國終能以實行歐洲式的近代或日本式的近代議會民

主主義為實踐目標，以12億人為分母，每人都有一票參與投票的
體制，那麼將會如何改變？這在世界政治史上也是第一次的實
驗，是很大的課題。

對這些事完全未加預想及斟酌，就認為中國的社會主義如果
能崩解就好的議論過多。日本人一方面說中國難以近代化，因為
中國太窮，所以沒辦法，本意卻是怕中國強大。日本想有效利用
中國市場，在延續日本資本主義策略上，想利用中國這個巨大的
市場，也是日本人。但是日本也同時擔心，一旦中國強大，把台
灣併吞，並伸展勢力圈到東南亞，日本要怎麼辦？這些全部是一
時權宜、沒有全盤願景的議論。

自立‧共生的構圖

在全球規模的大戰略構想中，21世紀東亞將會成為什麼形
式？

我有一本以中文寫成的「自立與共生的構圖」的書〔即《台
灣結與中國結》，參見《全集》4〕，具體而言，主要在論述圍
繞台灣海峽的台灣、中國大陸、香港及澳門四者應如何構築和平
關係。

前提是，絕不能發生戰爭。各方為了自己的發展都需要自
立，所謂自立，並不是獨立、分離之意，而是要承認各自自立的
單元，給彼此一些創造性的活動空間，也不阻擋各自的發展。中
國大陸也應自己做自己的事，如像蘇聯史達林主義那樣，持續地
依賴情報機關或武力的體制維持，是無法延續中國想徹底促進改

革開放、向上提升生活水準，及與第三者合作及尋求進步。中國不應採取與日本合力排美的形式，也不能和美國合作排日，不能以此形式作為亞洲太平洋圈的構想。

此外，對於在東南亞的華僑・華人，應該促成何種新關係？站在這個問題意識之上，我們不得不重新省思，是要把自己的位置放在歐洲式的近代，或是日本式的近代上？或可就不會變成法蘭西斯・福山（Francis Fukuyama）所寫的《歷史的終結和最後一人》〔 *The End of History and the Last Man* 〕那種形式的理論。

想想馬克思主義以及之後展開的史達林主義，都是以猶太・基督教文明為母胎的，而歐洲式的近代其實也是從猶太・基督教文明所發生的。

日本是以依附「西洋近代」驥尾的形式創造出明治國家，亦即創造了明治式近代和「日本式近代」，直到吃了兩顆原子彈。我對廣島、長崎的犧牲者不知道應該說些什麼去追悼。這是日本的近代非抵達不可的敗戰結局。在這個意義上，實在有必要反覆探問到戰前為止的「日本式近代」本質。在此延長線上，不只是作為亞洲人，也要有世界性的眼光。究竟歐洲式的近代是什麼？對人類而言它又是什麼？我們只有相信「歷史的終結」，就此走在原來的道路上，就可以嗎？

我一邊想著這些，一邊在台灣度過這兩三天。最近在華盛頓有百萬黑人舉行大型示威遊行，我認為是黑人尋求新覺醒的大動作。

台灣很小，日本人到台灣旅行，聽到許多好話，因為台灣老一輩多半能通日語，但我想請你們不要就此安心。一般而言，日

本人是老好人，而導遊幾乎都是舊世代的台灣人，他們是所謂的
迷失的一代，受過半調子的日本教育，對中文不適應，搭上日本
人台灣之旅的熱潮而轉換工作。他們膚淺地批評國民黨和外省
人，不斷向日本旅客談自己的怨恨，甚至有人會模仿過去日本人
的口吻，用支那人或清國奴等說法來罵外省人，這是很顛倒反常
的事。我並不是說台灣人都不好，但是像我這樣提出批評的也
有。我認為，只有能提出諍言的才是好鄰居。那些一味要日本人
的錢，要日本的援助，要日本的學位等等才靠近日本人的傢伙，
大家最好還是警戒點好。

今天很粗略地談了一些，實在很失禮。謝謝大家！

問與答

主持人：謝謝。我想大家有很多問題要請教，歡迎提問。現
在對演講有問題的人請發言。

戴：如果沒問題的話，我想順便談談這次返台時，關於〈出
埃及記〉依自己的看法所作的發言，希望能給我時間說明。

主持人：那麼我想聽聽戴老師的看法，敬請指教。

戴：在基督教學科的大學者們前面班門弄斧，老實說我需要
一點勇氣；不過因為我明年三月就要退休，先獻一下醜也無所謂
吧。

其實我認真讀過舊約《聖經》。當然沒勇氣以此為題寫論
文，不過研究所時代為了要了解馬克斯・韋伯，必須得進入《聖
經》的世界，內心一直掛記此事。

　　遺憾的是，當我年輕、還在台灣時（1955年秋來日本前），有很多禁書目錄，但是能讀到的書卻不多，有一些是我哥哥們從日本寄回來的，有一些則是家裡的藏書。我本人並不是基督徒，沒有人教我把《聖經》當歷史書、文學作品來讀，這方面在台灣並沒有老師教我，也沒有前輩。

　　讀馬克斯・韋伯時，我發現自己不太懂儒教和道教，後來知道，如果不了解基督教世界或文化，也不能了解歐洲的近代，就要和它對決是不可能的——我有這種問題意識。因而是在這種情況下讀了《聖經》。

　　1958年電影《十誡》公開放映，起初我對宗教電影有所抵抗，不過我的朋友告訴我：「你如果正在讀馬克斯・韋伯，至少要看看這部電影稍作學習、做做功課如何？」到今天我都還記得，我去了京橋地區的東京戲院。這是一齣大場面的電影，在白色大螢幕前我被鎮懾住，同時逐漸了解：原來摩西就是這樣子嗎？〈出埃及記〉是這樣子嗎等等。

　　之後保羅・紐曼主演的《出埃及》，是以1947年移民船艾克瑟德斯（Exodus）為題材的暢銷小說，是由尤里斯（Leon Uris，1924）所寫的Exodus（日文譯本由犬養道子譯為「エクソダス」〔「逃向榮光」〕，河出書房出版）改拍成電影。這部片子毀譽參半。我那位先去看過的友人對台灣獨立運動很拚命，他對我說：「戴先生，一起去看看這部電影吧。」

　　他要我去看這部電影，事實上是要拉我進獨立運動的陣營。為何如此？因為我很早就開始用日文寫文章，他是自然科學家，如果能拉攏我，或許在社會科學方面，對於形成台灣民族論會小

有助益。他大概這麼想。

　　我和他在意識形態和政治上的見解不同，但我們是相互敬重的朋友，所以我去看了電影。有一次我們一起喝啤酒，他說：「戴先生，是這樣啦，這是逃向榮光喔。」那天我們談到很晚。

　　仔細注意的話，會發現片名Exodus前面，並沒有加上定冠詞the，因此這個「出埃及記」和「出埃及」是不同的。我跟朋友提到這一點。

　　我告訴他：「喂，你很奇怪呢，你看這部電影怎麼會想到台灣獨立建國呢？兩者是不一樣的。以色列人逃向的是他們的祖先3,300年前住過的地方，那裡完全是荒野之地。你在想什麼？莫非你把台灣海峽當成紅海，把中國共產黨當成埃及軍，如果是這樣，那應該〈出埃及記〉的問題吧。是台灣海峽分成兩半，有了路，我們的祖先才來到台灣的嗎？我們的祖先是到台灣侵略台灣少數民族的人啊。講到所謂逃向榮光，到底是從哪裡逃出？逃向哪裡？哪裡又有榮光？你有想過台灣的少數民族嗎？」

　　我研究過霧社事件，對這一點感到自負，因此我也開玩笑說道：「我的東西才是正港的，你的台灣獨立運動則是贗品，別幹了。」

　　去年（1994）司馬遼太郎先生和台灣的李登輝先生對談，也談到〈出埃及記〉。就我記憶所及向各位報告，李先生先問夫人（指曾文惠女士）和司馬先生見面時要講什麼話題，夫人建議談「生為台灣人的悲哀」。李先生是基督徒，又讀過很多書，因此他們就談到了〈出埃及記〉。

　　但是他和司馬先生對談時並不是直接提到〈出埃及記〉，而

是《週刊朝日》的主編在對談結束前問道：「開頭曾提到〈出埃及記〉的話題，是不是意味著台灣已經邁步迎向新時代了呢？」李先生才回答說：「對，已經出發了。今後，摩西和人民都會很辛苦。不過不管如何，已經出發就是了。對啊，當我想到許多台灣人在二二八事件犧牲時，〈出埃及記〉就是個結論。」

司馬先生並沒有直接觸及〈出埃及記〉，但是主張台灣獨立運動的人在李先生和司馬先生的對談中，卻抽繹出李先生曾說了這些話，並聯想到台灣要脫離中國。

我很認真地思考。如果就〈出埃及記〉來解釋，李先生的祖先本來是從福建省永定縣客家村來到台灣的，因此要去哪裡呢？如果沿著〈出埃及記〉的史實，應該是要回福建省去建國，而不能在台灣獨立。因此可以說是整理原稿的方法有誤，這或是李先生自己沒有意識到，或是對哪裡沒有自信。總之我在返台的會議上報告　，李的發言主旨並不是〈出埃及記〉，而是《出埃及》才對。

我從研究所以來的思考方法，也是這次發言的背景。我曾讀了許多從木田先生那裡得到的書，但其實我沒有直接受教於木田先生。他是專家，如果一開始就受他指教，恐怕會大受影響，而不能成為知識的野蠻人；作為知識的野蠻人，事前若被教導太多，則知識野蠻人的創意會減少，這令人不愉快。最好還是慢一些再受教，之前盡量可能嘗試自己做解釋。

仔細想想，中國人之中，基督徒非常少，而佛教具體中國化則是從唐朝開始，大約花了一千二、三百年進行中國化。我周圍有99％的人，包括我父母，都認為佛教是中國的宗教，完全沒有

意識到佛教和印度的關係。中國人在這種地方都很務實，只要是對自己有利的事物，不知不覺間就當成自己的東西吸收進來，且深信不疑。

現在有許多外資進入中國大陸，中國大陸的幹部們也往往把這些外資當成是自己的錢，我覺得這很可怕。完全把外來的東西消化吸收，當成自己的「文化」，或許這是中國人的優點；不過，把外資也當成自己的錢，這其實是不好的作法。

不知為何基督教無法在中國生根。即使考量1949年中國大陸變成共產主義體制以來的特殊情況，但是在這之前，其實也這樣；甚至在台灣，基督教也同樣沒有生根。

我沒必要在這裡提出自己的假說作為其理由，不過我想在這種情況中，提出一個問題。中國人的精神世界裡並沒有神的存在，即使讀了孔子的書，也都是停留在人與人之間的關係。由於沒有西歐基督教文明那種神的存在，因此這樣的信仰對中國人就行不通。基督教是由神選出摩西，神透過摩西傳授十誡，人民因為接受十誡而成為神的子民，也就是神與人之間有契約的關係。

李先生曾經說過：「此後（台灣的）摩西和人民都會很辛苦。」他自己也探詢民意，積極想舉行總統直選；明年（1996）春天的總統直接選舉，他也會參選。因為台灣很小，所以要採取直接選舉。

這一個多月來，我透過日本人的書和翻譯作品學了很多，我一再重讀摩西的傳記和〈出埃及記〉，而寫出我的試論。

多數中國人都不信神──雖然很遺憾，不過我的親戚或兄弟們大都等累積了錢，70歲後突然都皈依佛教，甚至開始茹素，成

為素食主義者。不吃肉對健康是好的，可是我又想到，這或許也是中國人務實的思考方式。即使不知道地獄和天堂在哪裡，未來也不想下地獄，因此存了錢後，拚命捐錢給寺廟——這還是在想死後的事吧。我認為這和基督教對神的信仰，終究是不一樣的。

李先生把人民從蔣介石父子的戒嚴令和獨裁體制裡解放出來。蔣經國晚年於1987年7月15日才宣布解嚴，之後才開始一連串的民主化運動，因為如此，人們長期以來被壓抑的不滿和欲望，解嚴後一下子全部爆發出來。

如前所述，李先生和司馬先生對談時提到，此後摩西和人民都會很辛苦。批評者針對這一點，說李是自我膨脹，把自己當成摩西。我覺得有點可憐，我想李先生可能有摩西的使命感，但是不至於認為自己是摩西吧。

我要在這裡展開我的議論。如果神不存在，那麼台灣的摩西該由誰選出？要由人民直選選出。因此，摩西是複數的，舉凡推動台灣民主改革的領導者都是摩西。然而如果沒有道德與倫理保證的信仰，也很難養成內部的規範意識，而變得脆弱。因此要靠什麼來支撐？就是靠法律。

如眾所知，中國人自己立法卻不守法。中國的政治學者有人治、法治二說，即使是法治，其具體內容，也僅是把歐洲的政治思想等拿來填進去說明而已。

我在這裡要提出問題。法治是要整體考量的，必須要包括以下三個部分：第一是立法，立法院的立法；其次是執法，執行法律；最後是守法，遵守法律。這三者是一套的，缺一不可。

可是在傳統中國政治中，政府認定老百姓會鑽法律漏洞，為

所欲為，所以要用嚴刑竣法。但可以說，嚴法反而是為了犯法而做。

而且傳統中國官吏也大多是惡棍，會貪污，因為身分和晚年都沒保障，所以一旦有了職位，就不把國家或法律放在眼裡，多數人眼中都只有家族的事，以充實自己的口袋為唯一目的。立教大學學則中也有「其他」的項目，但很少用到其他。之所以有「其他」，是本來應有的狀態；不過中國卻淨使用其他來敷衍，且習以為常。

因為立法和執法都沒道理，一般人民自然也不守法。

照此邏輯，既然沒有神，那要由誰選出摩西？要由人民選出。這種人民不能收賄、買票，用近代政治學來說，是成熟而有市民意識的市民。由這種市民選出許多摩西，這些摩西中有一人擔任總統，另外則是民意代表。如果是內閣制國家，像日本，則摩西是總理大臣與議員。

以台灣或中國的狀況來說，授予十誡的神，其實是由人民選出的民意代表成為「神」，由他們立法，創制法律，也就是新的十誡。至於執法的，則是以總統為首的政治家和官吏。人民其實是遵守由自己選出的民意代表所立的法，如果沒有這種意識，就無法貫徹法治。

〈出埃及記〉中，摩西拿出石板（指十誡）進行整肅，在這個過程中，以色列人產生自覺，一邊克服自我的弱點，一邊遵守和神的契約；在這之後，以約定的土地為目標，人民和摩西並肩努力。

我已提出過，應以《出埃及》的過程，與台灣民主改革的過

程重疊思考。要改正法律，透過直選使大家參與政治。同時台灣人也要徹底覺醒，要當不能被買票的市民。所謂台灣住民，不只是所謂台灣人而已，也包括和國民黨一起來台的300萬所謂外省人；所謂台灣人，是指在台灣現有政府實際有效統治的全部區域（台灣、澎湖、金門、馬祖）的全體住民，也就是2,100萬人。其中的成年人而具有市民自覺者，依法治的三大部分為完整的一套體系，推進民主化的實行，我想這也就是實現台灣的民主主義。

在〈出埃及記〉裡，因以色列人藉著遵守十誡，產生不願再當奴隸的決心與機制，必須符合此一過程，〈出埃及記〉才有可能投射在台灣。但是台灣近來的情況並不是〈出埃及記〉，而是《出埃及》。我以為重疊在《出埃及》來重思台灣的政治狀況，才有台灣應有的未來。

總之，台灣獨立等只是叫囂口號，那是行不通的。證據是，關心台灣政局的人都知道，民進黨員已當選台北市長。雖然台灣獨立列入民進黨的部分黨綱，但是民進黨並不全都信奉台灣獨立為基本教義，只有一部分人接近基本教義派，多數人都是要追求更好的生活，以此作為最高命題，務實應對現況而已。

今早《讀賣新聞》上，有關於民進黨出身的陳水扁市長的報導。他上任時，無法在民進黨員裡找到可以出任政務官的幕僚，也就是局長級團隊，因此他晉用給他許多支持的大學教員們。經過調查，這些人裡有三人擁有雙重國籍，結果大受批評，因而辭職。想要台灣獨立建國的台獨運動者，卻擁有雙重國籍、三重國籍，市長對這種情況很感震驚。我想這是自比為摩西，說要與徘徊於紅海或荒野的以色列人民同在的人，對自己非常嚴重的褻瀆

行為。

　　出席台灣學術研討會時，我當然沒有談到最後的部分。或許木田老師會批評，我的理論結構很奇怪，不過我仍想請教。以上謝謝各位。

問與答

　　問：現在台灣和中華人民共和國關係非常緊張，但是關於台灣的認同、台灣固有的本質、台灣自立的問題，台灣有作為台灣人的自覺嗎？其次，中華人民共和國是很大的國家，很難完整了解其體制及開放經濟等，這些和毛澤東主義相當不同，也不易了解毛澤東和鄧小平究竟如何，現在的中華人民共和國的本質到底怎樣？我想聽聽您關於這兩個問題的看法，另外，基於雙方都是中國相同的民族，他們現在的本質性，以及兩者未來的關係，也想聽您的看法。

　　戴：現場有女性在，下面要說的將會很失禮，但請包涵。我去年曾以中文出版新書《台灣結與中國結——睪丸理論與自立・共生的構圖》。

　　所謂睪丸理論，怎麼想都不是很優雅，但是我找不到更合適的表現方式。我把香港、澳門比擬成一個單位，台灣又是一個單位，而中國大陸則想成是男性的巨大軀體。如同生理學中學到的，睪丸垂懸在外的話，會比較活躍而有創造力；如果被吸入體內，精子會因體溫過高而死絕。

　　中國近代史上，香港、澳門和台灣都不幸同受屈辱的殖民統

治。香港和澳門的殖民史已有百數十年，台灣則因日本戰敗而回到中國，但是因為國共內戰，中華人民共和國成立，雙方隔著台灣海峽，還是分裂對峙著。現在亞洲的三大火藥庫中，台灣海峽終於開始出現和平的動向，美、日和中國大陸和解並建交，今天中台關係也已看到雪融的跡象。

我至今所了解的是：中國大陸的領導階層，力圖治癒鴉片戰爭以來中國民族尊嚴的創傷，基於集體精神化的怨念，和對統一的強烈渴望，迄今仍訴求民族主義，持續表示希望與台灣和平統一。

另一方面，香港人或台灣人則困擾於當今中國大陸的貧窮和混亂的政治、文化大革命等事。台、港和中國大陸的確源出同祖且共屬一族，但談到與大陸政治一體化，現在還是令人擔心。我想這是台、港人普遍的心情。

我的書首先是希望能給中國大陸的幹部閱讀。我認為和平時期的民族主義，往往只具有某種幻想，若缺乏被外國侵略的危機意識，這樣的民族主義，不易鞏固共識。因此，即使高舉民族主義大旗也無法驟然併吞台灣和港、澳，這將不只會遭遇抵抗而已，可能也只會扼殺睪丸的「活力」，最後中國恐怕連本帶息都損失，使台灣、香港、澳門的特色消失殆盡。

如果是這樣，還是留存著睪丸狀態比較好。也就是考量香港、澳門的自立，中國不要妨礙他們的自立發展。自立絕不是與中國大陸分離，也不是分離、獨立的意思，而只是自立。我想到，如果時機成熟，也可以在合意的基礎上再進行一體化，與中國大陸共生（symbiosis），如果其間中國大陸因為民主化而變得

富裕，不是也可以考量類似美國的聯邦之類的國家型態嗎？

　　如列寧、史達林式的民族自治論，對於少數民族的問題只觸及表面，其實只是把少數民族，從上而下進行壓迫。我的提案是以自立和共生的結構，在解決台灣和香港問題的過程中，摸索中國的國家形式。

　　《台灣結與中國結》一書尚未有日文版。

　　中國大陸如果像今天這樣進行市場經濟，當然也能促進言論自由，在此形況中，其實或許台灣、香港對中國大陸，會帶來正面的衝擊。

　　以「告別中國」來舉行遊行，坦白說，只是一些青澀知識分子的空言，我認為是不負責任的。台灣海峽很窄，台灣如果位於夏威夷那樣的位置，大概會不一樣。除了與中國大陸尋求共存之道外，台灣沒有其他路可走。一旦衝突，在台灣拿雙重國籍可以逃出去的，可能不到100萬人，那剩下的2,000萬人要怎麼辦？

　　最近夏威夷有意從美國獨立出來。它曾有過自己的王國，成為美國殖民地後，有觀光勝地的繁榮；加上當地氣候也很好。一般人的生活感普遍是跳舞、美食、歡樂就滿意了，但是最近變得不一樣了，夏威夷人因為以前有王國，而開始談起為什麼要一直當美國的一州。

　　我認為沒必要太刺激中國。我想台灣無論如何就是想獨立的人，大抵不過10％，而希望立即與中國統一的人，也大約只有10％，另外有80％的人主張維持現狀。本來就是兄弟，和中國大陸好好地做貿易、進行文化交流，也是不錯的。只是傷腦筋的是，預料中國共產黨的政治體制難以民主化，這應也是大部分人

的想法。

　　我想警告台灣獨立運動者的是，他們有所誤會，認為美國會為台灣獨立建國一同並肩作戰，這種事其實不可能，這是我一直在批評的事。

　　嘴巴上說要台獨，可是卻同時擁有雙重、三重國籍，我覺得是可恥的。如果主張獨立建國，現在已經解嚴，不會被逮捕了，應下定決心堂堂正正地奮戰，卻還是躲在雙重國籍的羽翼下，隨時準備逃走。台灣窮人會把他們當成摩西、當成英雄般尊敬地跟在後面嗎？那是沒有道理的。

　　因為日本的年輕人不知道這些內情，也說台灣獨立才好；近來也有日本人拚命幫忙台獨，我想最好不要這樣。日本人很有趣，常去許多地方管閒事。各自認真管好自己國家和社會就好，不要太輕易對別人投以廉價的同情心。

　　越戰後，菲律賓選情混亂時，馬可仕流亡夏威夷。我認為應該想想這一個美國與菲律賓的例子。當時艾奎諾（Corazon Aquino）不知道自己已經當選總統，仍然留在民答那峨（Mindanao）島。雷根對艾奎諾說：「你當選了。」接著把馬可仕帶去夏威夷，把艾奎諾叫到馬尼拉就任總統。這裡很清楚的就是：美國不會再在菲律賓和菲律賓的新人民軍作戰，菲律賓不會再有新的「越戰」。蘇聯本身有社會結構的問題，卻做了和越戰相反的事，就是介入阿富汗內政，因此造成蘇聯解體。

　　我們對日本或歐洲近代的重思，是不夠充分的，非再加些什麼不可。尤其日本吃過兩顆原子彈，應可以更積極提出意見。

　　如果台灣海峽發生戰爭，對日本會有利嗎？我想不會的。美

國不會再作戰了，畢竟過去在越南贏不了。而對中國共產黨這麼大的大陸，美國如學日本人，頂多也只是獲得點與線而已。現在的中國和中國人，和50年前大不相同。因此，聰明人大概會料想到，除非中國大陸發生內亂，否則美國絕不會介入，免得點與線最後因此沉沒。我想這種事還是相互避免較好。以上敬請指教。

　　主持人：很謝謝戴老師。

1995年10月19日，於立教學院諸聖徒禮拜堂

本文原刊於立教学院チャプレン会編，《CHAPEL NEWS》第440號，東京：立教学院諸聖徒礼拜堂，1996年1月25日，頁10～23

時代的診斷與預見

　　作為個人抑或海外學界之一分子，我由衷恭賀李登輝博士當選第八任總統。

　　將近一個月的風風雨雨，總算是初步地擺平而能看到雲開月明，是值得我們欣慰。

　　傳來李總統將召開「國是會議」，我認為是個明智之決定。意思是說，李總統準備繼續溝通，揚棄前嫌，撫平風風雨雨之後遺症以及吸收其教訓，轉禍為福，並圖力求藉朝野及內外之大智，集思廣益來重新建構更高層次之共識，以資因應憲政危機以及新的挑戰。這是一個重要的訊息。李總統之誠意值得我們肯定與支持。

　　我們既往已有過十餘屆之國建會，去年年底還開過民間國建會。我們都知道任何會議不可能開得十全十美。會議本身之「儀式」或象徵意義有時卻十分重要。但我認為這一次的國是會議除了它在政治層面的象徵性意義以外，我們應該更進一步的重視並追究其具體內涵的實質意義。有關國是會議之策劃、運作、議題等，當然會有當事人及輿論界人士之檢討及議論，不需我這在外學人之囉嗦。

但我卻想提出些有關「思路」的原理性問題，來請教國人。

李總統自繼任總統以來之二年多，如何做下總結，加上未來任期六年，這一段期間之定位以及所呈現或將呈現之「時代相貌」應該如何下好診斷，我認為相當重要。

眾人都可概略地體驗到，台灣地區之既存且傳統的秩序和文化（包括價值觀）正在解體、崩潰及擴散，這個就是所謂的「多元化」。

其主要之原因來自於強人威權政治之結束及近十幾年來之台灣經濟之奇蹟（具有一些暴發戶之浮華心態）。其所展現之正負面功能，正對既往傳統秩序及文化的「反動或反彈」引發出當前的混亂及渾沌，這一類渾沌的社會、精神之氛圍及風土特別濃縮於台北高雄兩大都市，並且展現其混亂面貌無遺。

我認為李總統繼任二年加上未來的任期六年合起來之八年，可當為中間的、過渡時期來看待。也就是說它正是既成秩序正在解體或崩潰及擴散，但應有的新秩序尚未樹立的一種「動態」化（並非動搖）的時期。

通常在這一種動態化社會時期，百姓們容易喪失方向感（導向感）及位置感（迷失我的定位），而產生不安感，因此更會衍生出多種的脫序現象。

在台灣，已有甚多有識之士言及社會脫序之有關問題及憂慮。但據我的管見，甚少看到有關「秩序」所包含之具體內涵之有關分析。

據我未成熟之看法，我認為所謂秩序可分有三個層次。雖然可區分來觀察，但其間是交錯且具有機性關聯，也就是說時常將

產生互動之關係。

秩序之三個層次可以略述如下：

第一，技術性、組織性層次的秩序。這個通常呈現於行政上面，它的目的是一義且明確的。可以對著目的以人為之努力來建構或恢復其富於效率的技術性層次秩序。

第二，社會性層次的秩序，即以社會為單位之秩序。它通常欠缺明確的目的，多多少少是自然成長的一種秩序。

第三，意識空間之秩序，即以個人為單位之秩序。這個層次的秩序具有支撐著社會性層次之秩序之屬性。

當前，台灣之渾沌局面有關之秩序主要在於第二及第三層次。

因它的自然成長屬性濃厚，並不易藉人為之力量加以管制，容易出亂子，甚至於演成全民性風潮。特別是面臨既有傳統的社會和文化在解體時，一方面在個人的意識裡面將逐漸會有「心理的脫序感」向內累積。另一方面，「社會的脫序感」亦將在體制內或體制外以社會性規模，逐漸向內累積下來。自既往之秩序之解體及崩潰將被「解放」或被「解除」出來的個別構成分子或要素將往何處去，將是一個大問題。這一次之風風雨雨（包括國代之反民意及潮流之舉動）可藉此解釋。

另外，過去被舊秩序之架構編進為體制內部分之「新生事物」，亦將以何種形式或型態展現出來，亦將是爭議之焦點（去年年底之台籍小市民之急進派＝新潮流派之「新國家連線」，以及趙少康等人「新國民黨連線」之舉動，亦可藉此來解釋，新國民黨連線名分上雖然是屬於國民黨，但它們仍是既有秩序之異端

新生事物。

　　支撐既有傳統架構之老分子或傳統要素是否會因為係「古老」或「傳統」而消失呢？新生事物是否會因為係「新」而能創出新局面而獲得青睞呢？這可不是用二分法即可斷定的。舊的架構就算解體了，但支撐其架構之老分子或傳統要素並不會即刻一刀兩斷地失去它的命脈。它的命脈往往將經過曲折而逐漸消失，然後所具有的人類經濟之普遍價值部分將會被批判性的繼承下來。

　　在動態化社會時期的當今台灣社會，新生事物尚未找著並確定各自的定位。因而它之「根」或「本能」將赤裸裸地拋出「街頭」。欠缺座標位置之各種要素及分子，正在浮游形成「渾沌」之精神世界。因而各種政治勢力、社會思想為了找著它想落著之定點而展開爭奪戰。

　　我相信國是會議將會很具體地討論現實問題，以謀民主落實、憲政發展以及找出方途以資突破種種困境。

　　欲圖開創新的局面，除了健全政治制度外，如何把浮游的新生事物＝二要素與分子順利地整合並編進新秩序＝新架構裡面，是個緊急之課題。

　　為了達成這個課題，是需要先創出具有夠水平之思想、社會、文化之基礎和力量來引導其成為新秩序的結構的。追求民主落實、憲政發展是需要萬民、眾人一起來的。不能只靠幾個政治家就可以謀到。世界史的先例告訴我們，不曾有過廉價之民主和憲政之實現。

　　威瑪（Weimarer）共和國時期的德國人民，他們之菁英雖然

訂出一部至今仍被讚美為近代憲法範例之《威瑪憲法》，但沒能守得住。最終被希特勒搶奪變質，終於演成悲劇。其殷鑑不遠，值得我們參照。

本文係為未刊稿。約講於1996年，由楊憲宏採訪整理

西安事變60周年有感

◎劉俊南譯

　　有關日中之間的「差異」，平日感觸良多。其中之一是日本人對於「關鍵」之年的感覺。包括自己在內的中國人不關心、不善於進行這類整理，或過於笨拙，因此筆者總是感到很焦急。無論是無法「界定」，還是不去「界定」，我身邊的人們都是無所謂的，完全是「泰然自若」的態度。日本人把這樣的中國人稱為「大人」風格，有讚賞、有譏諷，也有感歎。

　　近年來，我幾次訪問中國大陸，邊境之地或窮鄉僻壤，是我的目標。可以窺見宏大的山河，逐漸令我明白中國人「悠然自得」的架勢，近來我禁不住有這樣的感覺。

　　即使想界定，但也無法界定——這就是中國人的現實狀況。每次旅行都使我對此有所確認，我一而再地覺得厭煩。在問及中國人的「生」的場所根源時，會得出怎樣的解答呢？又，我寓居台北新店山上，眺望夜色時想著：對於中國人而言的「可生存的時間」與「可生存的空間」。突然間，浮上我腦海的是張學良的「生」。

　　不用多說，張學良當然是西安事變的主角之一。1996年12月

12日是西安事變60周年。台海兩岸三地以至北美大陸的「華僑」社會都舉辦了各種紀念活動。美國通訊社UPI（合眾國際社，United Press International）在12月15日拍攝了聲稱是正在夏威夷居住的張學良夫婦照片，並將其公布。張學良雖然是坐在輪椅上，但仍精神矍鑠。他是1901年6月3日出生，已經95歲了。

正如大家所知，西安事變是1936年12月12日發生、張學良在西安抓捕蔣介石、進行「兵諫」的整個過程。

以兵諫為契機，國共內戰得以停止，實現了第二次國共合作。接著即結成抗日民族統一戰線，展開了「八年抗戰」歷史的一頁。

西安事變對於中國現代史及現代中日關係史產生的影響不可估量。可以說至今仍然在繼續發揮著其影響力。

對於中國共產黨來說，張學良真是一位「救世主」。當年中共在國民黨軍圍剿戰中被迫轉移而逃，經過長征抵達延安，正在這一息尚存之際，西安事變爆發了。毛澤東曾稱張學良之兵諫是將中共「從牢獄之中解放出來」，這應該視為具有真情實感的肺腑之言吧！總之，是第二次國共合作使中共得以「甦生」。其後，中共（軍隊）以抗日民族統一戰線為基礎，在抗日戰爭中不斷征戰並使自己逐漸強大起來。伴隨日本戰敗，中共（軍隊）乘勢而起，在重又燃起的國共內戰的戰火中，奪取勝利。到1949年底，已「解放」了除西藏之外的整個中國大陸。國府中央只得遷到南海孤島──台灣「避難」。在此稍前的1949年10月1日，中共在北京成立了中華人民共和國，向世界宣告新中國的誕生。

但是，張學良此時卻被關在台灣中北部新竹縣井上溫泉。蔣

介石在1946年11月2日——內戰尚激烈之時，已早早將張學良從重慶「護送」到台灣，繼續監禁。不僅在政治上，而且在地理上將張學良從國共內戰的漩渦中隔離出來。

回溯兵諫之際，中共代表周恩來介入，使之和平解決——這是1936年12月25日，當時張學良36歲，政治上並不成熟且判斷上過於樂觀，這是不難想像的。另外，張學良是東北（原滿洲）出身，據說是一個質樸的熱血男兒。

張學良心中燃燒的是「好漢作事好漢當」的熱情。張學良親自陪同、護送蔣介石乘軍用飛機到南京。由此，兵諫得以和平解決——這是12月26日下午的事。

蔣介石的器量很小，他沒有回應張學良的「純情」熱心。蔣介石舉辦了一場徒有其表的「軍事審判」，張學良最後被判了沒有刑期的軟禁之「刑」。

國共內戰敗走台灣的蔣介石，於1975年4月5日逝世。後繼者的其子蔣經國，也於1988年1月13日病故。其間，圍繞國府及台灣的國際形勢發生了很大變化。台灣島內的「開發獨裁」也見成效，經濟實力特別是貿易方面之發展受到島內外矚目。隨著國際貿易的急速發展，國際往來也越來越多，經濟成長使中產階級得以明顯壯大。台灣社會的結構性變化迫使國府當局採取必要的對應。國共內戰以來一直持續的「戒嚴令」被解除，緊急事態相關法令的廢除、體制及政策的修正也逐步展開。

1990年5月20日，蔣經國病故，後繼總統李登輝經同年3月選舉，就任第八代總統。「寧靜革命」正式起步。

同年6月1日，在台北有名的圓山大飯店12樓「崑崙廳」，舉

辦了張學良「上壽」（90歲）的生日賀宴。這是張自軟禁以來經54年公開舉辦的大酒會。由國民黨元老張群等倡議，名流雲集，給海內外帶來了不同尋常的話題。這是蔣家時代的落幕後，在當局默認下，似乎若無其事般地為張學良恢復了名譽。可謂是一場衝擊性的「演出」。

接著，6月17日與8月4日，張學良接受日本NHK專訪，並隨之放映，引起海內外極大反響，令人至今記憶猶新（參照NHK取材班、臼井勝美著《張學良與日本》〔《張学良の昭和史最後の証言〕》，角川書店，1991年8月）。

生日酒會上，還公開了周恩來夫人鄧穎超的賀電，非常熱鬧。但是，卻不能說西安事變已經有了清楚的結論或有了明確的界定。即使是NHK的專訪，一到關鍵之處，張學良即顧左右而言他，聲稱：「我什麼都不想說。話就說到這兒吧！」（同上，頁171）

說到若無其事的界定法，我想起了一個好例子——鄧小平復出的「表演秀」。

1973年4月11日，柬埔寨西哈努克親王祕密訪問柬埔寨後回到北京，4月12日晚，北京當局以國家元首級禮遇歡迎西哈努克親王，周恩來總理在人民大會堂設宴。在這個宴會上，鄧小平由毛澤東的表侄孫女王海容陪同出席，全世界為之震驚。

按理說，世人都以為鄧的政治生命已經結束了。因為文化大革命中，劉少奇、鄧小平路線被批判，鄧已被烙上了「黨內第二號走資派」的印記，早被彈劾。從大眾視野中消失已近六年的鄧小平，突然再次登場。而且舞台與配角都是超一流的，真是絕妙

的「演出」。王海容作陪就是希望使人看到這裡面的政治信號。

　　鄧小平三起三落，最終全面復活，其後作為「改革開放的旗手」，進而作為最高掌權者占據中共高位，盡情地發揮了手中的權力。這種缺少正式職務的最高掌權者的存在以及其實際權力之大，令人們困惑。特別是發達國家及議會民主制各國的有識之士多感不解。這可說就是中共風格的「政治文化」吧！

　　去年秋天（10月21日），在美國哥倫比亞大學，「毅荻書齋」——張學良夫妻紀念館正式落成。「毅」是從張學良之號「毅庵」而來，「荻」是從張學良軟禁以來一直生活在一起的現夫人趙一荻之名而來。張學良向紀念館寄贈了自軟禁以來的祕藏文物。值得注目的是近年來祕密完成的「口述」錄音帶。

　　西安事變三大主人公中，蔣介石與周恩來已作古。只剩下張學良一人尚存。圍繞「兵諫」事件，三人之間是如何約定承諾而實現和平解決的？至今還是個謎。毅荻書齋所藏資料約定為2002年6月3日（張學良百年生日）公開，有關西安事變的最大、最後之謎依然未解。

　　（參考文獻：蘇墱基編著，《張學良生平年表》，台北：遠流出版公司，1996年12月）

於台北新店梅苑

本文原刊於《史苑》第57卷第2號，東京：立教大学史学会，1997年3月，頁1～6

台灣

◎謝明如譯

　　台灣乃位於中國東南部福建省對岸、東隔150至200公里寬的台灣海峽之島嶼。作為總稱的台灣，係由台灣本島、21個附屬島嶼及64個澎湖諸島等合計86個島嶼所構成。包含附屬島嶼之面積為35,982平方公里。行政上是中國的一省。總人口約2,136萬（1995），人口密度約每平方公里590人。目前在中國國民黨政權統治之下，省政府在台中市南郊。政治、經濟及文化中心為台北市。台北市與高雄市為院（行政院）直轄市；基隆、台中、台南、新竹、嘉義等五市為省直轄市，其他地區分為16縣，其下的行政體系有縣直轄市、鎮、鄉等。鄉、鎮分別相當於日本的村、町。但預定自1998年底起將省政凍結與縮小重編。

近況

　　1980年代以降，隨著經濟發展，中產階級肥大化，以滯留北美者為中心的民主化支援運動興盛。島內矛盾激化，當局與反政府方面的抗爭亦產生新的樣貌。兇手被認為是特務相關者的悲慘

事件持續發生。因民主化運動而入獄中的林義雄律師，其母親與雙胞胎女兒被暗殺之事件（1980年2月28日），以及美國卡內基美隆大學助理教授陳文成返台省親時離奇死亡之事件，在在均引發人民的激憤。特別是撰寫具批判性的《蔣經國傳》之美籍華人江南在美國自宅車庫內被暗殺之事件，震驚海內外。國府、尤其是情報機關的信用與威信掃地。1985年底，或許是知道大勢所趨，蔣經國總統明言將不從蔣家產生總統繼位者。預測國府將更加弱化的反政府陣營挑戰長年禁忌，組織在野黨民主進步黨（簡稱「民進黨」）（1986年9月28日），而當局不僅予以默認，還於翌年7月15日零時解除世界上為期最長的戒嚴令；同年11月1日開放前往中國大陸探親；1988年1月1日解除「報禁」（報紙創刊與增加版面之限制令）。結社與言論的自由化與中台之間的往來逐漸趨向緩和，可說是當局適時解除壓力之作法。由於嘗試由上層進行民主化的蔣經國於1988年1月13日去世，副總統李登輝依《憲法》規定，就任為史上首位台灣人的總統，並代行國民黨黨主席職權。李經國民代表大會間接選舉，於1990年5月20日連任總統職位。任期中，李決心斷然修正《憲法》，1996年3月23日自任候選人，參加總統直選，以54%的高得票率獲得連任。李氏發揮強力的領導權，在任期間（1996年5月20日～1999年5月19日）揭示應在硬體面上完成由住民主權施行民主政治之架構的目標。但軟體面之成熟與其心目中後繼者之培育是否來得及，令人擔心。

　　李登輝時期國民黨內的異議分子脫黨另組「新黨」（1993年8月），其後，主張以民進黨的「台灣獨立建國」為基本理念之

集團與台灣獨立派共組新的「建國黨」（1996年10月6日）。因兩大政黨中的異議分子脫離與孤立化，可期待台灣政局的穩健化。

經濟復興

　　台灣經濟在最近21年間（1975～1996）達到平均8.15%的高度成長，GNP為2,636億美元，占世界210個經濟體中的第19位、亞洲經濟體中的第5位。此外，國民每人GNP為12,439美元，居世界第26位（1995）。尤其深受世界矚目者，乃半導體產業之躍進與中台經濟關係之開展。1996年度半導體相關產值多達1,756億元（約7,200億日圓），占世界第四位。自1987年大陸自由化以來，迄1996年度止，從台灣地區前往大陸地區訪問者累計超過1,000萬人，僅1996年度即累計多達136萬人。又，中、台間經香港轉口的輸出入貿易總額超過178億美元（1995），其中，自台灣輸出者占131億美元。台灣前往大陸的投資亦相當活潑，1991至1996年間的許可件數為11,637件，金額達到68億7,000萬美元（依台灣方面公布之數據）。大陸方面公布之數據，同年間累計為34,964件，實際金額為149億美元（但到達率為43.16%，不及半數）。台灣當局限制5,000萬美元以上的大規模投資。然而，持續的高度成長、「12億人」的大市場與商機的魅力，對台灣企業家而言頗具吸引力。

本文原刊於《世界大百科》，東京：平凡社，於1999年數位化時，加以更新改訂

談日本的近代史與台灣
──關於批評精神的缺乏

◎林彩美譯

　　搭乘昨天的飛機，我又來到日本。我在日本已經「打擾」了
41年，去年（1996）5月我提早從立教大學退休，回去了台灣。
這次是保持了距離，從台灣的角度來觀察日本的變化以及日本人
對事物的看法。今天受邀演講，我想也是期待我從台灣的角度發
言吧？

　　日本在明治時代成為「近代國家」以後，第一次向海外發動
戰爭，是1874年的所謂「台灣出兵」，結果日本得到50萬兩的賠
償金。對日本人的你們而言，指出你們的「侵略」行為，是失禮
的；但從某種意義來說，透過戰爭來發財的日本習性，正是從那
時候開始的。此後過了20年，明治27年（1894）爆發了「日清戰
爭」也就是「甲午戰爭」，明治28年日本獲得總數高達二萬萬兩
白銀龐大的賠償，並且把台灣殖民地化。

　　日本作為所謂「近代國家」，現在看起來真是奇怪。日本二
戰戰敗後，殖民地全還完了，可是，日本還不是成為經濟大國，
可見過去需要發展殖民地的想法是騙人不可信的。沒有殖民地，
一樣能夠透過自助努力，成為經濟大國。這當然也有美國關係，

以及種種複雜的因素，總之縱使沒有殖民地的經營，日本的資本主義還不是很好的發展開來。

　　如是，日本以「近代國家」發動戰爭、統治殖民地台灣50年的經驗，到底意義是什麼？當然，日本也做了併吞韓國、成立「滿洲國」的事，但是就台灣而言，完全可以從台灣的角度來探究日本「近代化」的意義，作學理上重新的剖析，這是非常重要的。可是，針對這方面所作的研究，在日本可謂幾乎完全沒有。

從農業經濟到台灣研究

　　我是讀農業經濟的，以我的專業來看日本與台灣的關係，也許會與一般人不同。思考這一問題我的邏輯如何呢？就從日本殖民台灣第四任總督兒玉源太郎時代的民政長官後藤新平（任期為1898～1906年）談起，日本對後藤新平的評價是非常高的，後藤新平先是在台灣經營，後來轉去經營滿鐵，就當時後藤新平的成就來說，是該頒給他勳章的，但是以更長期、更宏觀的眼光來看，日本最後吃了兩顆原子彈，也是後藤新平所播種的罪孽所造成的後果。而這前提，也要歸罪於我的祖先，總之是台灣人民對日本統治的抵抗運動不夠強的緣故。

　　日本人是缺乏恕道的，所以，以後藤新平為首的日本人看台灣是很容易踐踏的，台灣的「支那人」是很容易蹂躪的，他們覺得台灣的「支那人」愛面子、對錢不乾淨、對「鞭子」容易屈服等。然而設身處地想一想，台灣人處於小小海島，是無處可遁的，再怎麼抵抗，最終也是難逃被殘殺的命運的；而台灣人被殘

殺的事實，卻隨歷史的流失不斷被沖淡以至於消失。所以日本人一般有在朝鮮半島做過壞事的意識，但深信日本在台灣做的都是好事的日本人卻很多。

我在仁井田陞先生（已故東大法學部教授）60歲紀念論文集裡寫道：「首先敷設台灣鐵路的不是日本人，清末在台灣發起敷設鐵路的，是中國人自己，此後日本人進來，才將之進一步發展。」關於這點，日本就有人批評我所述不實，所以，我就把日本人編輯的二至三冊《台灣鐵道史》拿出來，我說不必我拿中國的資料，日本人所留下的紀錄就是這樣寫。可是，就像這樣，日本人不知什麼時候開始，對日本首先在台灣敷設鐵路等事深信不疑。

批判精神的欠缺

我在昭和30年來到日本，31年考進東大研究院。當時碰到異常的氣氛，日本瀰漫矢內原忠雄熱潮。但這熱潮已開始走下坡。正是他擔任東大總長（校長）的時候，對他的批判是列為禁忌的。矢內原先生寫有《日本帝國主義下之台灣》，那無疑是一本名著。但，即使是名著，他的學問還是受時代限制的。把他絕對化固然省事，但社會科學是不能這樣的，哪怕他是馬克思、史達林、列寧也一樣。

然而在日本，我在東大的學會批判矢內原先生，就有人用奇怪的眼睛看我，連我是從台灣來的國民黨特務的風聲都無中生有的出現。這就像是司馬遼太郎寫《台灣紀行》，司馬是很有名氣

的暢銷作家，日本對他就形成無批判狀況，只有我書寫批評他的文章，發表批評他的演講，我在日本就被看成是壞人一樣。本來，社會科學沒有批判是沒有價值的。可是，日本的社會科學卻是很奇怪的，批判非常少。直至最近《現代思想》9月號才看見一位年輕的田村女士勇敢的從日本內部批判司馬先生，使我感到心安，不然的話，司馬先生經由他的韓國或中國紀行，產生影響，日本再次陷入曾經走過的那條路而迷路也是十分可能的。

那麼，台灣的現況如何呢？作為生於台灣的中國人，我感到相當難過。這麼說吧，我很知己的日本友人、一位學者教授經常這樣「消遣」我：「哎呀，戴先生，我去韓國幾乎天天遭到韓國人嚴厲的批評，去台灣卻天天被宴請，台灣人真親切、真好啊！」聽到這樣的話，我真無地自容。其實，台灣人是不容易理解的，善於交際且好客，但說台灣人一切照單全收也是有問題的。日本畢竟是發達國家，在此邁向21世紀之際，希望日本應具有正確的政治哲學，否則恐怕是很危險的。我也認為台灣應該實實在在的對司馬遼太郎的話保持批判，好好檢討日本對台灣的殖民地統治到底是怎麼回事才好。

台灣的功利主義

坦白說，台灣人是非常講究功利主義的。例如，最近讀《日本經濟新聞》的人就知道，台灣有位了不起的海運之王張榮發，他的長榮航空不久就有飛機飛大阪，這個人，大家都認為他的台灣意識很濃厚，是支持台灣獨立的，然而不久前，他卻作了一個

爆炸性的宣言：「不與中國大陸開始三通問題的談判，我們會怎樣？」誰能了解此宣言背後的玄機？大家都認為他與李登輝是好友，為何現在講這種話？都很關心，連日本人也拚命打聽其理由。

張榮發為什麼作此宣言？那是因為他是企業家，據去年（1996）的統計，從台灣去大陸的人是136萬人次。現在不能直飛上海，如果直飛，就只需一個半小時。因為不能直飛，而要經過香港轉機，便耗費三倍的時間，每年浪費的金錢換算成日圓是500億圓。所以，對於擁有航空公司的他而言，便極力爭取讓飛機直飛。

我來東京買的襯衫，仔細一看，都是中國製造，三件5,000圓，很便宜。店家說，我們日本人去指導，所以品質變好了。回台灣，找到廉售店，一問，也說這是大陸製造。現在的情況就是這樣，日本早已興起無國界經濟或全球化的話題。但是日本又有人反過來說中國太大，不成國體，應該讓它分裂才好。一邊說「無國界」，一邊又說不成國體，不以同樣的邏輯來理解問題是不行的。

現在，日本發生的山一證券公司問題，或是金融、證券制度大改革的問題，還有《日美安保條約》的新基本方針問題，應把這些放在一起考慮。蘇聯崩潰後，美國掌握世界的領導權，在戰略上更積極企圖創出單一國際市場，值得密切關注。但這種警戒心在日本的論壇上卻不曾出現。

反對美國可以，贊成美國也可以，日本更應該有自己的基本方針，以此來考慮台灣、考慮中國大陸、考慮南北韓，應該有自

己的思考才行。但今天的日本好像美國的跟屁蟲，「聞樂起舞，俯仰由（美國）人」的只要美國揮揮旗發號施令，譬如金融機構的合併改革，日本便不敢多加思索的依樣畫葫蘆，遵照奉行，所以，是好是壞另當別論，從某種意義說，日本式資本主義的個性，所謂日本式經營，其實是在被磨滅。日本如今安居於日美同盟裡，對於日本國內存在很多美軍基地這事，你們全然不管，已經麻痺，認為是理所當然，反正如今能過幸福快樂的富裕生活也不錯。如果只是這樣也就罷了，殊不知無自覺的狀況是最恐怖的，在此狀況裡邊已經潛藏著法西斯復辟的根芽。我謹以此指摘結束我的話。

問與答

　　司儀：對戴先生的演講，會場的聽眾有如下的質疑：「您剛才講了司馬遼太郎，司馬雖已過世，還是不減其國民作家的地位，所以對戴先生對他的批判印象深刻。」另有增加五分鐘發言時間給戴先生的要求。請戴先生就司馬遼太郎的問題賜教。

　　戴國煇：我並不願意對過世的人鞭屍。我是以社會科學研究者的立場，把應該說的話說出來而已。例如司馬遼太郎說，乃木將軍治台時感到棘手，覺得對付不了。乃木將軍很有學問，用中國的話講，他是一位儒將，例如他作的「山川草木……」的漢詩，連中國人都給予極高評價。然而作為武將治台的他又如何？司馬遼太郎就以井上久的戲劇為依據去敘述。

　　井上久的戲劇其實是我首先發掘的史料，被司馬遼太郎拿去

使用了，我不是對此提出異議。司馬遼太郎曾說我對台灣史很有良知，卻取巧的利用我台灣史的資料。

司馬遼太郎的意思借用邱永漢的話來說：「如果當時台灣沒有接受日本的殖民地統治，很可能現況與海南島一樣。」（《台灣紀行》）眾所周知，邱永漢早已不搞台獨，現在反而去中國當國務委員顧問。這種情況你們日本人是很難理解的。昭和30年代在《文藝春秋》與《中央公論》拚命鼓吹台灣獨立運動的人，一轉身又號召對中國的資本主義進軍，把台灣商人帶去大陸，你們日本人搞得清楚嗎？

如是，司馬先生的問題是，他只照搬邱永漢昭和30年代初期的邏輯，亦即如果沒有日本的殖民統治，台灣能否有今天的樣子？殊不知歷史的假定是沒有意義的，但是既然台灣人曾經那麼說，日本人也便那麼說，真是皆大歡喜，日本誰願意指摘自己的祖先做了壞事呢？以社會科學的邏輯來講，我們能再一次肯定殖民地統治嗎？我想當然不能，日本人也不願意接受殖民地統治的吧？殖民統治是非常破壞人性的、是侮蔑人性的結構。結果因有台灣人那樣說，司馬先生便也跟著說非常擔心台灣的未來。對於司馬遼太郎，我的看法是，少管閒事，如果我們也擔心你們日本北海道、擔心愛奴問題、擔心沖繩問題，你們日本人會怎樣？怕會不高興吧？台灣這樣那樣就會怎麼樣那是我們台灣自己要思考的，與你們日本人無關，總之，有台灣人意識，想要做一個能自傲的台灣人，也不是因此就會產生台灣獨立的主張。那麼，現在在大陸做生意賺錢的那些人，他們會歡迎立刻把中共的體制移到台灣，統治台灣嗎？也不會。日本對這一些卻都無法區別，無從

理會。東大某教授，曾經是我的研究夥伴，我們一起做研究20年，他就是始終搞不清楚。日本戰敗後以竹內好先生為首的中國研究者出版了那麼多的書，最關鍵的地方卻未搞懂，中國真不是那麼好懂的。我住日本40年，日本的大出版社要我寫日本，但是住得越久，越害怕越不敢寫，為什麼你們日本人（司馬遼太郎）只去台灣一下，回來就可以馬上大言不慚，得意的大寫特寫？〔以上林彩美譯〕

批判司馬遼太郎的《台灣紀行》

關於司馬先生的《台灣紀行》，他以中文採訪的人一個也沒有。以台灣的語言聽取的對象亦無一人。都是會說日文的，像是原日本軍人等，幾乎都是他們所說的話。而且盡說好話，諸如某一個了不起的日本技術人員留下了如此的事蹟，所謂殖民地統治，有動機論，有過程論，有結果論云云。日本吃了二顆原子彈之後，沒有日本學者料到今天日本會達成如此的經濟復興。就連我的東京大學恩師東畑精一老師也說，戴君，我實在不行，經濟學一點也不懂。這就是如何接受此事實，如何思考的問題。以現今的資訊將其自我正當化，韓國也好，台灣也好，乃至香港與新加坡，台灣50年，韓國36年，香港與新加坡三年六個月，都受了日本的殖民地統治或軍事統治。說是因此才能夠近代化，亞洲四小龍即如此，這真是強詞奪理。如果這樣子自得其樂，日本人還是不會受尊敬。對自己過於寬容，這是不對的。

因此，司馬先生的這本書，我認為是很糟糕的書。但是，這

樣的聲音只是說給自己聽，台灣那邊的人不知道我在批判，看到書中出現我的名字二、三次，就說戴先生，你與司馬先生滿熟的吧！熟識與批判是兩回事。我並不是要說他的壞話。

　　德富蘇峰也是初期的作品很棒。但是後來變得如何？請大家再重讀一遍。小島先生說得好，具有很大的影響力。不錯，但其影響力為何？有人說司馬先生是國民作家，今日那一股熱潮的陷阱，就連日本的學會也無法總結之。無法作出批判是非常危險的。我就是為了說出這點，今天才來打擾。總之，不久我將好好寫評論文章。

缺乏批判的意識是最大的問題

　　不過，司馬先生的問題是，大家讀了那本書就知道，盡說好話。就個人而論，在殖民地體制中，也有善意的人。請讀一讀五味川純平先生的《人的條件》。五味川先生已經透過主人公描述了這一點。他說在那個體制中，個人想要做好事，結果也只是加深罪惡而已。但是沒有年輕人會讀該作品，那樣長的作品、長的電影幾乎不會被當作問題來看待。這就是今天日本的狀況。因此，我認為是很嚴重的狀況。我是絕對不要日本與中國再次開戰，或日本與亞洲開戰。就是要絕對避開，我才這樣嚴厲地，或辛辣地批判日本。不這樣批判的話，對於41年間日本友人支持我做研究，我會良心不安。這一點我必須說明。

　　想請各位詳讀蘇峰與司馬二位先生的作品。《現代思想》九月號發表了署名「田村」的年輕女性批判司馬先生的文章，在日

本有這樣的年輕人存在，就某種意義而言，這表示與昭和4年，在那嚴苛的年代矢內原忠雄不顧高壓迫害，對滿洲國問題提出發言，或出版《日本帝國主義下之台灣》，具有重疊的意義。不過，在昭和4年沒有人要聽他的，竟被趕出東大。然而戰後迎接他擔任東大校長的，卻同樣是日本人。對於這樣的矢內原先生，我敢加以批判，還是因為希望在有某種制約之中，與大家一起超越之。其實這樣作的目的是，藉由超越，使台灣成為鏡子，讓日本能否去除新的戰爭之芽。但是，支持矢內原的東大社會科學研究所諸位先生，卻未必作如此想。對他的寬厚，正如我先前所說，其實與對司馬遼太郎的寬厚是共通的，是通底的。這樣一來，21世紀日本在亞洲的領導地位還是不容易確立。就此意義，小島〔晉二，前東大教授〕先生所說的，留學生變為厭惡日本而回國，其更為根本的部分，是否會與這方面產生關係呢？多謝各位。

（中略）

戴：其實，從其經過來看，日本的殖民地統治進行非常快速。因此當時（日本人與總督府）在台灣的調查，對今日我們了解台灣以往的社會狀況，提供非常寶貴的資料，這點我心存感激。但並不是說，因為感激就希望再一次被統治，再請後藤新平從墳墓出來調查研究。學者無法區別，只會自己的方便讚美。臨時台灣舊慣調查也是如此。

再舉一例。數年前，我初次到大英博物館，聽到同在參觀的印度人說著英語。他說，為什麼我們的東西非擺在這樣的地方不可？當時我的感想是，大英帝國曾稱霸七海，收集了這麼多東西

讓我們免費看，保存狀態也很好，如果它們還是在中國或印度的話，說不定會遭壞人偷竊或損毀。話雖這樣說，難道就可以肯定大英帝國的那種侵略嗎？各位可能認為日本在原爆病醫學方面是最進步的。那麼各位是否希望原子彈再次落下來呢？當然不要，邏輯是不一樣的。

　　所以不管大英博物館的存在也好，日本的滿鐵調查部也好，以及後藤新平在台灣的舊慣調查也好，我們如何將其作為結果加以活用，這點與他們所做的意義並不相同。他們的目的始終是為了讓殖民地的統治能夠順利進行，但實際上那學問幾乎來不及使用。狀況進展過頭，幾乎派不上用場。只是作為資料留下來。然而卻被學者利用來寫學位論文。如此就說後藤新平很偉大，這令人困擾。我當然研究後藤新平，認為是不得了的日本人，捉住中國人的弱點到這個地步，我們真的被吃定了，算是可敬的對手。但是我一次也從未無條件地感到後藤新平留給我們了不起的資料。然而，有位日本的某先生（因已過世，不願提名）因有美國人曾取出那種舊慣調查來訪問他，便對我說：「哎呀，戴君，後藤新平真的很了不起」。這樣就麻煩了，這是全然不同的。這樣子日本是得不到亞洲的理解。

　　這只是作為結果而留下來的。在台灣既做了基礎建設，也蓋了醫院。那麼醫院是為我們蓋的嗎？不是的。其目的是使投資對象的台灣改善衛生狀態，以便提高殖民地利潤來賺錢。不然的話，為什麼今天日本人不去非洲大蓋醫院？所以不是這樣的，並非基於人道的事。所謂殖民地經營，是為了以殖民地獲得利益的。其基礎建設是戰後日本打敗戰而棄置，無法帶回去的。就是

這麼簡單。如果說我們活用了這些而造就今日的台灣，我們不應該忘記有這樣的機制。還好當初做了建設，那麼也就可以說原子彈落下而促進了原爆病研究，所以再次投下原子彈吧！或是名古屋的地下街，當時我們去參觀時，覺得很了不起，但那是名古屋遭受大轟炸，在都市重建案中作出那個地下街，以其為模型，大阪也建了梅田的地下街。只是這樣子而已，將其自我陶醉，作種種解釋，真是傷腦筋。以庶民的情感可以了解，但那不是社會科學。不過問題是，曾經是左派的先生們都是那樣的說法，我一直相當困惑。

（前略）

戴：請再給我一分鐘的時間，不好意思，說太多了。剛才尾上先生——在我讀東京大學農經系大學院時期，曾當過東大助手的大前輩的談話最後提到《十八史略》的五帝。這一點最好請日本的各位先生好好注意，以便理解今日的中國或台灣。要之，說明治維新以後的日本人太過於近代化，我感到抱歉，但以那種歐洲式思考要來理解中國人，我想也無濟於事。因為相當多的中國人仍處於《十八史略》所寫的「日出而作，日入而息」境地。要之，管他什麼權力，什麼獨立、統一或文化大革命，無論怎樣人民都會活下去、都能生活，權力算什麼，類似這樣的氣氛在中國大陸以及台灣，還是根深柢固地殘留著。因此，日本的學者先生僅讀統計資料或報紙，就感到理解中國，這是非常危險的。

台灣現在的報紙與日本的報紙不同，是由報紙來製造新聞，而不是寫新聞，報導消息，是由新聞記者來製造新聞。因此讀了這些之後，是真是假我們都知道，但日本人不知道，只有相信所

寫的是無可奈何的。台灣這個星期六要投票。從日本去了很多
人。我來之前與其中幾個人見了面，我說不能讀台灣的報紙，也
不要看雜誌，要去選舉的現場。但是無奈他們聽不懂。只要知道
那樣的氣氛，就能預測這次29日的投票結果。到現在，都在說台
灣人又是反對統一，又是贊成獨立，這種形式議論是測不出的。
要之，很多台灣人看重現在的生活方式。那是根深柢固的存在於
中國社會。就此意義，尾上先生今天所提出《十八史略》的一
節，務請各位回憶一下來理解中國。

　　總之，因為台灣與中國都是日本的鄰國。我回去也告訴台灣
的朋友，日本是重要的國家，不要只顧賺錢，或一開口就說日本
的文化是學中國的，應該認真讀日本的歷史，必須透過其社會、
文化來用功，才能了解日本的明治維新所經歷苦難，知道有如何
了不起的人物。只可惜，睽違41年回去，看不到認真討論日本的
書，也沒有日本史的書。這就是台灣可悲的狀況，這是不行的。
因此想到我們要回去組織起來，從此領導日本研究。我已經66歲
了，可能來日無多，但仍願努力以赴。就此意義，為了相互理解
不能操之過急，不流於表面，也不斤斤計較於日常財務，避免模
稜兩可的態度，更加深入了解庶民的生活、想法，這才是重要
的。謝謝。〔以上蔣智揚譯〕

本文原刊於《人文研究》第149號，橫濱市：神奈川大学人文学
会，2003年6月，頁49～55，頁69～74，頁75～78，頁88～90。爲於
「追究中日關係一百年——日本神奈川大學中國語學科創設十周年
（1997）紀念討論會」之演講

譯者簡介

李毓昭

1961年生。中興大學社會學系畢業。曾任出版社編輯,現為專職譯者。譯有:《銀河鐵道之夜》(晨星)、《顏面考》(晨星)、《霍去病》(實學社)等。

林彩美

1933年生。中興大學農經系畢業,日本東京大學農經系博士課程修畢。旅日長達40年,中華料理研究家,曾主持梅苑中華料理研究室(日本)二十餘年。致力於梅苑書庫的保存與研究,長期投入《戴國煇全集》的編譯工作。

著有:《中菜健康瘦身法》(文經社)、《新灶腳的健康料理》(文經社)等;主編:《戴國煇文集》;策劃:《戴國煇全集》等。

林琪禎

1978年生。文化大學日文研究所碩士,現就讀於日本一橋大學大學院言語社會研究科博士後期課程。譯有:〈戰後初期台灣的「國語教育」(1945-1949)〉、〈故宮博物院所藏1848年兩件浩罕文書再考〉等。

孫智齡

1963年生。現就讀於輔仁大學比較文學研究所博士班。譯有:《宮尾本平家物語》(遠流)、幕末(遠流)、天璋院篤姬(如果)等。

陳仁端

1933年生。中興大學畢業,日本東京大學大學院農學博士。曾任職於台糖公司花蓮糖廠、日本大學教授。譯有:《土地利用の経済的研究:台

中（台湾）地域における》（東京：農政調查委員会）等。

劉俊南

1930年生。日本中央大學經濟系畢業。曾任中國通信社總編輯，現爲日本中國語翻譯社董事長。譯有：《周恩來傳》（上下，岩波書店）、《周恩來與我》（NHK）、《毛澤東側近回想錄》（新潮社）。

蔡秀美

1981年生。台灣師範大學歷史所博士候選人，專攻日治時期台灣社會史。譯有：〈殖民地統治法與内地統治法之比較：以日本帝國在朝鮮與臺灣的地方制度爲中心的討論〉、〈關於《隈本繁吉文書》——殖民地教育資料之介紹〉等。

蔣智揚

1942年生。台灣大學外文系畢業，美國西海岸大學電腦學碩士。曾任職大同公司，現專業翻譯。譯有：《不老——新世紀銀髮生活智慧》（遠流）、《閒話中國人》（馥林）等。

謝明如

1980年生。台灣師範大學歷史所博士候選人，專攻日治時期教育研究。譯有：〈日治初期的女子教育與女教師〉等。

（以上依姓氏筆畫序）

日文審校者・校訂者簡介

◆ 日文審校

吳文星

1948年生。台灣師範大學歷史研究所博士。曾任美國哈佛大學及史丹佛大學訪問學人，東京大學、京都大學等校外國人客員研究員及招聘外國人學者，歷任台灣師範大學進修部教務主任、歷史學系主任、文學院長，現為台灣師範大學歷史學系教授、台灣教育史研究會會長。研究專長為台灣近現代史、中日關係史。

著有：《日據時期在台「華僑」研究》、《日治時期台灣的社會領導階層》、《台灣史》等；〈東京帝國大學與台灣「學術探檢」之展開〉、〈札幌農學校と台灣近代農學の展開——台灣總督府農事試驗場を中心として——〉、〈京都帝國大學與台灣舊慣調查〉等論文一百餘篇。

林水福

1953年生。日本東北大學文學博士。曾任輔仁大學外語學院院長、日文系主任、所長；高雄第一科技大學副校長、外語學院院長；興國管理學院講座教授；東北大學客座研究員等，現為台北駐日經濟文化代表處台北文化中心主任。專攻平安朝文學、近現代文學，兼及台灣文學、翻譯學。

著有：《他山之石》、《現代日本文學掃描》、《源氏物語的女性》等；譯有：遠藤周作《影子》、《沉默》等；谷崎潤一郎《夢浮橋》、《細雪》等。並於《文訊》雜誌開設東京見聞錄，《聯副》開設東京文化現場專欄。

林彩美

（簡介略，見前述）

（以上依姓氏筆畫序）

◆ 校訂

王津平

1946年生。淡江大學英文系畢業，美國佛蒙特大學英美文學碩士，威斯康辛大學麥迪遜分校比較文學博士，傅爾布萊特（Fulbright）學人。早期致力於保釣運動，曾任中國統一聯盟主席、夏潮聯合會副會長，現爲世新大學英語系講師、中華基金會董事長。研究專長爲文學理論翻譯學、兩岸關係。

譯有：《綠色的危機：糧食問題面面觀》（明日譯叢）；主編：《「五二〇」全面觀察：兩岸的戰爭與和平》等。

戴國煇全集（全27冊）・各冊內容

戴國煇全集 9

【史學與台灣研究卷九】

著 作 人	戴國煇
策劃／總校	林彩美

編 輯 製 作	財團法人台灣文學發展基金會
	10048台北市中山南路11號6樓
	02-2343-3142
編 輯 委 員	王曉波　吳文星　張錦郎　張隆志
	陳淑美　劉序楓（依姓氏筆畫序）
主　　　編	封德屏
執 行 編 輯	江侑蓮　王為萱
美 術 設 計	不倒翁視覺創意

出　　　版	文訊雜誌社
發 行 人	王榮文
發 行 所	遠流出版事業股份有限公司
	10084台北市中正區南昌路二段81號6樓
	（02）2392-6899
	http：//www.ylib.com

排　　　版	浩瀚電腦排版股份有限公司
印　　　刷	松霖彩色印刷事業有限公司
初　　　版	民國100年（2011）4月
定　　　價	全27冊（不分售）精裝新台幣16,000元整
ISBN	978-986-87023-3-2（全集9：精裝）
	978-986-85850-4-1（全套：精裝）

◎版權所有，翻印必究

國家圖書館出版品預行編目（CIP）資料

戴國煇全集. 1-9, 史學與台灣研究卷／戴國煇著.
-- 初版. -- 台北市：文訊雜誌社出版；遠流
發行, 2011.04
　　冊；　公分
ISBN　978-986-85850-5-8（第1冊：精裝）. --
ISBN　978-986-85850-6-5（第2冊：精裝）. --
ISBN　978-986-85850-7-2（第3冊：精裝）. --
ISBN　978-986-85850-8-9（第4冊：精裝）. --
ISBN　978-986-85850-9-6（第5冊：精裝）. --
ISBN　978-986-87023-0-1（第6冊：精裝）. --
ISBN　978-986-87023-1-8（第7冊：精裝）. --
ISBN　978-986-87023-2-5（第8冊：精裝）. --
ISBN　978-986-87023-3-2（第9冊：精裝）

1. 史學　2. 文集

607　　　　　　　　　　　　　　100001708